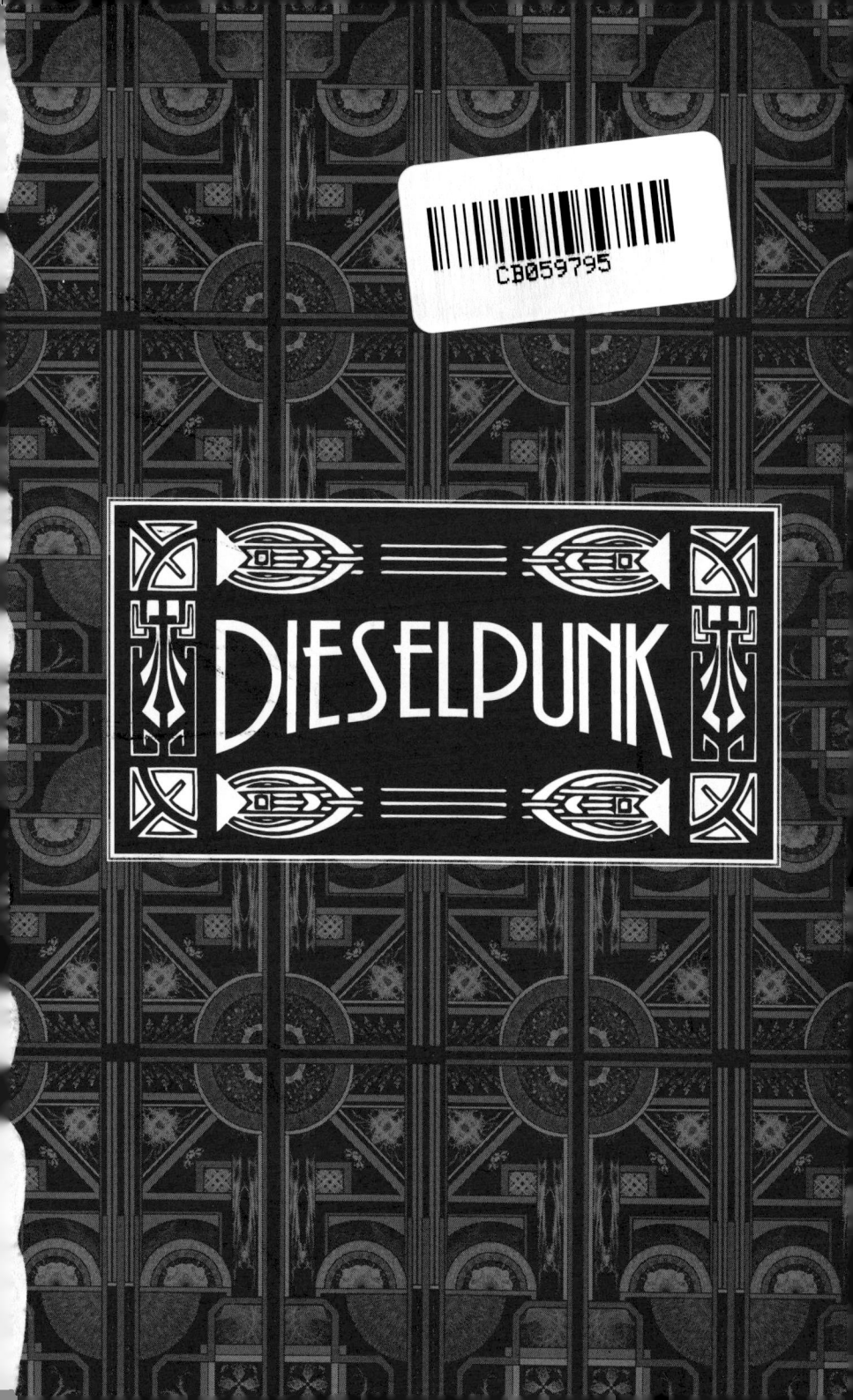

# DIESELPUNK

# DIESELPUNK
## Arquivos confidenciais de uma bela época

*Organizado por*

## Gerson Lodi-Ribeiro

1ª EDIÇÃO

**Editora Draco**

São Paulo
2011

© 2011 by Carlos Orsi, Tibor Moricz, Octavio Aragão, Hugo Vera, Gerson Lodi-Ribeiro, Antonio Luiz M. C. Costa, Cirilo S. Lemos, Sid Castro e Jorge Candeias

Todos os direitos reservados à Editora Draco

Edição: Erick Santos Cardoso
Produção editorial: Janaina Chervezan
Organização: Gerson Lodi-Ribeiro
Revisão: José Roberto Vieira
Ilustração de capa: Ericksama

Dados Internacionais de Catalogação na Publicação (CIP)
Ana Lúcia Merege 4667/CRB7

---

Dieselpunk : arquivos confidenciais de uma bela época / organizado por Gerson Lodi-Ribeiro. – São Paulo : Draco, 2011.

ISBN 978-85-62942-23-5

1. Contos brasileiros   I. Lodi-Ribeiro, Gerson (organizador)

CDD 808.3

---

Índices para catálogo sistemático:
1. Ficção : Literatura brasileira 869.93

1ª edição, 2011

**Editora Draco**
R. Carlos Honório, 190 - 13
Jd. Esther Yolanda - São Paulo - SP
CEP 05372-070
draco@editoradraco.com
www.editoradraco.com
www.facebook.com/editoradraco
twitter: @editoradraco

# SUMÁRIO

**PREFÁCIO**   6

**CARLOS ORSI**   12
FÚRIA DO ESCORPIÃO AZUL

**TIBOR MORICZ**   56
GRANDE G

**OCTAVIO ARAGÃO**   84
O DIA EM QUE VIRGULINO CORTOU O RABO DA COBRA SEM FIM COM O CHUÇO EXCOMUNGADO

**HUGO VERA**   114
IMPÁVIDO COLOSSO

**GERSON LODI-RIBEIRO**   156
PAÍS DA AVIAÇÃO

**ANTONIO LUIZ M. C. COSTA**   194
AO PERDEDOR, AS BARATAS

**CIRILO S. LEMOS**   232
AUTO DO EXTERMÍNIO

**SID CASTRO**   282
COBRA DE FOGO

**JORGE CANDEIAS**   334
SÓ A MORTE TE RESGATA

**ORGANIZADORES & AUTORES**   380

# PREFÁCIO

Por que lançar a *Dieselpunk* um ano após a *Vaporpunk*? Responder esta pergunta a sério demandaria algumas linhas. Felizmente, a história pode ser resumida com o emprego de um mote brilhante: *"porque o vapor não era sujo o bastante!"*

Na seleção das noveletas que compõem a *Dieselpunk*, levou-se em conta dois critérios principais: qualidade literária e presença de elementos típicos das temáticas steampunk e dieselpunk. A inserção de elementos históricos e culturais luso-brasileiros nestas temáticas também foi julgado um quesito desejável.

Deste modo, as noveletas selecionadas estabelecem um panorama representativo abrangente do subgênero.

"A Fúria do Escorpião Azul" fala de um Brasil tecnologicamente mais avançado sob égide comunista. Só que, como nem tudo são flores na pretensa utopia marxista, eis que surge um herói mascarado para reparar as injustiças.

"Grande G" é uma narrativa em que a cobiça, o sexo e o poder se misturam numa luta sucessória desenfreada travada por várias gerações da mesma família pelo comando da megacorp que governa a sociedade e a maior cidade do planeta, num locus espaço-temporal onde a fumaça e a poluição representam um estilo de vida.

"O Dia em que Virgulino Cortou o Rabo da Cobra Sem Fim com o Chuço Excomungado" mostra o que aconteceria se os cangaceiros de Lampião e a Coluna Prestes se enfrentassem com armas hipertecnológicas de procedência misteriosa.

"Impávido Colosso" se passa numa linha histórica alternativa em que o Império do Brasil e seus aliados paraguaios já travaram duas guerras contra a República Argentina e se preparam para uma terceira, em plena inauguração de Brasília. O Exército Argentino ataca com divisões de soldados robóticos e o Império se defende com um autômato gigante fabricado pelo Barão de Mauá.

"Pais da Aviação" exibe um cenário alternativo em que Napoleão emprega navios a vapor construídos por Robert Fulton para derrotar a Royal Navy e invadir as Ilhas Britânicas, lançando as bases da Hegemonia Europeia, potência mundial que, décadas mais tarde, recebe outros inventores norte-americanos, os Irmãos Wright, dispostos a vender a ideia do avião ao hegemon.

"Ao Perdedor, as Baratas" é uma ficção alternativa historicamente consistente escrita na linha histórica de "Outros 500", onde um espião batavo-americano tenta mudar o rumo das eleições presidenciais num Brasil que sofreu mais influências extraeuropeias do que o nosso.

"Auto do Extermínio" é o retrato pungente das agruras de um assassino profissional num Império do Brasil distópico em que o Exército conspira contra o trono de Dom Pedro III, estabelecendo um cenário propício para a intervenção norte-americana no país.

"Cobra de Fogo" fala de outro Império do Brasil Alternativo. Agora numa linha histórica em que a Liga das Nações impõe a Pax Atomica e onde conflitos políticos e diplomáticos são resolvidos através de corridas mundiais a bordo de locomotivas gigantescas.

"Só a Morte te Resgata" se passa na mesma linha histórica da já clássica "Unidade em Chamas", publicada na *Vaporpunk*. Agora, o grosso da ação se dá fora das vastas fronteiras da Confederação Lusitana, sendo protagonizada por um brasileiro racista alinhado à causa dos Aliados, grupo de potências coloniais que se opõe aos princípios de igualdade racial lusitanos.

Portanto, como afirmado acima, a *Dieselpunk* apresenta nove trabalhos com enredos originais, diferenciados e complexos que representam o potencial do subgênero em sua plenitude.

Cumpre agora encerrar este preâmbulo, desejando ao leitor uma viagem divertida e esfumaçada pelos reinos encantados do dieselpunk lusófono.

*Gerson Lodi-Ribeiro,*
*Junho de 2011.*

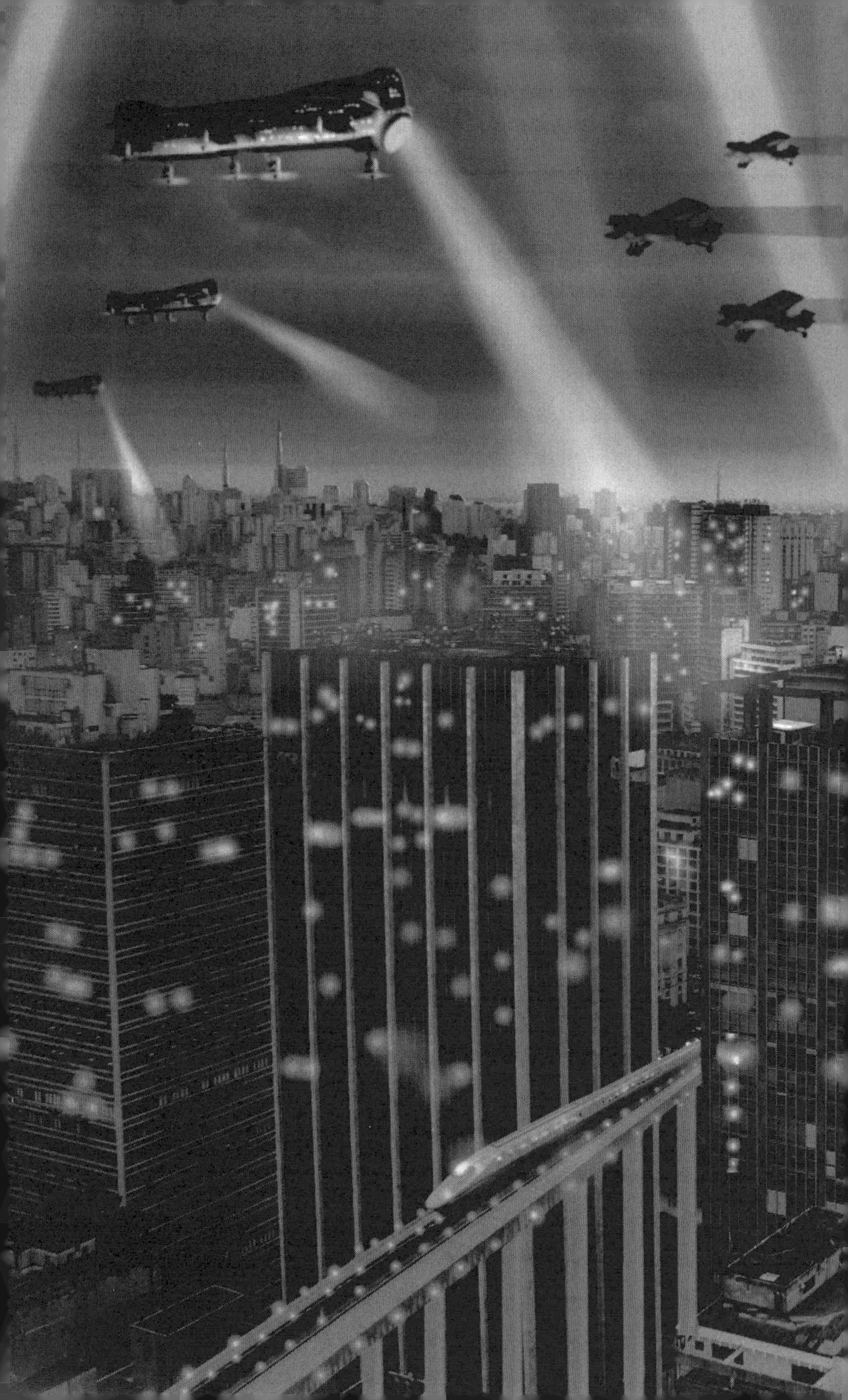

# DIESELPUNK

# FÚRIA DO ESCORPIÃO AZUL
Carlos Orsi

O GRITO DE DESESPERO da jovem mãe trespassa a noite como uma baioneta cruel, mas ninguém responde. Ninguém reage. Ninguém ouve. Desde a revolução que o povo de São Paulo sabe que não é saudável ouvir o que acontece com os vizinhos à noite.

É um sinal da arrogância dos sequestradores que nem sequer tenham se dado ao trabalho de drogar a mulher, antes de lhe tomar o bebê. O carro, parado diante da entrada do edifício, mantém motor ligado e faróis acesos.

Os gângsteres do Partido desafiam a cidade a tentar detê-los, e se comportam com a confiança de quem sabe que o desafio não será aceito.

Os dois homens que montam guarda do lado de fora do prédio estão armados e razoavelmente atentos – sempre há o risco de algum parente da mulher morar por perto e se esquecer do que é melhor para si. Já o motorista relaxa, atrás do volante, um cigarro aceso entre os dedos.

Os faróis do carro iluminam a rua adiante, ainda molhada pela chuva do início da noite. Mas nenhuma luz artificial recai sobre a escultura, em mármore rosado, da Vitória Socialista que adorna a fachada do prédio em frente, reconstruído após os bombardeios aéreos da Guerra de Libertação Proletária. Nada, além da lua minguante filtrada pelas nuvens espessas, ilumina a forma sombria aninhada entre asas gloriosas da mulher atlética, nua, que ostenta uma coroa de louros na cabeça, uma foice na mão esquerda, um martelo na direita.

Um observador que pairasse sobre a cena teria uma boa chance de tomar a forma escura pela sombra naturalmente projetada pelas asas da mulher de mármore – impressão que seria quebrada, apenas, no momento em que o sequestrador aparecesse na entrada do prédio adiante, com a criança nos braços.

Nesse instante, a sombra fala três vezes – três estrondos trovejantes que parecem emanar da boca escancarada da Vitória, que retalham a noite com mais intensidade, até, do que o grito de desespero da mãe separada de seu bebê. Três estrondos, acompanhados por três rastros de chama, seguidos por três corpos humanos que tombam sem vida, um deles segurando um cigarro aceso entre os dedos.

Enquanto o quarto gângster, ainda vivo, ainda em pé, ainda com a criança nos braços, busca entender o que aconteceu, o que *está acontecendo*, e se confunde tentado sacar a arma que traz no coldre sob o braço esquerdo sem, ao mesmo tempo, derrubar o bebê, a sombra desliza, como uma aranha silenciosa, pela lateral do prédio em frente e, rastejando junto ao meio-fio, chega, sem ser notada, ao carro dos homens do Partido.

Pelo caminho, solta uma gargalhada que soa como estalactites de gelo caindo sobre uma lápide, um riso preternatural que reverbera pela rua e é refletido por muros e construções, até que sua fonte pareça ser todo lugar e parte alguma. O riso aumenta ainda mais a confusão do gângster, e o eco encobre o som da porta do carro se abrindo no lado oposto ao criminoso. Esconde o clique dos faróis se apagando.

Não há iluminação alguma na rua. As luzes do apartamento de onde a criança foi retirada já se apagaram, e nem mesmo os tiros na noite são suficientes para que a curiosidade dos vizinhos vença o medo.

O bebê começa a chorar.

– É o Escorpião, não é? – o homem, com a criança nos braços, grita para a noite, para o nada. – Sei que é. Apareça! – o homem está suando profusamente. O colarinho da camisa está encharcado, os punhos o incomodam. A gravata parece estrangulá-lo, mas a mão direita conseguiu, finalmente, liberar a arma.

O homem aponta o revólver para a cabeça da criança.

– Apareça! – A saliva se acumula nos cantos da boca do gângster.

Há delírio em seus olhos. – Apareça, ou eu estouro os miolos deste filho da puta!

O choro do bebê se reduz a uma sucessão de soluços.

Se o colarinho encharcado não o incomodasse tanto, o homem teria sentido a picada na nuca.

– Seu revólver é um Nagant M1895, de fabricação belga. – A voz, grave e melodiosa, estranhamente relaxante, vem de algum ponto às costas do gângster, um pouco à direita. – Stálin está exportando refugo para os lacaios, pelo que vejo. A NKVD atualmente só usa pistolas Tokarev ou lança-foguetes Tsiolkovsky-Zander. Como o meu.

Tomado pelo pânico, o gângster tenta puxar o gatilho. O esforço é tão inútil quanto se tentasse arrastar a Lua.

O choro da criança se intensifica. Delicadamente, a sombra estende as mãos enluvadas em couro e retira o bebê dos braços do agente paralisado. E é só então que o estranho se mostra.

O gângster sabe que tem pouco tempo de vida. A Picada do Escorpião é bem conhecida entre os homens do Partido, com sua progressão cruel da paralisia à agonia e, em seguida, à morte.

Nem mesmo as pálpebras se movem mais. Água escorre de seus olhos.

Seu algoz é como o haviam descrito: um homem vestido com uma farda idêntica à de um comissário do Comitê Popular de Assuntos Internos da Diretoria Política do Estado – a temida, respeitada e odiada DPE –, exceto pela ausência de divisas e insígnias, e pela cor. A farda do Escorpião não é verde, amarela e vermelha, mas azul – um azul intenso, quase negro. Uma capa, com o que parece ser um fecho de safira, envolve seus ombros, um chapéu de abas moles esconde os cabelos. Uma placa lisa de metal polido encobre seu rosto por completo. Na placa, o agente vê um reflexo distorcido de si mesmo.

É sua última visão.

=====

– E aí, Delega? O Escorpião andou fazendo o trabalho da polícia de novo? Ou atrapalhando o Partido? Ou ambos?

"Delega", ou delegado de polícia Jairo Mendes – é o que diz a identidade funcional dentro da carteira de couro vermelho que mantém no bolso de trás das calças do terno branco barato – ergue um pouco o chapéu de palha, enxuga a testa com um lenço grosso de algodão rústico e se volta para responder ao repórter que se aproxima.

Antes que o policial tenha tempo de abrir a boca, outra voz se faz ouvir:

– Você está muito mal informado para um jornalista, *garoto*. – Quem fala é um homem nem tão alto e nem tão gordo quanto Mendes, com o cabelo preto, duro de pomada, penteado para trás e vestindo a farda verde e amarela de um tenente do CPAI-DPE, completa com as duas estrelas douradas sobre dragonas vermelhas nos ombros do paletó. – Não leu o último manual? O Partido nunca tem problemas. Apenas contratempos e eventualidades.

– É mesmo, *velhinho*? – O repórter parece achar tudo muito divertido, a despeito dos quatro corpos no chão, dois torsos e uma cabeça explodidos por minifoguetes e o quarto, com a pele cianótica típica de uma vítima da picada do Escorpião Azul. – Estes presuntos aqui não são um problema, suponho. Suponho que Vossa Magnificência não sabe o que eles estão fazendo aqui.

– Eles não são homens do Partido. Não portam credenciais. Não sei o que estão fazendo aqui. E ao se dirigir a um tenente do Comitê Popular, o tratamento "Companheiro Comissário" é o mais correto, mas "Senhor", ou "Senhor Tenente", basta.

– "Não são homens do Partido"... – O repórter mastiga as palavras enquanto acende um cigarro, escondendo a zombaria atrás das mãos que protegem a brasa nascente do vento. Depois da primeira baforada, diz: – Então, o mistério é: o que Vossa Jurisprudência está fazendo aqui... *Senhor Tenente Companheiro Comissário?*

– Imaginando se as frentes civilizatórias do Alto Xingu não se beneficiariam da presença de um profissional de comunicação... Talvez eu faça um relatório a respeito.

– É. Faça isso, seu...

– Parem, os dois – a voz de Mendes é peremptória. Sua carreira na polícia tinha começado uma década antes da revolução, e ele realmente não se importava com política. Via a si mesmo como um cão de guarda, e lhe era indiferente quem tivesse a mão na correia que puxava a coleira. – Se querem brigar, saiam daqui. Não preciso de sete crimes na mesma cena.

– Sete? – a curiosidade do jornalista vence, por um momento, seu desprezo quase visceral pelos "marrecos vermelhos", que é como as pessoas chamavam os agentes da DPE pelas costas, e que era o impropério que estivera prestes a lançar sobre o tenente.

– Uma tentativa de sequestro, quatro homicídios e um roubo de carro – enumera o policial. – Perturbação da ordem pública seria o sétimo.

– Roubo de carro? – pergunta o repórter. Ele já tinha sido informado da tentativa de sequestro antes de sair da redação.

– Esses quatro vieram até aqui numa máquina – explica Mendes.

– O descabeçado ali – aponta para o cadáver decapitado, junto ao meio-fio – estava ao volante. Deve ter sido por isso que o Escorpião não o pegou no peito. A carroceria estava no caminho. A máquina sumiu.

– Se bem que, com o tipo de munição que ele usou, a carroceria não teria sido problema – comenta o repórter, lançando um olhar clínico para os cadáveres. – Supersônicos?

O delegado assente com um movimento da cabeça: – Os vizinhos ouviram o estrondo.

– *Desacato* foi o sétimo crime cometido aqui – diz o tenente, entrelaçando os dedos e estalando a junta dos polegares para chamar atenção. – Delegado, eu ordeno que esta pessoa...

A porta do prédio diante do qual a discussão tem lugar se abre.

– Não me digam que o Chiquinho arrumou problemas, de novo – diz um homem alto, de cabelos castanhos e terno cinza, descendo os três degraus que separam a entrada da rua. – Você é o meu melhor repórter, mas às vezes desconfio que abusa da prerrogativa.

– Olá, chefe – responde o jornalista, um sorriso sincero no rosto e uma expressão de alívio no olhar. – Não sabia que o senhor estava aí.

O homem de terno cinza dá de ombros.

– Vim ver se podia fazer algo pela pobre mulher e seu bebê. Ser mãe solteira já é difícil o suficiente. Ter a casa invadida e o filho arrancado do berço na madrugada é... Enfim, *de cada um segundo sua capacidade, a cada um segundo sua necessidade*. Essa mulher tem muitas necessidades e eu, uma pequena capacidade. Tinha de vir.

– Então, o senhor é o responsável por este reacionário...? O Partido certamente gostará de saber disso – diz o tenente. – Senhor...?
– Companheiro Comissário Castro! – o homem de terno cinza sorri e estende a mão para um aperto vigoroso. – O Coronel Madureira me ligou, avisando que o senhor estará no baile desta noite. É um prazer conhecê-lo. Meu nome é João, a seu dispor.
– O Doutor João Dias é o editor-chefe do *Verdade Proletária*, e também secretário do diretório estadual do Partido – diz o delegado Mendes, à guisa de apresentação.
O Tenente Castro sente-se empalidecer. Embora a DPE seja um órgão federal, ligado diretamente ao Politburo do Rio de Janeiro, as relações da cúpula nacional do Partido com os diretórios estaduais têm nuances e subtextos que, ele sabe, podem construir ou demolir carreiras.
– Prazer, Doutor – diz o tenente. – Eu não imaginava que um membro do diretório...
– Estivesse com os braços enfiados até o cotovelo em tinta de impressão? – João ri. – Não se preocupe, poucas pessoas imaginam como é possível conciliar o comando do jornal com as assembleias, reuniões... e bailes e jantares. Mas confesso que sou mais jornalista que político; minha investidura no diretório é quase uma coisa honorária. O senhor está aqui para investigar a questão das armas do Escorpião, não é mesmo?
– O quê? – Mendes grita. – Os marrecos finalmente vão reconhecer que o mascarado tem acesso a armas de uso restrito das forças de segurança?
– Ninguém está reconhecendo *nada* – responde Castro, com acidez. – Doutor João, gostaria de dizer que este homem...
– Eu sei, Chiquinho é um pouco inconveniente. Mas ele é um homem do Partido, credenciado pelo Conselho Popular de Comunicação Social e um filiado do sindicato, como todos os demais integrantes da redação, e como exige a lei. E o que acaba publicado no *Verdade* é o que realmente atende ao interesse público. E o que melhor atende ao interesse público é o que melhor atende ao interesse da revolução.
Acometido por um súbito acesso de tosse, Chiquinho termina cuspindo uma bolha de escarro no meio-fio.

— Você realmente devia moderar suas opiniões em público, Francisco.

Repórter e editor estão sentados nos fundos de uma padaria, diante de um par de sanduíches de pernil e xícaras de café. O ar está pesado com a fumaça dos cigarros.

— Esses marrecos filhos da...

— Existe, caso você não saiba, um ponto além do qual nem eu posso oferecer proteção.

— Porra. Revolução de mer...

— *Francisco*.

Chiquinho para a grande massa da humanidade — ou, ao menos, para ínfima parcela dessa massa ciente de sua existência, — Francisco apenas para os amigos mais chegados, o repórter engole o café morno antes de morder o lanche. Um vinagrete oleoso escorre pelo canto de sua boca.

Chefe e subordinado são homens muito parecidos, ambos mais altos que a média, de braços fortes e mãos um pouco grandes demais para trabalhadores urbanos. Ambos estavam fora do país quando a revolução aconteceu. Tinham voltado juntos. Tinham ido juntos prestar seus respeitos à múmia de Prestes, no Mausoléu do Corcovado.

— Russos filhos da puta — Francisco resmunga, a boca cheia de pernil. — Malditos russos e seus foguetes.

— Não são só os russos. Ribeiro lutou ao nosso lado na Ásia, e hoje é o chefe da DPE. O marreco-mór. E Tsiolkovsky queria visitar outros mundos. Foi por isso que começou a criar foguetes. Zander fundou uma "Sociedade Interplanetária" antes de passar a fabricar armas. Eram bons homens. Sonhadores.

— Ribeiro é um merda. E os sonhadores são todos uns filhos da puta — Francisco finalmente havia se dado conta da necessidade de um guardanapo e esfregava o papel fino contra o queixo. — Sonham, morrem, e a porra do mundo que eles sonharam fica aí pra gente como eu levar no rabo.

— E você vai levar ainda mais no rabo se não tomar cuidado com o que fala na frente dos marrecos vermelhos — adverte João. — É sério.

FÚRIA DO ESCORPIÃO AZUL 19

Um dia desses vou ter que dar uma carteirada tão grande para livrar a sua pele que acabarei perdendo o *Verdade Proletária*. O Partido pode designar outro editor-chefe um piscar de olhos.

– Você? Você é o herói de Ulan Bator! Moscou jamais permitiria...

– Moscou fica longe, e certas notícias têm o hábito de viajar devagar. Francisco mastiga o pão encharcado de molho.

– E para quê você quer o *Verdade Proletária*, afinal? A gente devia se preocupar com a *Verdade*, ponto. Sem adjetivos. Verdade adjetivada é coisa de cuzão.

– Em primeiro lugar, para que maníacos como você não vão parar numa frente de desmatamento do Alto Xingu, com flechas vindo de um lado e mosquitos de malária, do outro – responde João.

– Segundo porque, nas nossas mãos, o jornal ainda consegue fazer alguma coisa de bom. Ou você prefere mais uma coluna com fotos de esposas e filhas de dirigentes do Partido no lugar da seção de saúde pública?

– O pessoal jogou pesado contra a história da epidemia de febre amarela, não foi? – pergunta Francisco, a lembrança ainda fresca em sua memória.

– Sim. E nós publicamos, e no fim o diretório estadual nos apoiou. Mas se quiser manter essa linha, não posso continuar queimando capital político tirando repórteres boquirrotos de enrascadas. Entendeu?

– Entendi. Chefe. E você vai mesmo jantar esta noite com o engomadinho?

– O baile do Partido é uma das coisas que tenho de fazer para salvar o seu emprego, sabichão.

– Obrigado, ó magnânimo! – Chiquinho ri. – Agora: você acha que o marreco engomado está mesmo atrás do arsenal do Escorpião?

– Não – responde o editor, mordendo seu lanche pela primeira vez. O café já esfriou. – De fato, não acho.

Construído por um capitalista italiano e concluído menos de dois anos antes da revolução, o prédio que abriga o Hotel Amizade dos Povos é o mais alto de São Paulo.

Atraído pela arquitetura sólida, moderna e monumental, tão diferente do estilo eclético pequeno-burguês das obras de Ramos de Azevedo que dominam o centro paulistano, o Partido fez dele a residência oficial de boa parte de seus quadros. Durante a guerra, ninhos de metralhadoras antiaéreas foram montados em seu terraço. Agora, no entanto, não há mais homens armados no topo do edifício. Mesmo as unidades da cobertura estão desocupadas, sendo usadas apenas para festas e recepções.

Na madrugada, até a segurança de perímetro nas ruas ao redor está relaxada. Muitas das sentinelas postadas ali nem são mais soldados profissionais, e sim filhos e sobrinhos de heróis da revolução, alistados na Tropa Nacional em busca de uma via rápida de acesso às instâncias principais do Partido.

Nem mesmo o cruzamento de Marx e Engels, a principal esquina do centro de São Paulo, tem movimento neste horário. Com o céu escuro e nublado e a iluminação pública – onde existe – lançando sua luz amarela intensa sobre as calçadas, não é surpreendente que ninguém perceba o pequeno dirigível preto que paira sobre o alto do Amizade dos Povos.

Seu piloto – e único ocupante – desce, em silêncio, pela corda de seda negra que também ancora o veículo ao edifício.

Forçar a porta que dá acesso às escadas é uma questão de segundos, com a ferramenta que o Escorpião retira de um dos bolsos de sua farda azul. Seus passos são silenciosos enquanto ele se esgueira pelos degraus.

Ele sabe onde a vítima desta noite está hospedada. Uma vítima cautelosa: dois guardas tomam conta da entrada do apartamento. Notando que são soldados de polícia, e não homens da DPE – e que portanto, em princípio, não merecem morrer, – o Escorpião gira silenciosamente a catraca do lançador de dardos que mantém preso ao antebraço esquerdo, substituindo as picadas letais por agulhas anestésicas.

Duas breves contrações musculares do pulso fazem voar os dardos, e um segundo mais tarde os soldados caem, sem um suspiro. O Escorpião, que começara a cruzar o corredor no mesmo instante em que executava o segundo disparo, está agora sobre a dupla desacordada.

Agachado sob a capa escura, ele é como um grande predador noturno farejando um par de presas recém-abatidas. Esses soldados viverão, mas carregarão para sempre a marca do Escorpião Azul: com um movimento do polegar, o mascarado desloca um painel secreto e expõe o selo oculto no cabo de sua pistola lança-foguetes. Esse selo é pressionado, delicadamente, na testa de cada um dos dois policiais militares, deixando ali a grotesca mancha azulada, indelével, que lembra a sombra distorcida de um enorme escorpião.

Os soldados não usam armas de foguete, apenas Tokarevs. O que faz sentido, já que qualquer combate que viesse a ser travado no corredor envolveria trocas de curto alcance.

Usando a mesma ferramenta utilizada para abrir o acesso às escadas, o Escorpião destranca a porta do quarto. As luzes da sala estão apagadas. Um som distante de água corrente faz o intruso sorrir por trás da máscara. Suas fontes estavam certas: a vítima retornara há pouco de um baile de gala, e se preparava para dormir.

―――

O soco no estômago pega Castro de surpresa no instante em que deixa o banheiro para ir ao quarto, fazendo-o dobrar-se de dor e tirando-lhe o fôlego. O segundo golpe, na nuca, deixa-o sem sentidos.

Acorda nu, sentado numa cadeira sem almofada e de espaldar duro, pulsos e tornozelos amarrados às pernas do móvel por fios de arame. A posição, com as pernas abertas e os braços puxados para trás, é humilhante e desconfortável. O menor movimento faz o arame cortar na carne, provocando uma dor aguda.

Um fio de sangue lhe escorre por trás da orelha esquerda.

O tenente reconhece o arranjo. Vulnerabilidade psicológica, desconforto físico, nudez, impotência: técnica de interrogatório tirada diretamente do manual da DPE.

— Espero ter preparado tudo de acordo com o protocolo — diz uma voz rouca, grave, vinda de algum ponto às costas do tenente. Ele sabe que não há como se virar o suficiente para ver quem está falando, mas o instinto é mais forte. Só o que consegue é fazer o arame do pulso direito morder um pouco mais fundo. Sua cabeça dói.

— Quem é você?

— "Sou eu quem faz as perguntas aqui, companheiro" — responde a voz, em tom de zombaria. — Não é assim que se ensina na academia?
 — Se eu gritar...
 Uma gargalhada sepulcral ecoa pelo quarto. O som envia um tremor involuntário pela espinha do tenente, uma reação de medo primitivo que aumenta ainda mais seu senso de desamparo e humilhação.
 — As paredes neste prédio são grossas, companheiro — diz a voz.
 — E os soldados lá fora não estão em condições de socorrer nem a si mesmos. Mas, se ainda assim quiser tentar, tenho certeza de que consigo arrancar o seu escroto e enfiar as bolas em sua garganta antes que você consiga causar alguma inconveniência.
 Castro não tem resposta para isso. Cabeça baixa, só o que consegue fazer é contemplar a genitália exposta. O silêncio é interrompido pelo som de um fósforo sendo riscado. A isso se segue o aroma sufocante de tabaco ucraniano.
 — Você certamente reconhece a marca, companheiro — diz a voz.
 — É o fumo vagabundo que nossos irmãos soviéticos nos forçam a importar. A ponta de um cigarro queima a uma temperatura entre quinhentos e oitocentos graus. Carne humana queima por volta dos novecentos graus, então cremação não é realmente um problema aqui. Se bem que o conteúdo alcatrão neste tabaco é tão alto que a brasa acesa às vezes gruda na pele, e continua a arder... Aliás, tenho aqui uma daquelas bombinhas de ar engenhosas que os russos usam para manter a brasa vermelha no próprio instante do contato com e pele. Mas o tenente com certeza já sabe de tudo isso.
 Claro que Castro sabe. Está tudo no manual da DPE. Mas apenas contrarrevolucionários é que deviam passar por...
 — O que você quer? — o tenente consegue fazer a voz soar firme, mas então se dá conta de que está sentado numa poça da própria urina.
 — *Por que você está aqui?* — a voz, agora, soa tão grave que Castro sente como se a captasse pelo tato, não pela audição. — Não é para investigar minhas armas, tenho certeza. Vocês sabem perfeitamente bem como as obtenho: tomando o que está nas mãos frias e mortas de imbecis incompetentes como você.

— Eu...
— São os desaparecimentos, não são? Os sequestros. As crianças. O Partido está *preocupado*.
— Não estou autorizado...

Castro morde o lábio inferior até sangrar, mas no fim não consegue conter o grito de dor. O cigarro ucraniano acaba de ser apagado em sua nuca.

— *Quem autoriza ou desautoriza as coisas neste quarto sou eu.* — A voz parece fazer vibrar a cadeira onde o tenente está sentado. — *Fui claro?*

Silêncio.

— Quem você foi enviado para investigar?
— Ninguém pode... saber... que ele... que ele está...
— Em São Paulo, setor Sul, Zona de Exclusão?

Não há nada de contido ou discreto no sobressalto do tenente; o arame morde ainda mais fundo em pulsos e tornozelos, provocando grunhidos de agonia.

Por baixo da máscara, o Escorpião sorri. A análise da lama nos pneus do carro dos gângsteres já lhe havia dado a localização provável do inimigo — a assinatura geológica da cratera de Parelheiros, no setor sul da cidade, onde os russos vinham realizando escavações que tentavam manter em segredo, era virtualmente impossível de confundir.

Chegara a hora de pressionar em direção ao ponto crucial do interrogatório:

— *Quem* está na Zona de Exclusão?

Silêncio. Silêncio obstinado. O cheiro de pele e de cabelo queimado irrita. Castro sente lágrimas nos olhos.

— Tenente, reconheça: você não é tão forte assim. E eu tenho um maço inteiro de cigarros comigo. Além de facas. De minhas mãos nuas. Entre outras coisas. E se você cagar de medo ou de dor, o cheiro ficará mais insuportável ainda.

Dois dedos quebrados e um segundo cigarro, desta vez apagado no interior da narina esquerda do homem da DPE, são necessários antes que ele dê o nome: Bogdanov. Alexander Bogdanov.

Um nome que o Escorpião reconhece imediatamente. Escritor, matemático, médico, psiquiatra. O homem que planejou o primeiro pouso na Lua, o primeiro voo ao planeta Marte — ambos planos ainda não executados, mas considerados brilhantes até mesmo pelos maiores inimigos da Rússia.

O homem que congelou o corpo de Lênin, depois de extrair-lhe o cérebro. O cérebro que, segundo boatos, teria permanecido vivo, numa jarra de nutrientes, até ser destruído por ordem de Stálin.

– Se Bogdanov estivesse aqui, – contesta, – já teria sido preso e deportado.

O tenente balança a cabeça.

– Ele nunca chegou a ser expurgado – explica Castro, enquanto um corrimento amarelado escapa-lhe do nariz, caindo em sua boca e deixando um gosto amargo. – Foi para a Sibéria, mas para pesquisas. Secretas. Sua presença no Brasil virá a público em breve. Mas, antes, precisamos checar...

– Se ele tem algo a ver com as crianças? Por que teria?

– Suspeitas. Apenas suspeitas. É o que tenho ordens de... é o que vou verificar.

– Não. Não vai.

O toque do ferrão atrás da orelha é sutil, imperceptível em meio ao oceano de dor em que Castro está imerso, mas os sintomas logo se manifestam – o rigor dos músculos, a dificuldade para respirar. Antes que a paralisia seja total, o tenente ainda tenta se debater. O arame em seus pulsos chega a tocar o osso.

Depois, a morte.

———

Palmeiras. Plantações.

Dentro de São Paulo, a paisagem é dominada por palmeiras, criações de galinhas e plantações de uma coisa verde que Chiquinho supõe já ter visto, fatiada, no prato, acompanhando o frango assado. A menos de 30 km do centro.

E, por fim, o muro. De pedras vermelhas e com quase quatro metros de altura e um perímetro de mais de 14 km, parece mais a muralha de uma cidade medieval, pensa o repórter. Uma cidade amuralhada, construída aqui, no setor sul de uma das maiores cidades do país, sem ninguém notar. Sem uma única linha na imprensa, um único segundo no rádio.

Dizem que índios viviam aqui. Guaranis. O que foi feito deles?

Nenhuma linha. Nenhum segundo. Quando o carro do jornal para diante do portão, Chiquinho mergulha, sem se dar conta, numa análise da situação tática. Terreno. Fortificação. Explosivos, quantos quilos seriam necessários? Assim que a parte consciente de seu cérebro percebe o que o resto está fazendo, acha graça, mas não o suficiente para materializar um sorriso. Ele se lembra da guerrilha de que tomara parte, ao lado de consultores militares russos, para expulsar os chineses da Mongólia. Quando João Dias era o "Major Ivan Uragan".

Os historiadores referiam-se à independência mongol como uma das lutas soviéticas de libertação que se seguiram à Grande Guerra. Chiquinho imagina que tipo de liberdade os mongóis estariam desfrutando.

A abertura dos portões corta o devaneio. Os homens que saem da guarita junto à entrada para analisar os documentos do jornalista e, por fim, autorizá-lo a entrar usam trajes monocromáticos, tudo preto: chapéu, terno, camisa e gravata – um horror, com o tempo abafado e o sol de chuva – e têm a postura falsamente relaxada que Chiquinho associa ao segurança experiente: o sujeito capaz de se dobrar de rir sem na verdade jamais tirar os olhos de você, e de sacar uma arma assim que você enfiar a mão no bolso do paletó.

A alameda interna – separada da cratera propriamente dita por uma cerca de arame, além da qual o jornalista vê terra remexida, holofotes apagados, máquinas pesadas – conduz a um edifício sólido com dois andares, além do térreo, apenas um pouco mais alto que largo e dotado de amplas janelas verticais, com painéis quadrados de vidro. Feito de blocos retangulares e com pequenas decorações arredondadas no contorno do teto plano, lembra uma *brownstone* nova-iorquina.

A ausência de mármore rosado e da peculiar heráldica comunista chama a atenção.

Ladeando o lance de escadas que leva à porta há, surpreendentemente, um modesto par de leões de concreto, e não mais uma reprodução barata de O Operário e A Camponesa de Brecheret, martelo e foice cruzados no alto, tão comum nos prédios públicos.

Bogdanov o aguarda sob a marquise estreita, junto à porta. O homem se veste como uma caricatura vitoriana de cientista, pensa

Chiquinho, enquanto sobe os degraus: colarinho engomado, jaleco branco. O cabelo cuidadosamente desgrenhado que é a marca do revolucionário, efeito que o bigode encerado de pontas voltadas para cima lança por terra.

– Professor Bogdanov? – o repórter estende a mão e recebe um aperto seco, formal e firme.

– Tinha a esperança de que Wan Tengri viesse pessoalmente – o português do polímata russo é impecável, exceto, para o ouvido do brasileiro, pela entonação europeia. Bogdanov fala português como os portugueses.

Chiquinho coça a nuca, embaraçado. "Wan Tengri", literalmente "João Furacão", tinha sido o nome de guerra de Dias na guerrilha mongol, da mesma forma que Ivan Uragan era sua alcunha entre os russos. Era surpreendente encontrar alguém, fora das estepes asiáticas, que conhecesse o apelido.

– Desculpe-me, é claro que o senhor é bem-vindo. Mas uma pessoa culta dificilmente poderia ignorar o nome do homem que resgatou a alma de Gêngis Khan, ou pôr de lado a esperança de conhecê-lo – diz o cientista, como tivesse lido os pensamentos do jornalista.

– O senhor não vai encontrar muita gente que caiba nessa sua definição de "pessoa culta", professor – responde ele. – E quanto ao senhor Dias, ele se desculpa por não poder ter vindo, mas o Partido...

– Ah, sim! O Partido. Não podemos pôr de lado nosso dever para com o semelhante. Por falar nisso: aceita um café? Vamos ao meu escritório.

Enquanto cruzam o saguão com piso de mármore, ladeado por portas fechadas da onde vêm sons abafados, e seguem em direção às escadas, Chiquinho se lembra da batalha pela lança – a "alma" – do Khan, o cabo decorado com pelos da crina do garanhão favorito do grande conquistador. Um símbolo da independência mongol. Seu resgate das mãos dos chineses tinha marcado o início da virada na guerra e transformado João Dias numa lenda viva, uma espécie de Prestes da Ásia Central.

– Devo dizer que foi uma surpresa saber que o senhor estava aqui – diz o repórter. – Desde os boatos sobre o cérebro... Os acontecimentos em Moscou...

— Foi preciso dar a impressão de que eu havia caído em desgraça — Bogdanov gira a maçaneta da porta do escritório, uma peça de bronze fundido na forma de um rosto humano rechonchudo em meio a um anel de nuvens, Éolo ou um querubim — para despistar os capitalistas. Minha viagem à Sibéria teve uma finalidade importantíssima, que finalmente agora está pronta para ser anunciada ao mundo.

Ao sentar-se na cadeira de madeira torneada e almofadas roxas, Chiquinho se pergunta até que ponto Bogdanov estaria realmente "pronto", e até que ponto a apresentação não estava sendo forçada pelos eventos da última semana — as pichações no centro da cidade, os panfletos apócrifos, os bilhetes que apareceram no travesseiro do delegado Mendes, do coronel Madureira...

O jornalista tem certeza de que, mesmo com a campanha clandestina, Dias teve de usar sua influência no Partido para que uma declaração pública finalmente fosse feita. Antes de sair da redação para a entrevista, ele perguntara ao chefe se seria possível que as viagens à Lua e a Marte finalmente saíssem do papel.

— Possível, mas improvável — dissera-lhe Dias. — É alguma outra coisa.

Agora, cara a cara com o gênio excêntrico que extraíra o cérebro de Lênin e que planejava conquistar outros mundos, Chiquinho pergunta:

— E que finalidade é essa?

Os olhos do cientista brilham, as pontas do bigode vibram como as antenas de um inseto predador prestes a lançar o bote:

— A realização plena do potencial do ser humano, finalmente liberado dos grilhões do imperialismo — entoa. — O descobrir, o comprovar e o desenvolver da capacidade de comunicação direta entre cérebros.

═╤═

— A mente humana sob o imperialismo capitalista é uma mente embotada e brutalizada — Bogdanov recita, enquanto desce as escadas acompanhado pelo jornalista. Eles haviam conversado durante cerca de dez minutos do escritório do andar superior, um diálogo que deixara no repórter a estranha impressão de ter dado mais informações do que realmente recebera.

O cientista prossegue:

– Sob o socialismo, o Novo Homem encontra as condições necessárias para desenvolver, de forma científica e igualitária, os poderes que nossos ancestrais primitivos consideravam exclusividade de uns poucos eleitos, e que estão na base da exploração do homem pelo homem perpetrada por figuras como santos, faraós, bonzos, semideuses e xamãs.

Chiquinho toma notas, ao mesmo tempo em que cuida de não tropeçar no tapete de veludo que se estende pela escadaria, preso aos degraus por barras de bronze. A tentação de interromper o discurso grandiloquente com um breve teste de realidade – "Entre esses poderes estaria o de lamber graxa de botas russas sem vomitar?" – é enorme, mas o repórter se contém. Ele não foi mandado ali para debater. Dias tinha sido muito claro a respeito. Ouvir e observar. Deferência e discrição. Nada de sarcasmo.

– Claro, não posso esperar que o senhor aceite minha palavra. Por isso, creio que seria instrutivo visitar um de nossos laboratórios. Por aqui, por favor.

Chegando ao térreo, Bogdanov conduz Chiquinho em direção aos fundos do edifício. Lançando um olhar rápido para o espaço embaixo da escada, o repórter vê-o ocupado por uma estátua de granito da Mãe Pátria vestindo a túnica e o elmo de Atena, espada em riste, foice e martelo no escudo erguido.

– Aqui – o cientista sinaliza, indicando uma porta. Vamos entrar.

O repórter se vê numa sala toda pintada de branco, ocupada por um homem sentado diante de uma mesa onde há uma máquina que parece uma roleta, mas com os símbolos das cartas do baralho – número ou figura, e naipe – marcadas no perímetro, em vez dos números de zero a trinta e seis; e quatro botões: um verde, um azul, um amarelo e um vermelho.

As únicas decorações nas paredes são um relógio e uma superfície de vidro cinzento.

Diante da mesa está sentado um homem magro, de perfil aquilino. Parece jovem, mas o cabelo já rareia nas têmporas. Ele reage à entrada do cientista e do visitante com um sorriso.

– Tudo bem, Dirceu – diz Bogdanov. – Está na hora, não está? Pode prosseguir.

Sem proferir uma única palavra, Dirceu aperta o botão verde. A placa cinzenta de vidro na parede começa a brilhar e, lentamente, forma a imagem, em preto e branco, de uma mulher sentada diante de uma mesa onde há duas lâmpadas e um baralho.

A figura da jovem é impressionante. Na imagem, feita apenas de variações de cinza, as íris dos olhos – que devem ser de um castanho extremamente claro, talvez verdes – têm exatamente a mesma tonalidade das córneas brancas ao redor, das quais se separam por um delgado anel negro. As pupilas, contraídas, parecem pontos feitos a lápis.

Bogdanov se volta para Chiquinho:
– O senhor está familiarizado com a televisão, acredito.
– Dias tem um telefonoscópio – responde o jornalista. – Embora não faça muito uso.
– O número de usuários nunca foi muito grande, infelizmente.
– O pesquisador balança a cabeça, decepcionado com os rumos da humanidade. – As pessoas parecem preferir a carta ao telegrama, o telegrama ao telefone e o telefone ao telefonoscópio. Não entendo o motivo.

*É a fila de cinco anos para a instalação e a tarifa extorsiva, estúpido,* pensa o repórter, sentindo seu respeito pelo gênio europeu se esvair rapidamente.

– Bem, – prossegue Bogdanov, – neste caso a sala que vemos na tela contém apenas um transmissor, e este laboratório tem apenas o receptor. A jovem que vemos, Márcia, tentará ler, na mente de Dirceu, qual a carta selecionada pela roleta. Garanto-lhe que o mecanismo produz escolhas totalmente ao acaso. A própria mesa foi cuidadosamente calibrada para evitar qualquer viés causado pelo menor dos desníveis. Próxima fase, Dirceu.

O homem sentado à mesa pressiona o botão azul e a roleta começa a girar. Ela não tem bola, mas há um foco de luz intenso e estreito que se projeta do teto sobre ela. Depois de dez segundos, a roleta para, com uma única carta sob a luz. É o quatro de paus.

Dirceu então aperta o botão amarelo e, pela tela da televisão, vê-se que uma lâmpada se acende na mesa da sala onde Márcia está. Ao vê-la, a jovem baixa a cabeça e põe as duas mãos em torno do pescoço, com os dedos se tocando levemente sobre a nuca. Seus olhos se fecham.

– A lâmpada – Bogdanov cochicha no ouvido de Chiquinho – é o sinal de que Dirceu está se concentrando em manter a imagem da carta fixa em sua mente. O processo de paralisar os próprios pensamentos, permitindo que um único dado domine a consciência, é penoso. Por isso temos o botão vermelho. Com ele, o emissor avisa que não é mais capaz de manter a concentração.

O cientista mal terminara de falar e o botão vermelho é devidamente pressionado. A segunda lâmpada na mesa de Márcia se acende e o som de uma sineta se faz ouvir. A jovem abre os olhos, ergue a cabeça e pega o baralho que tem diante de si. Passa rapidamente pelas cartas, até selecionar uma que apresenta à câmera: o quatro de paus.

---

Dois segundos antes do impacto, o Escorpião vê o rastro esbranquiçado do foguete silencioso cortar a noite. Ele mal tem tempo de se soltar do dirigível negro e o estalido das fivelas ainda ecoa em seus ouvidos quando o trovão do pequeno sol criado pelo impacto do explosivo com o envelope do hidrogênio envolve seu corpo.

Ele agarra as pontas da capa, tentando obter um mínimo de sustentação para planar em segurança ao solo. Fragmentos incandescentes atingem o tecido, abrindo pequenos vãos flamejantes no dossel improvisado, e a onda de choque faz seu corpo girar em pleno ar.

É rolando que ele atinge a grama molhada de orvalho. Sua máscara amplifica a pouca luz da lua minguante e das estrelas. Não é muito, mas o suficiente para que consiga ver que ainda está a cerca de 500 metros da muralha da cratera.

O chapéu, que caíra da cabeça durante a descida, rola até o alcance de sua mão esquerda.

Um sorriso amargo curva os lábios por trás da placa inescrutável de metal polido. Ele esperava que o complexo tivesse outros perímetros de segurança, para além do muro, mas não havia imaginado uma defesa antiaérea tão eficaz.

Se Bogdanov tinha acesso a um radarscópio – e o Escorpião está certo de que essa era a única forma de detectar seu dirigível pessoal numa noite escura – então suas defesas eram melhores que as do porto do Rio de Janeiro.

Um instante depois de avaliar sua posição, antes mesmo que o pensamento sobre o radarscópio tome forma em sua consciência, o Escorpião está em movimento. Ele corre, agachado, fazendo um zigue-zague pela relva.

Carros e homens serão enviados em busca de corpos e destroços, ele sabe; e o confronto direto, em larga escala, não lhe interessa – ainda.

O som distante de tiros, seguido por uma breve nota musical em seu ouvido esquerdo, avisa-o de que o carro que havia enviado pela estrada foi finalmente interceptado.

O veículo é o mesmo que ele tinha tomado dos quatro gângsteres, na noite em que impedira o sequestro do bebê. Não há motorista a bordo, mas apenas um sistema mecânico, alavancas, engrenagens e giroscópios, ajustado para manter o carro na estrada que leva à cratera. O sinal sonoro significa que o motorista autômato foi desativado.

O Escorpião retira uma pequena caixa metálica de um bolso do colete do uniforme e pressiona o botão negro no centro de uma das faces prateadas. Um segundo sol irrompe na noite – desta vez, ao nível do solo.

O local da explosão, do outro lado da cratera e cerca de duzentos metros mais perto da muralha que o ponto onde o dirigível foi atingido, provavelmente marca o raio de um segundo perímetro de segurança. É possível que, com duas detonações separadas, e em pontos diametralmente opostos, a segurança de Bogdanov fique confusa, rarefeita, e facilite as coisas. Mas o Escorpião não conta com isso.

Dois dias antes da incursão do Escorpião Azul, Chiquinho e seu chefe conversavam sobre o saldo da entrevista com Bogdanov e da visita ao casarão junto à cratera. O repórter estava impressionado com a demonstração de telepatia.

– Ela acertou dezessete de vinte e cinco cartas – disse o jornalista. A chance de isso acontecer por pura sorte é...

– Desprezível – completou o editor. – Eu sei. Não foi pura sorte.

O repórter arregalou os olhos. Ambos estavam no escritório da direção do jornal, separados por uma majestosa mesa de mogno amazônico entalhada com foices, martelos, índios e bandeirantes, onças e tatus, ramos de café e talos de cana. Sobre a almofada de couro vermelho do tampo da escrivaninha, uma garrafa de vodca, dois copos e um balde de gelo.

– Não me diga que você está comprando a história da transmissão de pensamento...

– Eu só disse que não foi *pura sorte* – Dias sorriu. – Pode ter sido transmissão de pensamento. Ou um truque.

– Truque? – Chiquinho se sentiu levemente ofendido. Como seu chefe pode imaginar que ele cairia num reles *truque*?

– Bem transparente, na verdade – o sorriso de Dias se ampliou.

– Fico surpreso de você não ter notado.

– Oh. Mesmo? – o repórter esvaziou o copo de vodca com um gole, e por alguns instantes o único som no escritório foi o do gelo batendo de encontro ao vidro. – Esclareça-me.

– Com prazer. Você disse que, depois que a carta é escolhida, o emissor pressiona dois botões.

Chiquinho assentiu com um movimento da cabeça, e disse:

– Primeiro um, e depois de algum tempo, outro.

– "Depois de algum tempo". Quanto tempo?

– Como assim?

– Era sempre o mesmo intervalo, para todas as cartas? Ou o tempo variava?

Chiquinho começa a entender, muito vagamente, aonde o editor está tentando chegar.

– Acho que eram tempos diferentes, mas...

– Havia um relógio na sala, você disse.

– Sim – os olhos do repórter se estreitaram. Ele já entendeu. – Você acha que havia um código. O número de segundos entre um botão e outro.

– Exatamente.

– Mas...

– Mas?

– Não havia um relógio na sala *dela*.

– Não havia um relógio *dentro do enquadramento da câmera* – corrigiu Dias. – Além disso, você disse que ela ficava com as mãos no pescoço. Se tem uma taxa cardíaca regular...

– Pode deduzir o tempo contando pulsações!
– Exato.
Os dois amigos beberam então, num brinde silencioso à dedução. Mas uma nova dúvida vincou a testa de Chiquinho, assim que a vodca gelada terminou de rolar garganta abaixo.
– Você acha que os dois estão enganando Bogdanov?
– É concebível, mas quase impossível. Não, acho que aquilo foi um espetáculo montado com o conhecimento e, provavelmente, sob inspiração dele.
– Só para mim?
Dias ergueu as sobrancelhas:
– Dificilmente. Membros da cúpula do Partido estão preparando visitas à cratera. É mais provável que você tenha sido cobaia de uma encenação que está sendo aprimorada para o benefício dos geniais guias do povo.
– O Partido está se interessando pelo caso? Achei que Bogdanov estivesse acima dos politicozinhos – Chiquinho pôs um pouco mais de gelo no copo.
– Ninguém está realmente acima dos politicozinhos – Dias disse, suspirando. – Eles sabem manter distância enquanto o adversário parece forte, mas reagem rápido quando sentem cheiro de sangue na água. A morte do tenente-comissário causou alguma agitação, pelo que pude depreender. Parece que ele estava na cidade para investigar as atividades de Bogdanov. O fato de ter sido morto pelo Escorpião Azul...
– Será que estão juntos, os dois? O maluco e o cientista?
– Bem, o Escorpião tem acesso a equipamentos que parecem saídos dos livros do próprio professor, como aquele da viagem a Marte...

A segunda linha de defesa da cratera aparece de repente, sob a forma de dois homens armados com cassetete em uma das mãos, lanterna na outra, Tokarevs na cintura. O Escorpião os reconhece como sendo do mesmo tipo – postura, traje, atitude – dos gângsteres sequestradores de crianças. Valentões. Covardes. Provavelmente estão ali apenas para assustar moradores da região, ou andarilhos.

Um vento forte começa a soprar da esquerda, o que impede o uso seguro do lançador de ferrões à distância.

Os dois patrulham juntos, lado a lado. Deslocando-se em silêncio, o Escorpião se aproxima com o corpo curvado, evitando o feixe das lanternas e usando a capa para criar uma cobertura de trevas. Longe do foco das luzes artificiais, seu movimento se confunde com o das sombras tênues projetadas pelas nuvens no céu.

O Escorpião não quer tiros ou explosões, não ainda: o ideal é que o grosso da segurança continue concentrado em vasculhar os destroços do dirigível e investigar o automóvel sem motorista.

O único aviso que os dois guardas têm da aproximação do vingador é o breve tilintar provocado pela abertura dos cabos do par de facas-borboleta que o Escorpião retira do cinto.

Ambos se voltam, um instintivamente erguendo o cassetete, o outro soltando o bastão para buscar a Tokarev com a mão direita.

A luz das lanternas atinge em cheio a placa facial do Escorpião, o que produz um reflexo intenso e concentrado que ofusca as sentinelas por um instante. Esse tempo é tudo de que o mascarado precisa para arremessar uma das facas, que trespassa a mão do gângster que procurava o coldre, fixando-a ao abdome.

No mesmo movimento do braço direito com que havia lançado a lâmina, o Escorpião agarra o pulso do guarda que brandia o cassetete, puxa-o com força – o cotovelo se rompe com um estalo de galho seco – e, usando a mão esquerda, crava a faca restante em sua garganta.

Mesmo com a mão direita pregada ao corpo – e o sangue escorrendo copiosamente por entre os dedos – o segundo gângster investe, com um grito furioso, contra o Escorpião, usando a lanterna metálica como porrete.

O mascarado se limita a tirar o corpo do caminho da investida, deixando apenas a perna esquerda esticada na trajetória do guarda ensandecido. Assim que o gângster tropeça e começa a cair, o Escorpião gira o corpo, desferindo um potente golpe de mão aberta na base do crânio do adversário, que então colide com o chão coberto de grama molhada e não se levanta mais.

Depois de recuperar e limpar as duas facas, fechá-las e voltar a embainhá-las no cinto, o Escorpião retoma seu caminho.

A notícia da presença de Bogdanov no centro da Zona de Exclusão, e dos experimentos que ele realizava ali, tiveram destaque especial na primeira página da *Verdade Proletária*, um dia antes de o Escorpião lançar seu ataque.

As especulações, é claro, não demoraram a surgir. Não apenas entre o público em geral, adestrado pelos fatos da vida pós-revolução para procurar pistas escondidas e indícios de conspirações ocultas nas entrelinhas dos jornais – seria a cratera uma base de lançamento para a tão esperada viagem à Lua? – como entre as esferas mais rarefeitas do Partido.

Afinal, como um jornalista tivera acesso a uma área fechada até mesmo pra polícia política? Augustas personalidades sabiam que um tenente da DPE havia sido enviado a São Paulo para investigar o visionário russo; e sabiam que o mesmo tenente havia sido encontrado morto, com marcas de tortura típicas das vítimas da própria DPE, no quarto de um hotel reservados aos servos e heróis da Revolução.

Havia a marca do Escorpião Azul nos guardas do lado de fora da porta, mas essas coisas podem ser falsificadas, raciocinaram as mesmas personalidades. E Bogdanov ter aceitado vir a público *imediatamente depois*... Seria um desafio? Uma demonstração de força? Uma advertência?

O silêncio do Rio de Janeiro e de Moscou era eloquente. Mas ninguém parecia capaz de interpretar seu significado.

As cabeças da Hidra voltaram-se para si mesmas e confabularam. Dentre os frutos dessa confabulação, brotou o encontro, aparentemente fortuito, de João Dias com o Delegado Mendes numa padaria do centro, às oito e meia da manhã do dia em que o Escorpião viria a fazer seu ataque.

– Delega! – O editor acenou, com um pedaço de misto quente numa das mãos e uma grande xícara de gemada com conhaque na outra. – Veio fazer o desjejum por aqui também?

– Bom-dia, doutor! Não conhecia este lugar. – O policial se aproximou do balcão de aço cromado, fazendo uma careta ao ver o reflexo distorcido do próprio rosto na superfície polida. Ele sentiu

o sopro frio do ar condicionado assim que as portas automáticas de vidro se fecharam. A corrente fez gelar o suor nas costas da camisa, provocando um calafrio. – Fiquei curioso quando vi que as portas se abriam sozinhas. Tudo aqui deve ser meio caro, suponho.
– Escolha o que quiser, Mendes. – Dias sorriu. – Tenho conta aqui. Não, problema nenhum. Mera cortesia. De um servidor público para outro.

– Ora, obrigado, doutor... um café com leite e um pão na chapa, por favor – pediu o policial, assim que uma jovem de barrete branco se aproximou, do outro lado do balcão. – O café não esfria rápido demais com esse ar gelado? – perguntou ele, voltando-se novamente para o editor.

– É por isso que peço o meu batizado.
– Jornalistas podem beber em serviço. Eu invejo isso.
– Sempre podemos usar mais um nariz afiado...
Mendes balançou a cabeça.

– Já viu a papelada do Ministério do Trabalho para requisição de mudança de carreira, doutor? É mais fácil atravessar o Canal da Mancha a nado do que chegar do outro lado do mar de formulários.

– Parece que você já tentou, então.
O delegado riu:
– Não, eu não. Mas tenho um primo meio maluco que quis virar poeta... Escute, doutor, falando em "meio maluco". Aquela entrevista do Chiquinho com o russo doido...
Dias revirou os olhos.
– Oh, não. Não mais um. Todo mundo quer falar sobre aquilo. Não existe outro assunto nesta cidade?
– Bem, é o *seu* jornal, doutor. – Mendes lançou ao editor um olhar mordaz. – O senhor deveria estar feliz.
– O jornal é do *povo*. – Dias respondeu, e o delegado não conseguiu saber se falava a sério ou se estava sendo irônico. – Eu só trabalho lá. Mas, diga.
– Uma coisa que me deixou preocupado... Se ele está mesmo fazendo esse negócio de ensinar as pessoas a transmitir pensamentos...
– Sim? – Dias se abstivera de submeter sua teoria sobre fraude no experimento de telepatia aos censores do Partido e por isso ela

não tinha aparecido na página impressa. Chiquinho mantivera um tom neutro na redação da matéria, não efusivamente crédulo, mas também sem destilar ceticismo.

– Por que ali? Na cratera? Digo, doutor, o que pode haver naquele buraco que tenha alguma ligação com pensamentos e cartas e adivinhações?

– Nada, suponho – respondeu o editor, dando de ombros. – Bogdanov diz na reportagem que se instalou ali por causa da reclusão e da segurança reforçada. As escavações são um outro negócio, totalmente diferente.

– O senhor *sabe* o que eles tanto escavam naquele lugar?

– Uma pedra enorme caiu do céu ali há 20 milhões de anos, e...

– E eles estão tentando achar o que sobrou dela, é isso?

– É o que dizem.

O delegado deglutiu seu pão na chapa em dois bocados, empurrando-os garganta abaixo com generosos goles de café com leite. Vestígios de nata e manteiga foram removidos do queixo com um guardanapo de papel.

– Muito obrigado, doutor – disse o policial, por fim, enquanto reunia coragem para voltar ao sol escaldante da manhã.

═╣╠═

O Escorpião finalmente consegue ver seu destino: um portão baixo, mais largo do que alto, sob uma passagem em forma de ogiva, um túnel curto – não mais de cinco metros – feito de pedras, que se projeta a partir da muralha.

Durante o dia, tratores e outros veículos pesados entram e saem por ali, transportando pedras e terra da escavação. As máquinas nunca vão muito longe, limitando-se a descarregar os dejetos e o entulho um pouco além, sobre a relva, junto a um semicírculo de arbustos raquíticos.

A ausência de sinais claros de segurança – guarita, torreões, casamata – nas proximidades dessa "entrada dos fundos" devia ter aguçado as suspeitas do mascarado, mas ele está ansioso demais, entusiasmado demais.

Toda a cautela de que era capaz tinha sido gasta no esgueirar-se pelo campo, no fazer-se de sombra entre as sombras, na corrida furtiva para longe do dirigível, no combate silencioso com os guardas. Em outras circunstâncias ele teria sido capaz de mais, muito mais: em várias ocasiões a diferença entre vida e morte havia sido definida por uma hora além de imobilidade absoluta, um instante extra de silêncio.

Mas o Escorpião sabe que está prestes a resolver o mistério das crianças desaparecidas; e uma ansiedade funesta toma conta de seu peito, como se em torno do coração se estreitasse a cauda venenosa do aracnídeo que lhe empresta o nome.

O senso de urgência quase lhe custa a vida.

Em plataformas montadas em meio à folhagem de árvores próximas à entrada do túnel, quatro guardas vigiam a noite. A bala-foguete de um deles atravessa a palma da mão direita do Escorpião e explode de encontro a um ninho de cupins, alguns metros atrás. As chamas lançam a silhueta do vingador mascarado em nítido contraste. Um alvo perfeito para o par de metralhadoras que começa a cantar.

As rajadas terminam de retalhar a capa do vingador, a energia cinética das balas sustentando-a no ar como o pendão tremulante de um navio naufragado. Alertado pelo disparo do lança-foguetes, o Escorpião lançara-se ao solo, deixando para trás a capa como alvo e espantalho, uma fração de segundo antes do chumbo quente começar a cortar o espaço!

Enquanto rola para longe da área visada, agora já iluminada pela convergência de feixes de um par de holofotes, o mascarado começa a se dar conta da dor na mão trespassada pelo projétil. *A dor é boa*, ele diz a si mesmo; *sinal de que ainda estou vivo. Tive sorte. Embora não mereça.*

Ao mesmo tempo em que rasga a barra da calça para amarrar a ferida – o foguete parece ter deslizado entre os ossos do metacarpo, deslocando-os sem quebrá-los – o Escorpião olha freneticamente ao redor, em busca de cobertura.

Há alguns arbustos a uma pequena distância e, até que os holofotes se voltem na direção certa, o efeito principal da luz intensa que produzem é escurecer ainda mais o espaço fora de seu foco.

Aproveitando a intensificação da penumbra, o Escorpião corre, agachado, rumo à folhagem baixa. Mas sua aproximação súbita assusta uma coruja, que carpe uma nota nefasta ao se lançar ao céu.

A música fúnebre do pássaro não demora a atrair os fachos de luz e o som mais grave das metralhadoras. Mas quando os holofotes o encontram, o Escorpião já está com o Tsiolkovsky-Zander na mão esquerda; e antes que o granizo de chumbo quente possa alcançá-lo, as árvores, e os vigias sobre elas, ardem em chamas.

Tiros, gritos, explosões – não há mais sentido em buscar sutileza ou discrição. Com uma gargalhada selvagem, o Escorpião corre para o túnel que protege o portão da fortaleza.

Doze horas antes da incursão do mascarado, Chiquinho recebera um telefonema em sua mesa, na redação da *Verdade*.

– Horácio, aqui – disse a voz masculina do outro lado da linha.

O jornalista sorriu. "Horácio" era o cognome coletivo usado por um pequeno grupo de funcionários do Partido encarregado de interceptação telefônica, que se vingavam dos baixos salários e do desprezo com que eram tratados pelos figurões da DPE passando dicas para alguns poucos jornalistas selecionados. Chiquinho era um deles – às vezes, desconfiava até que era o *único*.

– Sim? E o que há?

– Avenida Secretário Prestes. – O nome fez Chiquinho pular da cadeira em busca de papel e caneta. Com seus parques e palacetes, a antiga Avenida Paulista era o endereço da cúpula do Partido. O próprio João Dias morava num casarão de lá, bem como a maioria dos altos comissários.

– O que tem na avenida?

– O Alto Comissário de Ordem Política e Social está na janela com uma arma na mão, aos berros, ameaçando matar a mulher e as duas filhas. Você sabe o endereço do casarão dele.

O telefone do outro lado foi desligado antes de Chiquinho conseguir dizer que, sim, sabia. Ele então pôs o aparelho no gancho e saiu correndo.

A mansão do Coronel Madureira ficava numa esquina, cercada, em três lados, por uma grade baixa e uma fileira de palmeiras altas. Naquela tarde, além das palmeiras, havia uma fileira de homens da DPE.

Os demais moradores da avenida e, principalmente seus servos e criados – a igualdade socialista não havia eliminado a necessidade de limpar banheiros e aparar a grama – faziam o melhor possível para ignorar o que se passava. Havia bloqueios da DPE dois quarteirões adiante, atrás, à direita e à esquerda do palacete. Chiquinho teve de descer do táxi quase no meio do caminho e seguir a pé.

Em momento algum viu homens da polícia regular, ou jornalistas de rádio.

Mesmo com as ruas bloqueadas, havia alamedas e vielas que, embora não se dirigissem diretamente para o local da tragédia em andamento, permitiam uma espécie de avanço oblíquo. Em uma ou duas ocasiões, um sorriso sedutor ou um aperto de mão firme conquistaram salvo-conduto pelo gramado de um ou outro casarão, graciosamente concedido por lavadeiras ou jardineiros.

Embora vigiassem o perímetro de palmeiras, a fim de intimidar eventuais curiosos, os homens da DPE aglomeravam-se principalmente junto ao portão principal. Conforme se aproximava, Chiquinho começa a ouvir os berros, vindos do balcão do segundo andar da mansão de três pavimentos.

– Eu mato esta vagabunda! E estas piranhas bastadas dissolutas que não são minhas! Ouviram? Eu mato...

O choro da mulher e das meninas também era audível, dependendo da direção do vento. Mas o que mais se fazia ouvir eram os gritos com ameaças:

– Ou me trazem o pai destas bastardas, o gigolô desta meretriz, para que eu lhe dê um tiro na boca, ou eu mato...

Entrando por uma passagem lateral, sem ser visto, no Parque Miguel Costa – separado da mansão do coronel por uma cerca de arame, parecida com uma tela de galinheiro, alta, e por uma depressão do terreno, funda porém estreita, por onde corria uma galeria pluvial – Chiquinho se dirigiu rapidamente à cabana do zelador. Lá, descartou o paletó, pôs o relógio de pulso no bolso da calça, tirou a gravata e o chapéu, que trocou por um modelo de palha, sem fita e de abas largas, pendurado atrás da porta, junto a um macacão de lona grossa e a um par de luvas.

Arregaçando as mangas da camisa e apropriando-se de um rastelo, saiu na direção do fosso que separava os dois terrenos.

A entrada do parque que dava para a Avenida Secretário Prestes estava também obstruída por marrecos vermelhos de arma na cinta e cassetete na mão, mas era improvável que os homens da DPE tivessem penetrado a fundo na área verde, que cobria uma extensão de vários quarteirões.

Chiquinho estava apostando que, com sorte, não encontraria nenhum marreco pelo caminho – e que, se encontrasse, seu disfarce apressado seria suficiente para evitar suspeitas.

Passando por entre as árvores que separavam a cabana do zelador da tela, o jornalista notou um rastro de vinhas e trepadeiras sobre o gramado – como se parte das plantas que usavam o arame como apoio tivesse sido arrancada. Seguindo a direção geral das vinhas caídas rumo às raízes na base da cerca, Chiquinho encontrou uma abertura: uma brecha cortada no arame.

Ajoelhada junto ao vão estava uma jovem, que segurava algo parecido com uma arma – uma arma que mantinha apontada para o balcão do palacete.

Embora a maior parte da sacada se voltasse para a entrada principal da propriedade, onde os marrecos vermelhos se aglomeravam, a abertura na tela oferecia uma linha de visada para a lateral do segundo andar da mansão e para o perfil do Coronel Madureira, que segurava a mulher diante de si enquanto gritava alucinado.

O que quer que a jovem agachada tivesse nas mãos emitia um zumbido grave que, embora não fosse intenso, parecia abafar todos os demais sons num raio de poucos metros. Foi provavelmente isso que impediu Chiquinho de ouvir o estalo do graveto que se quebrava sob seus pés.

A mulher misteriosa, no entanto, devia ser imune ao zumbido. Mal o graveto se partiu, ela se voltou, apontando a arma estranha diretamente para a cabeça do jornalista.

Chiquinho sentiu o cérebro em chamas. Emoções com que aprendera a conviver havia anos – a desilusão com a revolução, a desconfiança de tudo e de todos, a contínua tentação suicida – de repente se ergueram em sua consciência como cordilheiras incandescentes, assomaram e colidiram entre si como tsunamis da alma.

Com um grito estrangulado, o repórter caiu, sem sentidos – sua última visão, um par de olhos de íris muito claras, de um castanho que era quase verde.

O Escorpião salta para o interior da muralha em meio a uma bola de fogo, o efeito espetacular dos foguetes que disparara para derrubar as portas que bloqueavam o túnel.

Seu corpo rola por uma rampa de concreto – por um instante ele imagina ver um acesso para o ar livre à sua direita, mas tudo passa muito rápido – e, quando finalmente consegue parar, o mascarado se encontra numa câmara subterrânea, uma abóbada alta de tijolos, iluminada por intensas luzes elétricas.

O tijolo sobre seu ombro esquerdo explode de repente, atingido por um minifoguete, e balas começam a voar imediatamente em seguida.

Há alguns caminhões parados na área, e o Escorpião corre, em zigue-zague, para a cobertura oferecida por um deles, pensando que, se o tanque estiver cheio e um foguete atingi-lo...

– Não atirem! – grita uma voz, vinda de algum ponto além das colunas que sustentam a abóbada. – Não queremos mais explosões aqui. Vão pegá-lo.

O Escorpião fecha os olhos. Os ombros relaxam, automaticamente. A respiração torna-se lenta e profunda. Toda a atenção, todos os recursos de uma mente poderosa concentram-se nos ouvidos. O crepitar distante do fogo que ainda não se extinguiu. O atrito entre o metal das armas e o couro dos coldres. Outras respirações – três ritmos distintos.

Passos. Aproximando-se. Separando-se...

Num movimento fluido como o escoar de uma mancha negra de óleo ou o deslizar de uma serpente, o mascarado mergulha sob o caminhão e se arrasta até o outro lado do veículo.

Dessa posição, observa enquanto dois homens de terno preto começam a caminhar, lentamente, um em direção à frente e outro rumo à traseira do caminhão, numa tentativa de contornar o veículo em segurança e cercar o adversário que, acreditam, ainda está do outro lado.

Em silêncio, como uma sombra que crescendo à medida que o sol se põe, o Escorpião se ergue entre ambos. Os dois estão de costas para o mascarado, que então joga a cabeça para trás e liberta sua gargalhada funesta.

Os homens de preto reagem simultaneamente, fazendo meia volta e abrindo fogo contra a fonte do som aterrador. Contra o Escorpião... Que não está mais lá!

Também simultaneamente, ambos caem, atingidos e mortos, um pelas balas do outro.

Voltando a erguer-se do piso, onde se havia projetado para escapar do fogo cruzado, o Escorpião caminha primeiro à direita, depois à esquerda, deixando sua marca na testa de ambos os cadáveres. Cumprida a tarefa, diz, com voz firme e clara:
– Os lacaios estão mortos. Onde está o mestre?

O desafio, no entanto, não obtém resposta. Seja quem for o terceiro homem, prefere preservar o silêncio e aguardar em emboscada.

*Esperto*, pensa o Escorpião. *Melhor seguir com cuidado.*

Mantendo parte do cérebro concentrada em acompanhar todos os sons ao redor, o mascarado avalia sua posição com calma.

O lugar parece uma combinação de garagem coberta e pátio de manobras. O acesso às escavações propriamente ditas, pondera, deve ficar mais acima, na rampa por onde havia descido de modo tão vertiginoso.

Por um instante, considera a possibilidade de retornar até lá e reiniciar o avanço ao ar livre, mas então as luzes da garagem desaparecem de repente – restando iluminado, por lâmpadas vermelhas de emergência, apenas um túnel que parece se projetar a partir do fundo da câmara abobadada, na direção geral da casa de Bogdanov.

O Escorpião ri, uma nota grave e zombeteira que ecoa dos tijolos acima. Se o inimigo acha que tirará vantagem da escuridão, é um imbecil. O túnel iluminado é evidentemente um chamariz – mas o mascarado não tem medo.

⸻

Cinco horas antes do início da invasão da cratera, Chiquinho acordou numa cama de hospital, com uma dor de cabeça terrível e a clara impressão de que os olhos cairiam a qualquer momento de suas órbitas.

Dias estava sentado junto à cabeceira. O rosto do chefe fez o repórter esquecer, por um momento, as próprias aflições. Havia linhas de tensão em torno dos olhos e rugas de apreensão nos cantos da boca.

Chiquinho não se lembrava de jamais ter visto tanta tensão na expressão de Dias – nem mesmo na noite anterior à investida final contra os chineses na Mongólia.

– Como se sente, Francisco? – perguntou o editor.

– Com uma ressaca fenomenal – respondeu. – E nem bebi nada que valesse a pena.

– Você não sabe como veio parar aqui. – Não era uma pergunta, mas uma afirmação.

Chiquinho balançou a cabeça:

– Eu estava no parque... tentando achar um jeito de ver o que acontecia com o Madureira...

– Ele matou a mulher na frente das filhas e se matou em seguida.

Ignorando a dor ainda intensa, Chiquinho arregalou os olhos:

– E nós vamos dar isso?

Dias piscou duas vezes antes de responder:

– A versão do Partido é de que o coronel foi morto pelo terrorista Escorpião Azul.

Chiquinho praticamente se levantou da cama, lutando bravamente contra a dor e a vertigem:

– Nós não vamos imprimir essa *merda*, vamos?

O suspiro que se seguiu fez Dias parecer, de repente, trinta anos mais velho:

– Se eu quiser continuar à frente do jornal, vamos, sim.

– *Não acredito...*

– Você não sabe como veio parar aqui. – De novo, uma afirmação, não uma pergunta.

Chiquinho apenas ficou em silêncio, esperando.

– O zelador o encontrou, desmaiado, com sangue escorrendo pelo nariz, no fosso entre o parque e a residência dos Madureira. A cerca estava cortada. Os marrecos vermelhos trouxeram você para o hospital. Há dois deles lá fora, fazendo segurança. A teoria é a de que você cortou a cerca e estava tentando invadir o jardim do palacete quando escorregou, caiu e bateu a cabeça...

O repórter tentou protestar, mas Dias o silenciou com um gesto:

– O fato, Francisco, é que há contra você, neste momento, uma

lista de indiciamentos por violação da Lei de Segurança Nacional maior do que o seu braço direito. O Partido quer mandar você para o Xingu, anteontem. Na verdade, já se fala em mandar *nós dois* para o Xingu. Depois de cobrar todos os favores de que vou precisar para sairmos dessa, terei sorte se mantiver o jornal.
– Eu não cortei a cerca. – Chiquinho protestou, com um grunhido, ao mesmo tempo em que deixava a cabeça cair de encontro aos travesseiros macios do hospital. – Eu não invadi a residência oficial. Só o que fiz foi dar um baile nos marrecos e entrar no parque, mas se fazer esses idiotas de idiota for violar a LSN, então...
– Se não foi você, então quem...?
– Uma mulher. – A memória voltou ao repórter com a velocidade de um raio. – Uma mulher, e *eu sei quem ela é*.
Então foi a vez de Dias aguardar em silêncio, até Chiquinho dizer:
– Márcia, a "leitora de mentes" de Bogdanov.

---

O ataque vem do alto.

O Escorpião esgueirava-se, de arma em punho, por entre as colunas de tijolo e os veículos parados na garagem subterrânea quando um grande peso caiu sobre suas costas, lançando-o ao solo e fazendo o lança-foguetes deslizar para longe.

Um movimento rápido do pescoço é tudo o que o salva de ter a cabeça esmagada pela coronha de um revólver.

Flexionando os braços poderosos contra o piso, ignorando a dor que flameja a partir da palma da mão direita, o mascarado consegue se erguer com um único salto, ao mesmo tempo lançando o agressor sobre suas costas para trás. Um giro nos calcanhares lhe permite estar em posição para defletir, com o antebraço esquerdo, a pesada arma de fogo arremessada pelo inimigo.

– Sem balas? – provoca o Escorpião que, gargalhando, investe, com as mãos nuas, contra o homem.

A garagem ainda está escura, mas o pouco de luz que escapa do corredor próximo parece ser suficiente para que o adversário lute. A primeira troca de golpes mostra ao mascarado que não está enfrentando mais um imbecil com mais fé em intimidação do que em perícia.

O homem apara o gancho de esquerda do mascarado com habilidade e é rápido em aproveitar a abertura criada para lançar um soco direto, do qual o Escorpião escapa com um elegante movimento pendular da cabeça.

— Não tente golpear a máscara — diz ele, zombeteiro, agora dentro da guarda do inimigo e castigando-o com uma série cruel de golpes nos rins. A mão ferida sangra profusamente, mas ele não se dá conta. — Vai machucar sua mão.

O adversário grunhe com a dor e, quase sem fôlego, lança-se para trás, erguendo o joelho direito numa tentativa de atingir o queixo do Escorpião durante a escapada.

Mas o mascarado é mais rápido e agarra, com as duas mãos, o tornozelo do homem, magro e de perfil aquilino, no instante em que a perna começa a se elevar.

— Se você não vai respeitar as regras, eu também não vou — sussurra o Escorpião, ao mesmo tempo em torce violentamente a perna do inimigo. O estampido da explosão no joelho do homem só é abafado pelo grito inumano de dor.

— Eu poderia nocautear você agora, ou matá-lo. Isso o pouparia da dor — diz o mascarado para a forma que se contorce no chão. — Mas não estou me sentindo caridoso nesta noite.

Três horas antes da luta na garagem subterrânea, João Dias dormia e sonhava.

Era um sonho recorrente: o banquete em Ulan Bator, celebrando a expulsão dos invasores chineses, a libertação da Lança da Alma e o triunfo da revolução. Há muita comida e bebida, gritos e risadas entre as cortinas de seda e as almofadas de lã, vozes roucas, trêmulas e perfumes exóticos no ar.

Tudo no estilo rude e sincero de um povo de raiz nômade e vida dura, que tem poucas chances de escapar da rotina espartana imposta pelas necessidades da guerra e da sobrevivência e que, quando obtém a oportunidade, trata de aproveitá-la com abandono.

Chiquinho e a maioria dos outros membros da Brigada Internacional — o grupo de voluntários veteranos da Grande Guerra que Dias viera a liderar — estavam cantando ou caídos, embriagados. Um ou dois brasileiros não se encontravam lá, mas o comandante supunha que estivessem se distraindo com leais moças socialistas em algum lugar mais discreto.

Dias, no entanto, mal umedecia os lábios na cerveja quente, espessa e amarga, ou na aguardente de leite de égua. Os meses de combate tinham-no ensinado a apreciar ambas as bebidas – bem como os queijos de aroma forte e os cortes fibrosos de carne de cavalo – mas algo em sua mente não lhe permitia o sossego necessário.

Então, ele se dá conta: onde estavam os russos? Havia alguns tenentes tomando parte nas festividades, e vários soldados rasos, mas onde estavam o Major Medvev e o Coronel Sokolov?

O Exército Vermelho tinha sido parte importante do esforço de libertação – ainda que as perdas mais pesadas tivessem sido sofridas pela Brigada – e era apenas justo que os líderes envolvidos desfrutassem do triunfo.

Mais ainda: onde estavam Gantula e Ganbold, os oficiais mongóis encarregados da segurança da Lança da Alma? E, pensando melhor: *onde estava a lança?*

O artefato, resgatado das mãos dos chineses que o haviam roubado depois de localizar – e destruir – o templo budista que o preservava, tinha sido a arma favorita e estandarte pessoal de Gêngis Khan.

Quando cravada no chão diante de uma tenda, indicara, em vida, a presença física do grande conquistador no local. Após sua morte, tornara-se o símbolo da presença espiritual do fundador da civilização mongol.

O efeito moral de sua captura pelos chineses – de um eventual traslado a Pequim – teria sido arrasador.

A lança havia sido exibida rapidamente, na abertura do banquete da vitória, mas agora não estava mais visível em parte alguma do grande salão circular. Ao redor, todos pareciam entretidos – bêbados – demais para se preocupar com esse detalhe. No dia seguinte, talvez, depois da ressaca. Mas não agora.

Dias disse a si mesmo que não havia com o que ser preocupar. Que Gantula e Ganbold provavelmente retiraram a arma, discretamente, do salão, para evitar que fosse danificada, ou que algum ébrio se machucasse com ela. E os oficiais russos...

Impaciente consigo mesmo, o líder da Brigada se levantara e, com cuidado para não pisar nos homens que roncavam e nas mulheres que rolavam por almofadas e tapetes, deixara o salão, que ocupava a área central de um edifício formado por uma série de anéis concêntricos, conectados por corredores radiais. Um desses corredores, a "alameda de honra", tinha sido usado para conduzir a lança ao salão.

Dias dirigiu-se para lá. Não havia guardas, o que era estranho. Estariam todos tomando parte na festa?

Percorrendo a alameda, já quase na porta que separava o prédio do ar gelado da madrugada, encontrou o corpo de Ganbold. Prostrado no chão, sem vida. Degolado por um corte que começava profundo, na parte esquerda do pescoço, e rumava para a superfície à medida que seguia para a direita. Degolado pelas costas.

Em seguida, ele ouviu um passo atrás de si.

Como sempre acontecia, Dias acordou nesse ponto. A última lembrança do sonho, como de costume, era uma imagem de si mesmo, caído ao ar livre, do lado de fora do prédio, um instante antes de perder os sentidos. E a visão de um pequeno animal: *Mesobuthus martensii*, um escorpião comum na Ásia, de garras e ferrão rosados, mas com uma curiosa mancha azulada na carapaça.

―――

O túnel iluminado de vermelho conduz a uma comporta estanque, como as usadas em submarinos. Além da trava giratória, tem ainda ferrolhos fixados com cadeado. O Escorpião estuda detidamente a porta e as peças.

Foguetes — ele recuperara a arma após o corpo-a-corpo — talvez sejam inúteis, conclui; há o risco de fundir a porta no lugar, em vez de arrancá-la dali.

O mascarado retira uma pequena ferramenta do cinto, uma peça alongada de metal que se parece com um arpão em miniatura ou uma agulha serrilhada, e já tem um dos cadeados abertos quando ouve um passo atrás de si.

— Não se mova — diz a voz. — Mesmo. E mantenha as mãos onde eu possa vê-las. Não tente se esquivar. Não preciso de mira para atingi-lo com o que estou segurando.

O Escorpião levanta as mãos e se vira, devagar. Diante de si, vê um homem de jaleco branco, segurando algo que parece uma arma – mas diferente de todas as armas que já havia visto na vida.

– Eu realmente me senti tentado a permitir que você visse o que existe do outro lado – diz o homem, que o Escorpião reconhece como sendo Alexander Bogdanov. – Encontramos a tecnologia primeiro em Tunguska, uma terra de ninguém no meio da Sibéria, e depois *aqui*. Na verdade, os que caíram em Tunguska estavam numa espécie de missão de resgate, em busca do que havia atingido São Paulo... Ou o que viria a ser São Paulo. Quando deciframos os mapas deles, ficou claro que o Brasil teria de se tornar uma prioridade absoluta da Revolução. – o visionário russo abre um sorriso amplo.

– Mas, você não faz ideia nenhuma do que estou falando!

– Tunguska – responde o Escorpião. – Houve uma explosão no céu, lá, décadas atrás. Mas não havia cratera. E esta cratera de São Paulo tem milhares, ou milhões de anos.

Bogdanov ri:

– Bravo! Mas *havia* uma cratera. Escondida, em meio à floresta. Quando finalmente a encontramos, estava tomada por um lago. Quanto ao tempo entre um evento e outro, acidente e tentativa de resgate, você não andou prestando muita atenção nas revelações mais recentes do Professor Einstein, certo?

– E o que vocês encontraram, que faz valer a pena tudo isto?

Os olhos de Bogdanov brilham:

– Uma tecnologia feita não de matéria ou energia, mas de *mente*. Esta arma, por exemplo... Ela é capaz de amplificar o que há de mais profundo, obscuro, contraditório e hediondo na mente da vítima. Foi ela que fez aflorar a paranoia homicida-suicida do Coronel Madureira... Ele estava começando a se tornar um incômodo e Moscou não quer, afinal, que nossos irmãos brasileiros saibam que estão sendo usados como fonte de matéria-prima...

– As crianças... os bebês...

– Cérebros imaturos e incompletos, o meio de cultura ideal para a safra da mente. Mas já falei demais. Vamos ver o que faz o poderoso Escorpião Azul se encolher no chão, tremer e chorar!

O dedo de Bogdanov comprime o gatilho no mesmo instante em que o mascarado se lança num último salto desesperado!

E, pela primeira vez em anos, sob o efeito do estranho raio mental, o homem por trás da máscara do Escorpião Azul se lembra do que aconteceu depois de ter perdido os sentidos, do lado de fora da grande celebração em Ulan Bator.

— Ninguém pode saber que matamos os mongóis e roubamos a lança — diz uma voz em sua memória. A voz fala em russo, mas Dias a reconhece: Ribeiro, um dos homens da Brigada. E que, ao voltar ao Brasil, depois da revolução, tomaria parte na organização da DPE.

— Bogdanov diz que a lança é necessária. — É a voz do general Medvev. — Deixaremos uma réplica para os mongóis guardarem ou esconderem onde quiserem, mas o professor quer a original... algo a ver com *vibrações mentais acumuladas*. Soa a superstição pequeno-burguesa, mas quem sou eu para discutir ordens? Concordo: ninguém pode saber o que houve. Vamos dar a este bisbilhoteiro o mesmo destino previsto para os corpos dos guardas.

Depois há a viagem na caçamba de um caminhão velho, deserto adentro. A noite é fria, e Dias, semidesacordado, sente sua consciência frágil se retrair para dentro de si mesma, esmagada sob o próprio peso.

E, então, o veículo para.

— Cuidado. — Ele ouve alguém dizer, em russo. — O calor do carro e de nossos corpos vai atraí-los.

— Joguem o brigadista primeiro — ordena uma segunda voz. — E os cadáveres em seguida.

— Não seria melhor matá-lo primeiro? Uma bala na cabeça...

— De jeito nenhum — Dias reconhece a voz: é Ribeiro. — Vai ser bom ter um corpo quente por baixo dos cadáveres. Ajudará a atraí-los. No fim, foi um golpe de sorte ele ter aparecido.

— Como vamos explicar o desaparecimento? Ele é Wan Tengri, o herói de Ulan Bator. O povo o ama. E tem muitos amigos na Brigada. Todos armados.

— Vamos criar uma lenda. — Ribeiro ri. — O guerreiro que cavalgou rumo ao pôr-do-sol, em busca de injustiças para corrigir, mulheres para amar... Você devia nos agradecer, João! — Agora, todos riem.

— Vamos criar para Wan Tengri uma lenda sem precedentes!

Os risos ficam mais próximos, mais altos, e então cessam por completo. Dias sente o corpo sendo erguido da caçamba, lançado sobre o ombro de alguém. O impacto faz com que o ar seja dolorosamente expelido de seus pulmões.

E então a ladeira fofa, o declive suave, a areia na boca e no nariz. O peso dos cadáveres, seguido, algum tempo depois, pelo som do caminhão se afastando.

O silêncio da noite. O toque ritmado de patas pequenas, em grupos de oito.

As picadas. Os escorpiões.

===⚎===

O Escorpião Azul volta a si com os braços encharcados de sangue até os cotovelos. No chão, sem vida, uma massa disforme que deve ter sido o corpo de Alexander Bogdanov.

O mascarado olha para o lado e vê que sua máscara está caída ali, no chão. Sente o sangue escorrendo pelos cantos da boca.

Todo o interior de seu corpo parece feito de gelo. Ele pega a máscara e a recoloca sobre o rosto, com precisão, e com precisão volta a trabalhar nos cadeados da porta metálica. Se algum pensamento sobre o que acaba de acontecer lhe ocorre, é o de que Bogdanov deveria saber que nem toda vítima de trauma encolhe-se no chão, treme e chora.

É o que costuma acontecer com torturadores: ficam mal acostumados.

Do outro lado da porta há uma câmara de horrores.

Paredes, piso e teto estão revestidos por *alguma coisa* – um material às vezes aveludado, às vezes esponjoso, que em alguns pontos brilha (a única fonte de luz) com um fulgor de madrepérola. Esse material se expande sobre bancadas de metal, onde há instrumentos para cortá-lo, abri-lo, dissecá-lo. O ar está cheio de eletricidade estática.

Em algumas das bancadas há carcaças cartilaginosas abertas que lembram os contornos da estranha arma usada por Bogdanov; das paredes, em alguns pontos, brotam cabeças – como troféus numa sala de caça – com rosto infantil e crânios obscenamente dilatados, balões pulsantes com faces de bebê.

Rostos que gemem e gorgolejam.

Depois de atravessar a câmara hedionda – com os pés já sobre degraus sólidos de tijolo, não mais tecido que cedia, exsudava pus e sangrava quando pisado – o Escorpião deliberadamente carrega sua pistola lança-foguetes com um pente de projéteis incendiários e, sem se preocupar em fazer mira, preme o gatilho uma, duas, três, várias vezes.

Quando finalmente emerge no interior de uma casa, numa passagem secreta oculta por trás de uma estátua da Mãe Pátria usando as armas de Atena, as chamas e a fumaça fétida vêm em seus calcanhares.

Ouve passos descendo as escadas às pressas, e com a mão esquerda abre e arremessa a faca que penetra fundo em um dos olhos muito claros de uma jovem chamada Márcia.

O Marechal Teodoro Ribeiro, Comandante Supremo do SDE, vem pessoalmente a São Paulo para cuidar da investigação da morte de Alexander Bogdanov. *Verdade Proletária* é autorizado a noticiar o incêndio e a publicar, sob forma de editorial, uma elegia ao grande cientista. Nada mais.

– Francisco... – Dias e seu principal repórter estão almoçando num pé-sujo do centro, os dois comendo o prato do dia de arroz, feijão, bife e salada. O chefe de redação sofrendo magnanimamente as dificuldades de manipular os talheres usando apenas a mão esquerda, já que a direita está imobilizada por ataduras, depois de um acidente algumas noites atrás. – Você se lembra do que aconteceu comigo depois do grande banquete em Ulan Bator?

Chiquinho, que até então vinha enfileirando imprecações contra a DPE e a polícia regular – até Mendes andava tratando-o como se ele fosse um leproso – sorri com apenas um canto da boca.

– Vamos lá, chefe. Você pediu para eu nunca mais tocar no assunto.

– Sério. O que aconteceu comigo?

– Bem... – O jornalista coça a nuca. – Você desapareceu do banquete e reapareceu, uns dois dias depois...

– Sim?

– Na cabana de uma prostituta que morava na periferia da cidade, na borda do deserto. Ribeiro já tinha quase convencido os mongóis a erigir uma estátua sua, como "mártir" da independência ou coisa assim e você me aparece de ressaca nos braços de uma piranha... Cá entre nós, acho que foi aí que você virou mesmo um herói nacional!

— O engraçado é que não me lembro de quase nada... O que aconteceu com a prostituta?

— Ribeiro e os russos disseram que iam cuidar dela. Por quê?

— É que eu realmente não me lembro.

— Puta porre, hein, chefe!

— Bom, tínhamos acabado de libertar um país. Não é algo que se faz todo dia.

— Verdade. Falando em coisas que não se fazem todo dia: uma fonte minha na alfândega conseguiu um pouco de bourbon... Não faça essa cara. Você sabe como é difícil conseguir boa bebida americana por aqui.

— Sei como é *ilegal*.

— Tá, chame como quiser. Enfim: quer dar uma passada lá em casa hoje à noite e me ajudar a eliminar a evidência do crime?

Dias balança a cabeça:

— Infelizmente, não posso. Hoje é o baile em homenagem à visita do Marechal Ribeiro, e eu tenho de estar lá.

— E depois?

— Depois? — Por um instante, o olhar de Dias perde o foco. *Não se liberta um país todos os dias*, pensa. *Mas já passou da hora de libertar outro.*

— Depois, vou dormir. Hoje quero ir cedo para a cama.

# GRANDE G
Tibor Moricz

SMOKE CITY BORBULHAVA sob um intenso e entrecortado manto de fumaça negra. Muito abaixo da construção gigantesca que vencia esse manto, uma cidade fervilhante e ensombrecida movia-se nas ondas incansáveis de máquinas barulhentas e de uma multidão atarefada.

Pináculos gigantes se alongavam em direção ao céu. Só um deles, o maior de todos, conseguia se projetar acima da atmosfera fuliginosa formada por filamentos densos de algodão sujo. Nesgas permitiam observar o movimento distante. Porém, não era para o formigueiro humano que George Grumman VII, conhecido como *Grande G*, olhava. Inclinava-se diante da ocular, extremidade de um telescópio que apontava para os confins da cidade, para além de suas fronteiras, tentando focar alguma coisa, qualquer coisa que fosse, na cidade vizinha, Steam City.

Passava boa parte dos seus dias fazendo isso. Era um hábito. Não um hábito que fosse desnecessário ou realizado sem justificativa. Steam City violava constantemente as fronteiras de Smoke City, seus moradores tentavam chegar à cidade, roubar e matar numa luta inglória, ridícula, fadada ao mais absoluto fracasso.

Viviam mergulhados – e isso não era uma tola metáfora – numa nuvem de vapor e cinzas tão intensa que suas ruas estavam sempre molhadas e sujas, as pessoas úmidas, as paredes escorrendo água, e as almas... Sim, as almas, afogueadas entre um hausto e outro em busca de ar seco.

Vapor! Viviam da queima do carvão, dos foles e das caldeiras. Não tinham acesso à tecnologia de Smoke City e era isso o que tanto os revoltava. Queriam progredir, mas não à custa dos próprios cientistas, de seus técnicos e estudiosos. Não pretendiam realizar pesquisas aprofundadas em busca da própria tecnologia. Queriam que Smoke City lhes proporcionasse o conhecimento, a técnica, o maquinário e as peças necessárias para produzirem suas máquinas fumarentas.

Tanto melhor – pensavam – se lhes enviassem já as máquinas prontas, os veículos montados e os aerotransportadores operacionais. Melhor ainda se com condutores treinados para dirigi-los.

Claro que forças policiais agiam nas fronteiras, coibindo qualquer avanço. Atiravam para matar mesmo naqueles que ainda não tivessem atravessado a divisa, os que portavam bandeiras e flâmulas à beira das cercas, exibindo palavras de ordem.

**QUEREMOS FUMAÇA!**
**FUMAÇA PARA NÓS TAMBÉM!**
**O PROGRESSO É DE TODOS E NÃO DE POUCOS**
**CARVÃO É BOM, ÓLEO É MELHOR**

Eram muitas as frases de protesto que serviam para, às vezes, amolecer os cidadãos de Smoke City que, não raro, perguntavam-se qual era o grande problema em dividir com eles a tecnologia que as indústrias G Max haviam desenvolvido.

"Qual o grande problema?", pensou Grande G, ajeitando o olho direito na ocular, buscando a movimentação longínqua, quase jurando que via as faixas de protestos sendo agitadas. "Qual o grande problema?", repetiu, puxando o fundilho das calças para cima. "O problema é que essa tecnologia é cara e não deve ser partilhada a não ser que seja muito bem remunerada. E essa canalha de Steam City não consegue fazer dinheiro suficiente com seus motores a vapor para arcar com os *royalties* de uma nova tecnologia".

Grande G abandonou o telescópio sentindo dores nas costas e caminhou resoluto para sua cadeira. Sentou-se com a firmeza de um touro, e acendeu um charuto. Três baforadas foram suficientes para relaxá-lo. Repousou os braços sobre a mesa atulhada de papéis e sorriu um sorriso rasgado. Estava na hora de um pouco de diversão. Apertou uma campainha. Um *ding-dong* abafado se fez ouvir do outro lado da porta do escritório largo e espaçoso. Recuou a cadeira

um pouco e recostou-se, reclinando-a. Abriu a braguilha.
Na porta da sala apareceu uma menina de ar assustado, tensa, olhando ao redor com um misto de admiração e nervosismo. Viu o homem grandalhão detrás da mesa, viu os óculos de osso de tartaruga, as lentes grossas, viu a coroa em que os ralos cabelos brancos haviam se tornado, a careca cheia de manchas marrons, próprias da idade, dos setenta e cinco anos bem vividos, viu a barriga proeminente, fazendo destacar os botões da camisa e do paletó. Viu o rosto com a pele gordurosa, marcada por rugas, os olhos miúdos, o nariz largo e cheio de cravos. Viu o olhar lúbrico e o sorriso malicioso que brotava nos lábios grossos e rachados do homem.
Não viu o pênis agigantado que se escondia impaciente atrás da mesa. Tivesse visto e seu nervosismo triplicaria. Quadruplicaria. Quintuplicaria.
– Vem cá, menininha fofa. Vem com o titio. Vamos brincar de trenzinho. Eu serei um trenzinho bem bonzinho, você vai ver.
Do lado de fora as secretárias carimbavam papéis, atendiam a chamadas externas e se faziam de surdas aos gritos.

Tratava-se de uma sala de máquinas gigantesca. Mas tolos os que acreditavam que ali se moviam apenas aparatos tecnológicos para manter o edifício imenso em perfeito funcionamento. O ranger de engrenagens enormes, o bater ritmado e intenso dos pistões, o cuspir ininterrupto de chaminés ofegantes, o deslizar rápido de polias disfarçavam a atividade que era realizada dentro de uma sala pequena. Portas fechadas, trancas poderosas. Homens circunspectos em jalecos brancos, planilhas nas mãos, outros com ferramentas, medidores, relógios de precisão.
Tratava-se do centro nervoso do prédio principal da cidade, o grande cimo do poder, a sede das indústrias G Max, o castelo inexpugnável do homem mais poderoso do mundo, o Grande G. Era dali que se decidiam os rumos da nação mais importante do planeta, com cidadãos de primeiro nível e maquinários fumarentos de importância inestimável.
Dentro dele ombreavam-se homens com olhares fascinados. Observavam o que parecia ser um novo tipo de engenho. Um motor

que ultrapassava completamente toda e qualquer lucubração tecnológica já realizada. Flutuava no centro de um patamar elevado, mantido no ar por um sistema engenhoso alimentado por óleo negro e ondas que os cientistas primaram em intitular de quânticas, referindo-se a descobertas recentes que provavam existir partículas ainda menores que as menores partículas já descobertas pela ciência humana e cujos princípios teimavam em desafiar as leis físicas conhecidas.

– Que maravilha... Como isso funciona? – perguntou George Grumman VIII, conhecido como Pequeno G, filho de Grande G, herdeiro e natural sucessor das indústrias G Max.

– Até que de maneira bastante simples. A elevação é garantida por motores quânticos que reprocessam o óleo e o modificam...

– Não. Quero saber como funciona o motor.

– Ah... Também é simples. Ele tem circuitos quânticos que reprocessam o óleo negro e o modificam, tornando-o muito mais poderoso, muito mais volátil e muito mais duradouro. Um cadinho de óleo é o bastante para mover este prédio por muitos dias. Trata-se da mesma tecnologia utilizada no patamar de flutuação.

Pequeno G olhou para o cientista com viva expressão de assombro. Depois se voltou mais uma vez para o motor, um bloco metálico com relevos e protuberâncias, polias discretas, pistões ocultos, engrenagens difusas, tecnologia minimalista. Imaginou o engenho ocupando carcaças em toda a nação, fazendo mover cada mínimo pedacinho da cidade, alavancando Smoke City para uma posição tão elevada, tão suprema, que só mesmo os deuses poderiam lhes fazer face.

Então enxergou ainda mais longe. Num tempo talvez nem tão distante, onde estaria ocupando a posição que o podre, pervertido e satânico pai ocupava. Ele a dirigir a cidade do ponto mais alto daquele complexo de poder que se centralizava na urbe, tendo-a, toda, ao alcance dos olhos e das decisões.

– Mas tem uma leve desvantagem em relação aos motores atuais – continuou o técnico.

–Ah, pois sim. E qual é?

– Não faz fumaça. O aproveitamento do combustível é total. O resto, havendo resto, torna-se partículas subatômicas e é disperso no ar, sem quaisquer perigos.

Pequeno G deglutiu a informação com certa incredulidade. Smoke City sempre viveu mergulhada na fumaça. A fumaça era seu troféu, o prêmio obtido pelo avanço científico. Abster-se dela significaria alterar profundamente as crenças da cidade. Era uma coisa com que o Grande G jamais concordaria. Assim que a notícia da descoberta chegasse aos seus ouvidos, o aparato seria destruído, os cientistas e os técnicos envolvidos na pesquisa sumariamente assassinados.

Para o velho e para toda a cidade, fumaça era tudo. Fumaça era vida. Mas fumaça já começava a se tornar passado. Progrediriam rumo a um futuro sem fumaça. Um futuro limpo.

Um sorriso discreto apareceu em seus lábios. Um brilho rápido passou pelos seus olhos. E então pensou em Gigi. Sua querida Gigi. A filhota que se encontrava distante, fora dos limites da cidade, em viagem por outras nações, procurando por homens, por descobertas, por aventuras que Smoke City não mais lhe podia proporcionar.

Era hora de ela voltar.

━━━▨━━━

A noite não demoraria a cair. Montaram barracas, o refeitório foi rapidamente articulado. Fizeram fogo e Gigi viu uma perna de carneiro surgir de uma sacola. Estava com fome, mas precisava descansar um pouco antes da ceia. Retirou-se para uma barraca de campanha, tirou as roupas suadas e se deitou nua sobre um catre.

Ainda não passara dos dezesseis anos. Aprendera, porém, a procurar pelas próprias emoções, ir em busca de suas próprias aventuras. A vida na cidade grande reservava poucas descobertas para uma pessoa tão sedenta de conhecimento como ela. Desvendara, ainda jovem, os seus anseios. Queria agora o mundo. Imersa em pensamentos de independência, mergulhou os dedos na vagina suada e começou a se masturbar.

O orgasmo veio intenso ao mesmo tempo em que Orgo, um dos guias, entrou na barraca. Negro, forte, de ombros largos. Porte atlético e um amante como poucos. Muito bem dotado, geralmente a deixava descadeirada por algumas horas após o sexo. Mas ele não viera para agarrar sua cadelinha. Informou ter visto aerotransportadores surgirem no horizonte, ainda distantes, mas se aproximando rapidamente.

Gigi se levantou, espreguiçou-se, se aproximou do negro e acariciou seu peito amplo. Escorregou os dedos para abaixo da cintura dele e sentiu as próprias pernas tremerem. Respirou fundo em autocontrole e começou a se vestir.

Os aerotransportadores fizeram algumas circunvoluções sobre o acampamento. Volitaram à custa das hélices, fumegando a região e tornando-a quase irrespirável. "Ah! A maravilhosa presença da civilização" pensou Gigi enquanto observava as aeronaves se preparando para pousar.

Contraiu o ânus assim que a escotilha de uma das aeronaves foi aberta. Alguns homens desceram. Nenhum deles parecia pertencer às forças de defesa da cidade. Civis, aparentemente. Entre eles um homem de queixo quadrado, atarracado e de coxas grossas. Seus olhares se encontraram e houve um rápido brilho de reconhecimento mútuo. Já tivera aquele homem em sua boca. E em outros lugares, também.

Sem palavras desnecessárias, um deles lhe entregou um envelope fechado. Ela o abriu, displicente, retirou um papel e bocejou enquanto o lia.

Uma convocação secreta do pai.

Lançou uma olhada rápida às máquinas voadoras, pensou em quanto estardalhaço deviam ter feito durante a viagem. Imaginou quantas pessoas importantes podiam e deviam ter visto seu deslocamento. Então teve certeza mais que absoluta da burrice paterna. *"Nada melhor que medidas espalhafatosas para manter as coisas secretas"* pensou, com ironia.

Deu ordens diretas a Orgo, orientando-o a permanecer acampado ali mesmo. Retornaria tão rápido quanto possível e a comitiva seguiria viagem para o desconhecido.

Juntou seus pertences mais importantes e partiu com os aerotransportadores.

═╡╞═

Pequeno G estava excitado demais para permanecer sentado. Caminhava de um lado a outro na sala pequena que ocupava no septuagésimo quinto andar do prédio. Poderia ter reclamado uma sala maior, com as mesmas comodidades do pai, mas preferira manter uma aparência de sobriedade, de humildade e pacato conformismo. Como se o poder e tudo o que emanasse dele o incomodasse. Sua mente convergia para o futuro. Um futuro não muito distante. Imaginava Smoke City trocando de nome. Talvez para Clean City, ou Clear City, ou, ainda, Pure City. Qualquer opção seria excelente se fosse ele a ocupar o trono do todo-poderoso Grande G, na sala do rei. Ele, herdeiro da megacorporação e também do título de nobreza. Aos quarenta anos, já era hora de reclamar seu lugar na História. A fumaça negra, tão idolatrada pela nação, iria se desvanecer aos poucos, substituída pelo nada. Pelo ar puro. E isso seria tão, tão, tão bom.

Mas para qualquer mudança ocorrer, ele precisaria alterar um pouco as coisas por ali. Mexer nas regras, conceitos, trabalhar ideias. O porco do pai não iria aceitar mudança alguma, tão persuadido que estava em manter a cidade mergulhada na fumaça. Sempre coibindo pesquisas, sempre ameaçando cientistas de eliminação. Não entendia isso, não compreendia porque o pai sempre relutara em aceitar que novas pesquisas pudessem arremessar Smoke City a um nível de progresso bem mais elevado.

A despeito de todas as ameaças e proibições, conseguira manter um grupo de cientistas pequeno e eficiente do seu lado e as pesquisas transcorreram secretamente por anos.

"Bem, bem, bem..." pensou Pequeno G, "A maravilhosa máquina quântica também se utiliza do óleo negro. Isso deveria bastar para fazer o cabeça-dura do meu pai aceitá-la como absolutamente necessária para impedir a estagnação científica e tecnológica da cidade".

Pequeno G sentou-se na quina da mesa, empurrando um peso de papeis pequeno com o traseiro. Apoiou a cabeça numa das mãos, coçou o queixo, piscou os olhos com irritação.

"A droga da máquina não solta fumaça!" – esbravejou silenciosamente.

"Alternativas, alternativas, alternativas..." – procurou no fundo de sua mente uma resposta às perguntas que o atormentavam. Foi interrompido pela entrada intempestiva de Gigi, que escancarou a porta da sala sem cerimônia.

Estava linda como sempre, com aquele cabelo louro cacheado caído sobre os ombros. Os olhos verdes, lábios delineados, nariz arrebitado, olhar de ignorância sonsa. Mas que não fossem suficientemente tolos para acreditar nisso. Assim como a mãe o fora, ela era esperta como o diabo.

Gigi se aproximou, abraçou rapidamente o pai e rodeou a mesa do escritório jogando-se na cadeira. Ambas as pernas sobre a mesa, despudoradamente abertas, fazendo a saia escorrer perigosamente para o meio das coxas.

– Então... Por que me convocou?

Pequeno G manteve o olhar fixo por alguns segundos nas coxas da filha. Catalogando cada pequeno pelo louro que recobria a pele alva e tenra. Sentiu a ereção inevitável.

– A grande corporação G Max precisa sofrer algumas alterações profundas, todas elas importantíssimas para o futuro de nossa nação.

Gigi arqueou as sobrancelhas e entreabriu os lábios, soltando um leve sopro de ar morno.

– Nossa! Dito desta forma parece coisa importante. Mas traduzido numa linguagem acessível, o que isso tudo significa?

Pequeno G se acercou da filha, ajoelhando-se ao seu lado. As mãos apoiadas no braço da cadeira.

– Nossos cientistas fizeram uma descoberta que pode mudar completamente os rumos do país. Preciso da sua ajuda para efetivar mudanças sem que o Grande G descubra nossas intenções.

– Ah. Quer que eu ferre o vovô.

Gigi olhou para o teto, depois para a porta. Por fim, fixou o olhar no vão das próprias pernas. Desde que era pequenina assistira ao pai elaborar planos para derrubar o avô e tomar o poder em Smoke City. Sempre fracassara, como era de se esperar.

– Trocando em miúdos, é isso aí.

– Explique melhor o que está acontecendo.

Pequeno G contou sobre a descoberta e como ela poderia transformar a cidade e seus cidadãos. Disse o que ela já sabia, sobre a obstinação ferrenha do avô em manter a tecnologia fumarenta do óleo negro, sem se ater a mais nada. Confessou seus ideais de pureza, de limpeza e saúde – argumento extremo, que usou em desespero. Nunca pensara seriamente na saúde de ninguém, mesmo sabendo que a fumaça acabava com os pulmões dos cidadãos de Smoke City. Detalhou as diversas implicações que a descoberta traria, principalmente para o setor de prospecção e extração do óleo negro, já que a nova tecnologia não precisava de quantidades elevadas do combustível, bastava cerca de um litro para gerar energia suficiente para semanas de atividade febril na cidade. Isso iria quebrar as empresas coligadas à corporação. Por fim, revelou que ainda não tinha conseguido encontrar um caminho para dar a tudo aquilo um sentido. Não conseguira encontrar a chave que lhe possibilitaria dar andamento a seu plano. Estava exausto quando terminou. Ergueu-se e contornou a mesa, se sentando numa poltrona. As dores se esvaíram quando se viu diretamente em frente às pernas abertas da filha. Engoliu em seco, hipnotizado pela paisagem.

– E então, – gaguejou, – o que tem em mente?

Parecia tão claro e aborrecidamente repetitivo que o pai sempre lhe viesse cheio de dúvidas. Parecia-lhe também tão cansativo ter que colocar a própria matéria cinzenta para trabalhar, buscando respostas quase sempre tão óbvias. Observou o pai, que parecia mergulhado numa outra dimensão da realidade, imerso na visão de sua vagina de poucos pelos. Divertiu-a saber que conseguia manter os homens, todos eles, presos em rédeas curtas, sempre prontos a lhe fazer as vontades.

– A resposta está diante de você, papai. Basta pensar um pouco.

Pequeno G esforçou-se ao máximo para tentar interpretar a mensagem da filha. O que ele tinha diante dele poderia ser a resposta para muitas coisas, mas não para o dilema que o assolava. Deu um suspiro cansado e abanou a cabeça, desistindo de qualquer tentativa. As calças pareciam prestes a arrebentar e isso lhe roubava qualquer poder de concentração.

Gigi jogou ambas as mãos no meio das pernas, puxando as saias para baixo e para dentro, fechando a visão do pai. Isso pareceu fazê-lo despertar de um transe profundo.

– A resposta... – balbuciou –, esforçando-se, novamente.

– A resposta é clara. Na verdade claríssima. Está tão evidente...

– Evidente... – ele voltou a balbuciar, enquanto inclinava a cabeça ligeiramente de lado em busca de uma pequena brecha no tecido.

— Claro! — exclamou Gigi, puxando as pernas de cima da mesa e ajeitando as saias. Ergueu-se de um salto, rodeou o pai, abraçando-o por trás e aproximou a boca de sua orelha, sussurrando baixinho.

— Passe a tecnologia do óleo negro para Steam City. Isso vai obrigar o meu querido avozinho a procurar alternativas de evolução rápida. Ele não vai querer ficar em igualdade de condições com eles. E Aí... Seu motorzinho quântico surge como opção pronta e acabada. Nossa indústria de prospecção continuará trabalhando arduamente para suprir as necessidades de Steam City — lembre que as jazidas estão do nosso lado — enquanto Smoke City adentrará uma nova era de desenvolvimento.

Ali estava. Num estalo. Tão fácil, mas tão fácil que ele jamais chegaria a essa resposta sozinho. Gigi desconfiava seriamente que o trono da G Max jamais seria passado ao pai. Ele era muito tonto, muito parvo. Então lhe mordiscou a orelha esquerda, passando de leve a língua pelo lóbulo. Ele gemeu, arrepiando-se, e ela riu, divertida. Então voltou a se erguer, sentou-se sobre a mesa, perscrutando-lhe a fronte, curiosa sobre como a revelação iria agir sobre o semblante do pai.

Ele estava pálido. Os olhos faiscavam num misto de alegria e preocupação.

— Não basta lhes mandar máquinas, nem motores. Eles precisam dos projetos.

Gigi anuiu silenciosamente, acompanhando a linha de raciocínio do pai.

— Os projetos são secretos. São muito bem guardados.

— Em cofres? — ela perguntou.

— Na sala do Grande G. Ou em outro lugar. Não sei bem onde. Talvez no arquivo, talvez numa das gavetas, talvez num cofre atrás de algum quadro, talvez numa sala insuspeita qualquer do prédio. Esse meu plano é perfeito, mas... — então o homem olhou para a filha. Os lábios abriram-se num sorriso ainda maior. Ele se levantou e colocou-se ostensivamente no meio das pernas dela, ergueu-lhe as saias, e encostou-se. Rostos quase colados.

— Há um pequeno senão. Ninguém, ninguém mesmo, consegue entrar naquela sala, mexer nela e sair de lá impunemente. Ninguém consegue interrogar o velho sem que ele reaja violentamente — sussurrou.

– Só mesmo a minha pequena putinha seria capaz disso. – E levou ambas as mãos aos quadris dela, puxando-a em sua direção. Pressionou o pênis duro contra ela.

– E o querido papai quer que essa putinha vá até lá em cima e descubra onde estão os projetos... É isso? – suspirou Gigi enquanto ajeitava os quadris.

– Claro como água – murmurou o pai, abrindo a braguilha e liberando o monstro que vociferava furioso exigindo satisfação.

– Oh... Papai... Como o senhor é tão... tão... malvado!

– Sou mesmo, não sou? – disse o pai num suspiro profundo enquanto penetrava as carnes tenras e quentes da filha.

===

A água do chuveiro caía quente, quase a lhe queimar a pele macia, avermelhando seus ombros, seios e costas. Esfregava-se com sabonete neutro. Dedicava especial atenção à vagina e ao ânus. Precisavam estar sempre limpos e perfumados.

Ensaboava os cabelos enquanto pensava nas ideias do pai. Nascera naquela família depravada e aprendera a viver conforme as regras que lhe foram impostas. Tanto ela quanto a falecida mãe eram objetos de uso e prazer de vários homens, incluindo parentes ávidos. Fugira, enfim, para o desconhecido, necessitada que estava de se distanciar o máximo possível daquilo tudo. Mas aprendera a amar o sexo. A jamais recusá-lo desde que estivesse tomada por desejos. E os desejos raramente a abandonavam.

Ajudar o pai a tomar o poder em Smoke City era arriscado. Grande G não era um idiota. Além do que, roubar os projetos não seria suficiente. Ela sabia disso, o pai sabia disso. Transferir tecnologia para Steam City a tornaria tão poderosa quanto Smoke City, obrigando o avô a dar um salto tecnológico para ficar numa posição superior. Até aí o plano caminhava bem. Mas isso não garantiria ao pai o posto de Rei num reino de fumaça. Havia ainda a enorme possibilidade de não encontrar projeto nenhum, de nem conseguir fuçar em gavetas, em arquivos, em pastas. Reconhecia a inviabilidade do plano. Todas as chances de dar certo se... Mas nenhuma se... E ela estava mergulhada até o pescoço em "ses". Provavelmente Grande G continuaria o grande líder. O grandiloquente condutor das massas. O garanhão das menininhas impúberes e indefesas, como ela tinha sido um dia em suas mãos.

Ainda sentia as carnes rasgando na primeira experiência sexual com penetração que tivera, com dez anos de idade, na mesma sala suprema, no topo do prédio mais importante de Smoke City, sede da G Max. Jamais se esqueceria daquele dia. Guardava-o muito bem em sua memória: uma mácula que não acreditava jamais poder limpar de sua alma.

Desligou o chuveiro e pegou a toalha. Enrolou-se e foi até o quarto, aproximando-se da parede envidraçada, com uma ampla janela. Estava no trigésimo andar. Olhou para cima e viu uma noite negra, sem estrelas, o céu completamente obstruído pela fuligem. Abaixo, a urbe pulsava de vida. Veículos automotores fumarentos largavam rolos de fumaça negra atrás de si. Luzes e lâmpadas bruxuleavam fazendo a cidade parecer deitada numa colcha de luz opaca. Não podia enxergar, mas sabia que as pessoas caminhavam nas ruas segurando lenços sobre as bocas e narizes, portando máscaras de gás. Ela nem ousava abrir as janelas. Mantinha-as fechadas, protegida por condicionadores que filtravam o ar viciado e poluído, despejando-o nas dependências internas do prédio num nível próximo da pureza absoluta. A cidade, toda ela, era pontuada por prédios, aqui e ali, não em excesso. Alguns bastante altos, mas nenhum tão grande como a sede da G Max.

Soltou a toalha que a cobria e ficou inteiramente nua. O cabelo molhado, escorrido às suas costas. Abriu os braços como se pretendesse abraçar toda a cidade e ofegou, excitada. Colou o corpo no vidro espesso, deslizando por ele para cima e para baixo, esfregando nele a vulva – do jeito que podia – e apertando os seios na superfície fria. Levou uma das mãos para trás e enfiou o dedo indicador no ânus, enquanto que, com o dedo médio da outra mão, bolinava o clitóris, movimentando-o em círculos num ritmo cada vez mais acelerado. O gozo veio silencioso, recortado por gemidos curtos e abafados. Afastou-se do vidro, caminhou indolente até a cama e deixou-se cair sobre ela.

Os pensamentos retornando pouco a pouco ao avô, ao pai e aos projetos.

"Não. Não bastará roubar os projetos, se eu conseguir chegar até eles. Isso é pouco. Pouco demais para garantir qualquer coisa", ponderou Gigi enquanto ia lentamente se deixando tomar pelo cansaço. Logo, adormeceu.

O dia mal amanhecera e Grande G já estava pronto, banhado e vestido. Sempre acordava cedo. Aprendera que boa saúde exigia uma vida espartana. Boa alimentação, boas horas de sono, algum exercício e ótimo sexo. Seu quarto era contíguo ao espaçoso escritório. Facilitava-lhe a vida que não precisasse realizar grandes deslocamentos. A sede da G Max possuía tudo o que um homem exigente poderia querer: escritórios, lojas, academias, parques, cinemas e teatros, supermercados, clubes, bancos e muito mais. Apetecia-lhe encerrar o expediente e abrir uma porta lateral e encontrar um quarto quase tão grande quanto o escritório. Uma cama larga com dossel, poltronas, mesa e cadeiras, armários e um banheiro. Imponente, é claro. Banheira larga onde cabiam facilmente dez pessoas. Ele e muitas garotinhas sapecas, todas elas nuas e se divertindo na água quente e espumosa, brincando com o periscópio do submarino que ele fingia ser. Achava uma graça como fingiam medo, mas sempre se aproximavam e apalpavam-no, curiosas. Pegavam, puxavam, riam alegres. As menininhas eram tudo na vida dele. Amava-as mais do que tudo, ou quase. A cidade, a fumaça, o óleo negro, o poder... Isso lhe fornecia tudo o que desejava. Sem poder não seria nada, nem ninguém.

Aproximou-se da janela de seu escritório. Tão ampla que quase abraçava toda a parede. Cruzou ambas as mãos às costas e olhou para fora com um olhar analítico, perscrutador. Os primeiros raios de Sol iam surgindo no horizonte, vencendo a barreira fuliginosa, brilhando intensamente. Um presente para poucos, admitia. Somente os que conseguiam habitar acima das nuvens negras podiam admirá-los. Ele e outros poucos na cidade possuíam tal privilégio. Os moradores dos níveis mais baixos tinham que se contentar com a luminosidade opaca que lhes era oferecida.

Admirava igualmente as estrelas, todas elas. Ainda podia vê-las, iam sendo lentamente apagadas do céu. Sentiu-se, súbito, arrebatado por memórias antigas. Lembrou-se do pai, naquele mesmo escritório, apontando tudo ao redor, acenando para o mundo. "Tudo isso será seu, meu filho", lhe dizia, repleto de orgulho. Naquela época a fumaça negra ainda não era tão intensa. Não eram mais que fiapos então, filigranas espalhadas aqui e acolá. Mas foram ganhando peso com o passar dos anos e com a implementação acelerada da tecnologia do motor de combustão interna.

Não tinha, na época, mais que quinze anos. Vira nos olhos do pai uma satisfação enorme. Observara o crescimento paulatino da cidade, o avanço constante, a multiplicação dos engenhos fumarentos, veículos automotores com chaminés que tossiam fumaça interminavelmente.

Era o orgulho e a satisfação do pai que o mantinham firmemente agarrado àquela tecnologia, embora reconhecesse que cedo ou tarde novos processos substituiriam os anteriores, conduzindo a cidade a patamares mais elevados de desenvolvimento. Mas, no que lhe dizia respeito, isso só viria a acontecer depois de sua morte. E ele pretendia viver muito ainda.

Apoiou uma das mãos sobre o telescópio que permanecia sempre apontado para a fronteira. Seu pai se referia a Steam City como uma periferia sem utilidade, com um povo atrasado, inculto e degradado. Jamais fora até lá, mas mantinha alguns espiões ali. Eles lhe mandavam relatórios constantes e por eles ficava sabendo das podridões que moviam as engrenagens de poder da cidade. Interessava-lhe, sobretudo, manter Steam City dentro de limites absolutamente controlados de desenvolvimento, promovendo sabotagens aqui e ali para garantir a manutenção do status quo. E não admitia, em hipótese alguma, que habitantes de Smoke City se relacionassem ou trocassem informações, com o lado de lá. Traição máxima punida com execução sumária.

Não condenava a necessidade de pesquisa e progresso. Mas preferia manter a cidade estacionada no pé em que se encontrava. Estava sendo reacionário, talvez. Ou um tolo. Ou ambas as coisas. Mas a fumaça ganhara em seu coração e em sua mente um status inabalável e inatingível. Reservava-se o direito de oferecer com uma das mãos e tirar com a outra. Ou seja: permitia que pesquisassem, mas não permitia que avançassem nas pesquisas. Qualquer desobediência era punida com severidade.

Soltou um suspiro, livrando-se das reminiscências e das dolorosas decisões que já tomara e das que teria que tomar brevemente. Um homem forte, líder de uma nação, ícone de um povo, precisa sempre tomar decisões que preferiria não tomar. Assumir posições que preferiria ignorar. A dor oriunda era inevitável e servia para fortalecer-lhe a têmpera.

Não podia ver as ruas, senão em breves momentos quando a muralha fuliginosa se abria para logo em seguida fechar-se. Uma teia de aranha distante repleta de veículos que àquela hora da manhã já iam tomando a cidade de assalto. A movimentação incrível e maravilhosa que marcava o ritmo da vida e do labor.

Sorriu satisfeito. Era dono de tudo aquilo. Senhor máximo de Smoke City. Dono do destino de qualquer um sob seu controle. Ele controlava tudo e todos, sem exceção. E foi com essa certeza que se dirigiu até o arquivo. Abriu a terceira gaveta, vasculhou-a e retirou dela várias pastas. Dirigiu-se à sua mesa e passou a analisar detidamente cada uma delas. Abriu-as e foi espalhando seu conteúdo. Folheou alguns arquivos, observando cronogramas, infogramas, mapas esquemáticos, plantas diversas e descrições laboriosas que explicavam detalhadamente o funcionamento de cada motor já desenvolvido e posto em funcionamento na cidade. Havia calhamaços de informação ali e seria necessária uma equipe de engenheiros para destrinchar tamanha enormidade.

Juntou os documentos mais importantes numa pilha e a transferiu para o chão, junto à parede. Observou que alcançara quase um metro de altura. Reclinou-se na cadeira e começou a cofiar um bigode que nem possuía.

O cenário estava montado. Agora era esperar os demais integrantes daquela comédia e dar continuidade à farsa.

Tocou a campainha pedindo à secretária que lhe mandasse o desjejum.

Pequeno G estava esticado na cama. Tenso como uma corda de piano. Os músculos se ressentiam da noite mal dormida e das posições sempre desconfortáveis. Virou-se e revirou-se a noite toda tentando vencer o nervosismo. Nem precisava se olhar no espelho para saber que estava péssimo e com uma cara horrível. A possibilidade de assumir o trono e passar a comandar a cidade era aterrorizante e ao mesmo tempo apaixonante. Impossível deixar de se sentir tomado por um verdadeiro maremoto de ansiedade.

Repousava nas mãos – e em outras partes da filha – a chance de ver seus planos saírem vitoriosos, mesmo considerando que jamais conseguira obter sucesso em qualquer tentativa anterior. Grande G demonstrava estar sempre um passo adiante de todos.

Levantou-se devagar, pondo-se sentado na cama. A nuca latejava ligeiramente, os olhos estavam pesados e o coração batia num ritmo mais acelerado que o normal.

Meteu-se sob uma ducha quente. Deixou a água escorrer pela cabeça, numa cascata intensa. Isso foi relaxando-o aos poucos, a ponto de, num suspiro, sentir os músculos mais flexíveis, menos endurecidos e dolorosos. Esfregou-se vigorosamente com uma bucha e ensaboou-se enquanto se concentrava em diversos outros assuntos que não a sublevação e saiu do chuveiro enxugando-se rápido.

Era um daqueles dias em que não sabia se ia ao escritório fingir que trabalhava ou se ficava no quarto, ansioso, apenas no aguardo dos acontecimentos. Imaginava todos os esquemas nas mãos de Gigi, ela os trazendo até ele. Passava-lhe pela cabeça a imagem do pai, abobalhado, tentando entender como os documentos foram parar do outro lado da fronteira, nas mãos de técnicos e cientistas de Smoke City. Mas também lhe passava pela cabeça a imagem da filha estrangulada, decapitada, afogada ou morta a pancadas pela violência do homem que há dezenas de anos tomara o poder na cidade da mesma maneira que todos antes dele o fizeram.

Sempre lhe restava a possibilidade de afastar de si qualquer sombra de suspeita. Alegar inocência e ignorância dos fatos. Demonstrar assombro quando soubesse que a filha tentara enganar Grande G e abanar a cabeça em desconsolo quando visse que ela fora severamente punida.

Todas as possibilidades eram consideradas. Se nada mais lhe restasse, se chegasse à inequívoca conclusão de que nenhum estratagema seria suficiente para ludibriar Grande G, tramaria então um assassinato puro e simples, sem pantomimas nem planejamentos mirabolantes. Um tiro à queima roupa, envenenamento ou facada.

Da mesma forma com que todos os George Grumman fizeram antes deles, um após o outro, eliminando o mais velho, assumindo o mais jovem. E Gigi seria lembrada postumamente e por tempo curto como a putinha mais gostosa da família, mas não insubstituível, porque putinhas existiam aos milhares em Smoke City, prontas para obedecer ao menor capricho do homem mais importante dali – ele, num futuro bastante próximo, claro.

Barbeou-se e se vestiu com apuro. Escolheu a melhor camisa, o melhor paletó, a melhor calça e o melhor sapato. A ocasião exigia rigor. Perfumou-se com discrição, penteou-se com atenção demorada e, depois de verificar que nada mais lhe faltava, saiu do quarto, dirigindo-se ao refeitório.

Caminhava pelos corredores observando tudo e nada. Seus olhos iam e vinham pelas vitrines, cruzavam com outros mais ou menos absortos como ele. Embora não demonstrasse reconhecer ninguém dos que passavam por ele, sabia-se reconhecido. Toda Smoke City sabia quem era George Grumman VIII. E todos o respeitavam e o temiam, embora não tivesse o mesmo poder do pai.

Chegou ao restaurante que costumava frequentar. Contornou uma pilastra de mármore branco e sentou-se numa mesa mais distante, redonda, com duas cadeiras. Sempre se sentava na mesma mesa, de forma que essa era mantida com uma etiqueta constante de "reservada". Uma garçonete atenciosa se aproximou, olhos brilhantes. Pequeno G pediu o mesmo de sempre e não se impediu de passar a mão com boa vontade na bunda da menina, que soltou um risinho alegre e pôs-se em busca de seu pedido, rebolando afetadamente.

Por breves segundos conseguiu espairecer, imaginando as atrocidades sexuais que faria com a garçonete se não estivesse tão preocupado com outros assuntos.

Tomou o desjejum sem sentir direito o sabor dos alimentos. Era hora de ir ao escritório. Empurrou o prato, soltou um arroto barulhento e se levantou. Não ia pagar porque nunca pagava. Era uma das prerrogativas de quem estava no poder. Mas não foi embora sem antes lançar um olhar repleto de significado à garçonete. Viu-a de pé diante do balcão do restaurante, empertigada, bumbum arrebitado. Lançou-lhe uma piscadela maliciosa e gesticulou como se estivesse com as mãos metidas no meio das pernas dela. A moça riu, mas não se encabulou.

Decidiu que assim que tivesse tudo resolvido procuraria por ela. Daria uma boa trepada. Talvez mais de uma, se ela aguentasse seu ritmo e suas práticas sexuais pouco ortodoxas.

Mergulhou no meio da multidão. Subiu alguns andares, caminhou mais alguns corredores e logo estava diante da entrada de seu escritório. Havia uma antessala e nela uma secretária de meia idade malhumorada. Jamais a teria contratado, mas Grande G assim exigira. Parecia que a filha mais jovem da digníssima senhora fazia parte do grupo de gazelinhas que brincavam vez por outra na banheira do velho.

Passou por ela sem deixar de notar que exibia um misto de preocupação e alegria dissimulada. Como se estivesse com medo de ser feliz. Não lhe deu maior atenção. Dirigiu-se à porta de sua sala, abriu-a e entrou.

Não estava vazia.

Entre sentados e em pé, oito homens. Todos eles da guarda efetiva de Smoke City. Pequeno G teria começado a se perguntar o que faziam ali, mas foi rudemente interrompido por um chute na barriga dado pelo homem mais próximo. Ainda estava caindo, dobrado para frente, perplexo, quando outro chute o alcançou bem no meio do rosto. Ouviu o estalar de ossos e dentes quebrados, sentiu uma dor intensa, mas foi mergulhando num mar apaziguador de escuridão enquanto seu corpo continuava sendo espancado incansavelmente.

---

Abriu os olhos logo nos primeiros instantes da manhã. Sentia-se muito bem e inteiramente reenergizada. Nada melhor do que algumas boas horas de sono. Levantou-se com preguiça e foi ao banheiro para uma ducha rápida. Pensou brevemente nos planos do pai e nas possíveis consequências que adviriam se desse algum passo em falso. Chegou a cogitar em abandonar tudo, largar o pai, o avô e a cidade para trás e voltar para sua viagem rumo a plagas distantes.

Arrastou de baixo da cama um velho baú e pôs-se a procurar nele roupas e objetos que deixara para trás quando desistira de continuar em Smoke City. Muitas roupas a faziam lembrar-se da mãe, algumas recebera dela por herança ou como presente. Uma em especial lhe chamou a atenção: um quimono de seda com brocados de ouro riquíssimos. O dragão desenhado ocupava todo o tecido e fazia fulgurar tons de amarelo e vermelho. Era belíssimo e provocou nela um tremor instantâneo de comoção. Podia se lembrar da vez em que a mãe o usara. Na noite em que fora encontrada morta, degolada, numa praça interna no prédio da G Max. Não mais que seis anos atrás.

Não havia como resistir ao imenso apelo de vesti-lo. Retirou-o com todo o cuidado do baú e o colocou com carinho sobre a cama. Admirou a vestimenta mais algum tempo antes de se lembrar de outro adereço importante. Voltou ao baú e o vasculhou, revirando as roupas. Encontrou o que queria: dois *hashis* prateados de metal que serviam para prender o cabelo. Procurou em sua nécessaire produtos de maquiagem e encontrou aqueles que a fariam se transformar, naquela manhã, numa mulher completamente diferente.

Sorriu com melancolia e acariciou o tecido do quimono sentindo uma dor antiga e difusa. O sorriso da mãe voltou a brilhar brevemente em sua memória. Os olhos verdes e redondos, os lábios cheios, a tez alva e imaculada. Uma expressão altiva e segura.

Não havia altivez e nem segurança em sua expressão quando a encontraram degolada. O corpo nu jogado dentro de uma lata de lixo. Seviciado das formas mais horríveis e desumanas. Uma lágrima lhe assomou aos olhos, mas conteve-a numa respiração profunda. Não iria ceder a sentimentalismos baratos.

Sentou-se diante da penteadeira e começou a se maquiar. Com esmero. Lápis nos olhos, *blush* discreto nas faces, batom vermelho vibrante, perfume suave no corpo todo. Cuidou com atenção da vulva, cortando pelinhos que começavam a nascer, tingindo os pequenos lábios de vermelho para fazê-los parecer famintos e lascivos. Tingiu também o ânus, fazendo-o parecer com uma boquinha de lábios carmesins. Conhecia bem alguns gostos do avô e queria estar impecável para ele.

Observou-se nua diante do espelho em busca de imperfeições, mas o que viu era o mais absoluto reflexo da beleza. Seios empinados, nem grandes nem pequenos. Barriga lisa, cintura bem definida, coxas roliças em pernas esguias. Pés delicados com unhas bem tratadas, apesar da vida insalubre que vinha levando ultimamente. As nádegas eram arrebitadas, redondinhas e deliciosamente apetitosas. Ela mesma poucas vezes resistia a si própria e punha-se a se foder no ânus com luxúria, introduzindo nele os dedos, consolos ou o que lhe aparecesse nas mãos. Nada de danos, só prazer.

Vestiu o quimono com extremo cuidado, fazendo-o deslizar pela pele macia. Viu-se perfeitamente ajustada na peça, surpreendendo-se ao perceber como o seu corpo e o da sua mãe eram parecidas. Admirou-se no espelho mais uma vez, vendo cintilar o dragão que contornava as suas curvas com precisão.

Pôs o cabelo, então, num rabo de cavalo e enrolou-o para cima da cabeça num coque. Prendeu-o com os *hashis*. Calçou os tamancos e sentiu a excitação se avolumando. A seda sobre o corpo nu provocava arrepios. Respirou fundo e decidiu que era hora de subir. Para além do manto de sujeira e negrume que cobria a cidade, para além de onde meros mortais seriam capazes de se alçar. Para o topo do prédio, o cume de poder de Smoke City.

Para os braços do avô, pronta a se sujeitar a qualquer perversão que partisse dele. Eram propósitos nobres, afinal.

Os elevadores que conduziam ao topo eram especiais. Diferiam em quase tudo dos demais, que tinham sido projetados para a plebe, mesmo sendo essa uma plebe exclusiva. Maiores, mais largos, mais espaçosos. Detalhes em ouro filigranado, madeira de lei, botões de marfim. As correntes grossas que faziam a caixa grande e pesada se mover quase não emitiam ruídos. Era uma ascensão silenciosa e gradual, sem velocidades excessivas. Os quase oitocentos e cinquenta metros que a separavam do escritório central foram vencidos em cerca de quatro minutos. Tempo suficiente para respirar fundo várias vezes e se esforçar ao máximo para conter a ansiedade.

Quando as portas se abriram ela se viu diante da antessala já conhecida. A última vez em que estivera ali fora há poucos meses, um pouco antes de sair em viagem.

Havia três mesas. Duas laterais e uma frontal, essa bem diante das portas imponentes que davam para o escritório. Nas laterais, secretárias agitadas cuidavam de dois telexes, impedindo que as fitas perfuradas se misturassem umas às outras, enovelando-se. Na dianteira uma moça jovem, ruiva, de seios empinados a observava. Gigi olhou-a detidamente. Ainda não a conhecia.

Os olhos perscrutadores da jovem e bela secretária identificaram-na imediatamente como neta de Grande G. Lábios delineados por um batom chamativo abriram-se num sorriso diante da gueixa loira e voluptuosa que se aproximava num gingado felino.

– Já a esperávamos – disse a moça num cicio.
– Mesmo? – inquiriu Gigi, não muito surpreendida. O timbre da ruiva mexeu com seus fluidos e fê-la estremecer levemente.
– George Grumman VII a aguarda. Ansioso, creio. Bem ansioso.
– E então a moça deu-lhe uma piscadela cúmplice, como se soubesse muito bem o que estava prestes a acontecer dentro do escritório amplo do homem mais poderoso da cidade.

Gigi deu-lhe seu melhor sorriso e se adiantou, empurrando as portas que a separavam de seu destino, fosse ele qual fosse.

Antes das portas se abrirem Grande G jamais poderia imaginar que veria Gloria surgir, vinda das cinzas, desenterrada em toda a sua formosura. Sentiu uma pontada forte no peito que o desestabilizou. Buscou ar em haustos fortes. Suas mãos tremeram e apertaram os braços da cadeira para se agarrar neles em busca de apoio.

O quimono, o dragão, as curvas perfeitas do corpo, tão iguais, tão semelhantes, tão próximas que...

– Glória – sussurrou ele de maneira quase inconsciente, impossível de evitar.

Gigi estacou, sentindo-se subitamente perturbada ao ouvir o nome da mãe. Seu rosto endureceu por instantes. O coração congelou.

– Quer dizer... Esse quimono... é muito parecido ao que ela... ao que ela usava...

– Não é parecido. É o mesmo – disse-lhe Gigi.

Aproximou-se da larga mesa de carvalho, apoiou-se nela e, apontando os seios de mamilos rijos na direção do velho, sorriu.

– Passei pela cidade e achei que lhe devia uma visita – explicou ela, sem tirar os olhos do baixo ventre do homem.

— Sua presença aqui é muito mais significativa do que a mera sugestão para uma foda. Mas uma foda é sempre bem-vinda, em qualquer situação e sob qualquer pretexto.

Grande G ergueu-se e contornou a mesa. Gigi manteve-se na mesma posição, vendo o avô acercar-se dela.

— Smoke City é uma cidade linda, não acha? – perguntou o velho, conduzindo-a para a janela, uma das mãos enfiada no meio de suas nádegas, procurando, com o dedo indicador, um ânus apertado e faminto. Este, sob o tecido levíssimo do quimono, deixava-se descobrir sem nenhuma dificuldade.

Gigi olhou para o firmamento. O Sol ainda lançava seus primeiros raios. Abaixo da linha do horizonte um tapete de fumaça negra ia estendendo seus tentáculos sujos para todos os lados.

— Bela, realmente. Pena que não a podemos ver – ela mexeu os quadris e habilmente fez subir o vestido, deixando seu traseiro à mostra. O indicador do velho logo mergulhou, arrancando-lhe um suspiro.

— Fumaça é progresso – disse o homem enquanto movia o dedo para dentro e para fora e em movimentos circulares – fumaça é vida. Os cidadãos devem a ela seu sustento. Devem a ela o seu trabalho.

— Simmm... – ciciou Gigi.

— Máquinas movidas a motores de combustão interna arrancaram essa cidade de um passado de pobreza tecnológica. A extração do óleo negro nos projetou para um patamar de excelência social. Para que mudar isso agora, não é verdade? – e, seguindo-se à pergunta, o dedo mergulhou o mais fundo possível, alcançando-lhe as profundezas.

Gigi estremeceu, olhou para o velho e sorriu. Entendeu perfeitamente o recado e compreendeu que o plano do pai acabara de ir por água abaixo. Ele sabia de tudo, como sempre soubera. Nada lhe escapava. Tinha o mundo sob seu jugo e controlava todas as pessoas, inclusive aquelas que tentavam a todo custo lhe escapar por entre os dedos.

— Seu pai, o meu filho, Pequeno G, está acabado. Entendeu? Acabado. Fracassou vezes sem conta. Um incompetente daqueles não merece esse reinado. A dinastia G morrerá comigo.

Sentiu-se agarrada pelos ombros, chacoalhada e atirada brutalmente sobre a mesa. Chocou-se contra ela, sentindo uma dor aguda no ventre que lhe roubou o fôlego. Gemeu um "ai" profundo e assustado. Dobrou-se, deitando o tronco sobre a madeira fria. Ainda tentava administrar a dor quando se sentiu agarrada por mãos rudes, as nádegas afastadas uma da outra dolorosamente e uma língua quente tentando penetrar-lhe o ânus.

Então sorriu apesar da dor e do espanto. Haveria prazer antes da morte. E isso seria bom.

Deixou-se seviciar sem reações. Suspirou profundamente e largou o corpo sobre a mesa, permitindo ao próprio peito subir e descer em arquejos de prazer. O avô a penetrava com a língua e depois com os dedos, mergulhava-se nela como se tentasse enfiar todo o braço. Era audível o deleite do velho, que resfolegava. A dor do baixo ventre, do impacto cruel contra a mesa, misturava-se devagar à dor da rude penetração no ânus. Ele a alargava sem dó nem piedade, apenas para, num átimo, erguer-se e enfiar nela o pênis.

Sentiu-se rasgada como o fora em tenra idade. Soltou um grito súbito e arranhou a mesa, arrancando lanhos de madeira envernizada. Seu pescoço foi agarrado, a cabeça puxada para trás com força e quando pensou que a penetração se daria por inteiro numa última e violenta estocada, ele saiu de dentro dela, virou-a e esbofeteou-a, jogando-a contra uma poltrona. Ela caiu, rolou sobre o próprio corpo, chocou-se contra o chão num grunhido de dor e medo.

Ofegava ainda quando teve um dos braços agarrado com brusquidão. O velho a ergueu fitando-a insensivelmente nos olhos marejados. Com o braço livre desferiu contra ela um soco que a atingiu no plexo. Estrelas espocaram, a dor tão intensa que a fez esquecer-se de respirar. Ainda se debatia para se manter lúcida e consciente quando foi arremessada contra a parede, de encontro à pilha de documentos cuidadosamente empilhados ali antes de sua chegada.

– É isso que veio buscar, sua vaca? Pegue-os. Leve-os para Steam City. Complemente os planos idiotas do seu pai.

Gigi se apoiou nas paredes, no chão e nas pastas tentando equilibrar-se, imersa numa dor tão funda que seus olhos pouco enxergavam além de sombras.

– Glória esteve aqui pouco antes de sua morte, sabia disso? E trajava esse mesmo quimono. A vagabunda da sua mãe veio até aqui para me enganar, também.

Grande G aproximou-se dela, agarrou-a pelos ombros e a jogou novamente contra a parede. Depois chutou suas pernas, pisou em suas nádegas e apertou-as com as solas dos sapatos como se tentasse fazê-las estourar como balões. Então a trouxe contra ele, encaixando-a em seu baixo ventre. Enfiou o pênis na vagina seca e arrancou dela um gemido de agonia.

— Sua mãe rebolava assim mesmo quando eu a peguei naquele dia, em cima da mesa. A vagabunda tinha uma vagina quente e apertada, tão apertada quanto o ânus de ambas.

Ele a susteve em seus braços fortes, como se sustentasse uma boneca sem vida. Movia o corpo da neta em movimentos de vaivém, batendo firme, penetrando fundo.

— Sabe o que ela queria em meu escritório naquela tarde? — perguntou ele, saindo de dentro dela enquanto a largava no chão como um saco de roupa suja.

Gigi arrastou-se, trêmula e confusa. Agarrou-se aos pés de uma poltrona e respirou fundo várias vezes. Sentia-se mal, muito mal. E aterrorizada como nunca antes. Grande G ignorou-a, sentando-se na quina da mesa. Desabotoava a calça com displicência, chutava os sapatos para o outro lado da sala, preparando-se para ficar inteiramente nu.

— Ela tinha contatos em Steam City. Tinha amigos, lá. Ela era uma espiã. Tentava... que grande ironia do destino... tentava o mesmo que você. Transferir tecnologia de Smoke City para aquela cidade de bastardos.

Ela se remexeu, virando-se como podia na direção dele, o quimono erguido até a cintura. As pernas machucadas, a vagina deixando escorrer um pequeno filete de sangue.

— Na época não existia nenhum invento revolucionário como existe agora. Era apenas um desejo intenso de dividir tecnologia, promovendo o crescimento de nossos inimigos à custa de nossa ciência — Grande G soltou a gravata e desabotoou a camisa, jogando-as no chão de qualquer jeito.

— Você a matou — balbuciou Gigi, sentindo bile lhe subir à boca.

— Eu a matei. Do mesmo jeito que vou matá-la. Divertindo-me muito antes disso. Você nem imagina o que farei nesse seu corpinho antes de arrancar a sua cabeça, sua putinha safada. Vai desejar morrer a cada minuto, mas eu não vou permitir, até que tenha chegado a hora.

Gigi então sorriu. Um sorriso doloroso, mas franco, honesto.

Seus olhos brilharam, seu corpo estremeceu. As pernas se dobraram, procurando apoio, ela ergueu o tronco, sustentando-se com os cotovelos.

– Minha mãe lhe ofereceu o que tinha de melhor, antes de morrer? Ela lhe deu aquilo que ensinou a mim e que é capaz de levar qualquer homem à loucura? – Gigi abriu as pernas e mostrou ao velho uma vagina úmida, excitada.

– E o que seria isso, menina?

Ela se soergueu, engatinhando até ele e se agarrou às suas pernas. Susteve-se como pôde até conseguir abocanhar o pênis duro como uma rocha. Chupou como se fosse a coisa que mais quisesse no mundo, naquele momento. Grande G soltou um suspiro forte. Estremeceu.

– Uma chupada? É isso que a sua mãe lhe ensinou a fazer?

Gigi ergueu-se mais, lambendo a barriga, o umbigo, o peito peludo. Já de pé passou a língua nos lábios do homem, pegou uma de suas mãos e conduziu-a até sua nádega. Implorou para ser penetrada pelos dedos nervosos, no que foi atendida prontamente.

– Se é para morrer, quero antes sentir prazer, muito prazer.

Fez com que ele se deitasse, tirou-lhe os óculos, enroscou-se nele como uma víbora, serpenteando o corpo ávido. Mordiscou o queixo, as bochechas, o pescoço. Encaixou a vagina já pronta e ansiosa no pênis túrgido.

– Pompoar – disse ela num sussurro cheio de desejos.

– Pompoar? – repetiu ele, num murmúrio.

– A arte das verdadeiras meretrizes. Só para os escolhidos, só para os poderosos.

Então, num gingado experiente, fez o pênis desaparecer dentro de si. Agarrou-se ao peito do homem, cravando-lhe as unhas. Rangeu os dentes, espremendo os lábios. Olhos cerrados. Num tremor, iniciou o exercício.

Na mente, a imagem da mãe, uma mulher que amava mais do que tudo, mais do que a todos. Imaginou-a naquele mesmo escritório sofrendo as mais terríveis humilhações e torturas. Imaginou que o pai sabia de tudo, sempre soubera.

Enquanto imaginava, Grande G gemia, estertorava.

Movia os músculos internos da vagina, puxando, apertando, torcendo o pênis agigantado.

Enquanto isso, sua mente ia mais longe. Entendeu a mãe como uma mulher forte, de fibra, de coragem. Uma mulher capaz de tudo, uma mulher cansada da ordem política e social imposta pelo avô e outros antes dele. Uma mulher que tentara mudar os rumos da nação. Gigi olhou para o rosto do avô. O homem estava em transe, completamente absorvido pelo prazer, contendo-se como podia para não gozar. Sorriu mais uma vez, outro sorriso honesto. Sentiu as entranhas se revolvendo. Não podia negar que estava sentindo prazer. Não podia negar que logo gozaria se não fizesse uma pausa. Mas pausas eram absolutamente proibidas naquele momento. Beijou a boca do avô, enfiando dentro dela a língua quente. Passeou pelos dentes enegrecidos pelo fumo, explorou as bochechas, chupou a língua do homem. Então soltou os cabelos, fazendo-os despencar como uma cascata no rosto do velho. Ele entreabriu os olhos, embevecido.

– Como Glória... vocês são tão parecidas... Tão lindas... Tão gostosas... Tão putas...

– Goza, velho filho da puta. Goza dentro de mim – grunhiu Gigi, intensificando os movimentos, explorando com intensidade toda a arte do pompoarismo. O velho soltou um gemido forte, arremessou a cabeça para trás. As mãos fortes agarraram-na pelas ancas, enfiando-se dentro dela o mais que pôde. O pênis inchou prestes a explodir.

Então Gigi encostou ao peito do homem um dos *hashis* de metal que lhe prendia os cabelos. A ponta afilada bem posicionada entre duas costelas, em cima do coração.

O gozo veio forte, intenso, explosivo. O homem gritou um grito de prazer que há muito não se ouvia naquele prédio. O *hashi* penetrou as carnes, rompeu músculos, enfiou-se no coração agitado.

Gigi ainda manteve os movimentos do quadril até que o próprio gozo a atingisse. Dobrou-se sobre o corpo já sem vida do avô em haustos acelerados e aninhou-se contra o peito inerte.

Levantou-se toda dolorida. Ajeitou o quimono e observou o cadáver estirado do chão. Nenhum sentimento a incomodou. Voltou-se para a janela ampla. Claudicou até lá e observou o mundo exterior.

"Georgette Grumman Primeira" – pensou com satisfação, mas

sem sorrir desta vez. A imagem da mãe a assaltou. Voltou-se, perturbada, e foi sentar-se na poltrona presidencial de Grande G. Repousou o traseiro seviciado sobre o assento de couro macio e acariciou-se nas partes íntimas, tentando acalmar os nervos e aplacar os ferimentos.

Viu a pilha de pastas ao lado da mesa, sentiu-se vitoriosa e apertou o botão do intercomunicador duas vezes como já vira o avô fazer quando queria a presença da secretária. Rápido, a porta se abriu. A ruiva de peitos empinados arregalou os olhos ao ver o velho morto, recuou um passo assustado e depois olhou para Gigi, que se mantinha impassível, atrás da mesa, a pessoa mais poderosa de Smoke City.

– Dê um jeito de se livrarem do corpo. Prepare um comunicado informando ao povo sobre a nova governante. Entre em contato com os líderes de Steam City solicitando uma reunião e depois volte aqui.

Gigi jogou as pernas sobre a mesa e ergueu o quimono o suficiente para mostrar a vulva.

– Como é mesmo o seu nome?

– Rachel – respondeu a secretária, boca entreaberta, olhos fixos na vagina úmida.

– Posso imaginar que tinha outras obrigações aqui para além das explicitamente profissionais, não é verdade? Espero que alterações de paladar não a incomodem.

– Em absoluto, Grande G. Tenho um paladar refinado e reconheço um prato sofisticado quando o vejo pela frente – respondeu Rachel, embevecida pelo despudor da mulher diante de si.

– Então acho que vamos nos dar muito bem.

Antes de Rachel sair ambas trocaram olhares cheios de significado. Gigi aprumou-se, descendo o quimono. Pensou nas dores e nos ferimentos que lhe cobriam o corpo, no velho porco esvaindo-se em sangue no tapete, em Orgo e na expedição que deixara longe dali. Pensou nas novas responsabilidades que assumiria com a cidade, e em Rachel mais uma vez, sentindo uma pontada de excitação. A mãe lhe surgiu na memória como uma lufada de ar fresco. Vingara-a, finalmente.

E isso era muito bom.

# O DIA EM QUE VIRGULINO CORTOU O RABO DA COBRA SEM FIM COM O CHUÇO EXCOMUNGADO

Octavio Aragão

ELE PODIA SER O REI do cangaço, mas estava apreensivo ao entrar em Juazeiro com seus quarenta comparsas. Foi recepcionado por Floro Bartolomeu, acompanhado de perto pelo Batalhão Patriótico, com palmas e um sorriso dourado. Atrás dele, a cidade inteira, entre admiração e pavor, assistia à comitiva dos mais cruéis assassinos do Nordeste cavalgando tímida envolta em poeira.

Virgulino deixara Maria no povoado de Irecê, junto com outras mulheres do bando, porque foi chamado com urgência para falar com seu padrinho, o pequeno e enfezado Padre Cícero, mas também foi obrigado a lidar com o enigmático Aristides Câmara, juiz, chefe de polícia, comandante militar e carcereiro da cidade. Esse herege distribuía pais-nossos e ave-marias a uns e outros, mas seu forte era mesmo a política. Fundou a Liga dos Irmãos em Cristo pela Liberdade, um grupo de religiosos que não tinha medo de democratizar uns balaços eventuais e umas quengas quase sempre. Não que o Padim Ciço gostasse de sem-vergonhice, mas tolerava pequenas falhas de caráter em correligionários de peso, como era o caso do Padre Aristides, pai de quatro filhos e dois 38.

Os dois rebentos mais novos viviam escondidos sob a batina surrada que, quando bafejada pelo vento quente, perdia a vergonha e permitia vislumbres dos segredos de ferro e chumbo. Aristides era um homem de 54 anos, casado, fornido, conhecedor de gado e dono da cidade de Piancó. Quando Virgulino pousou os olhos nele, soube que não gostaria, mas guardou seu descontentamento de ver o Padim mancomunado com um xibiu daqueles. Foi logo apeando e, depois de empurrar Floro Bartolomeu para o lado, ajoelhou-se perante o pequeno padre, abaixou a cabeça e beijou-lhe a mão escalavrada.

— O senhor pediu e cá estou — disse contrito.

— Não pedi, meu filho — respondeu o Padre Cícero — Mandei que viesses para o bem maior. Tu queres fazer o bem, não queres? Virgulino não pôde ser irônico. Doía por demais.

— Sou seu devoto e servidor — disse sem levantar os olhos.

— Está mais do que na hora de provar isso e depois abandonar essa vida de vício e desonra.

— Assim será.

— Pois levante a cabeça que tenho tua última missão encomendada. Tu sabes que Juazeiro está na mira de um bando de degoladores do Sul, uns degenerados que carneiam o gado e comem a metade da frente, deixando os quartos como carcaça para os urubus. Homens ímpios que apenas quebram e destroem e há quem afirme que não são tementes a Deus nem ao Diabo, mas que cortejam a si mesmos como divindades meio gente, meio cavalo. Esses são mais de mil e estão a caminho daqui para matar a fome em nossas casas e camas. Sabe-se lá se vão cortar cada homem, mulher e criança na altura do umbigo e deixar os miúdos quarando ao sol.

— Isso não pode ser. Juro que não será.

— Pois levante, meu filho, forre tua barriga e parta na direção deles, levando meu presente.

Floro Bartolomeu queria para si a fama de ter alistado Virgulino, mas não abriu a boca. Limitou-se a entregar o pacote ao Padre Cícero. A caixa feita de material não identificado passou de mão em mão até chegar ao líder cangaceiro, que franziu a boca, na expectativa de uma explicação que não veio. Abriu a caixa e, para sua surpresa, ali estava a pistola mais bonita que já vira.

O fato de ser vermelha e azul da cor do céu não a deixava menos imponente.

<hr>

Os gaúchos não abandonaram seus hábitos, mesmo debaixo do sol escaldante. A maioria ainda vestia a indumentária espalhafatosa da qual se orgulhavam e insistiam em bradar durante os ataques, fazendo um barulho dos infernos num contraste suicida com o silêncio dos jagunços, que preferiam se ocultar e despejar chuvas de chumbo inopinadas sobre os maragatos. Para a Coluna, a investida pelo Nordeste tinha sido, se não um fracasso, ao menos uma dificuldade inesperada. Para cada pessoa que conseguiam arrebanhar para a causa revolucionária, uns vinte juravam os gaúchos e paulistas de morte.

Por isso a visita do carioca deveria ter sido oportuna. Ele apareceu do nada, montado em um jegue e cheio de malas de aparência estranha, que pareciam pesar toneladas, mas que eram carregadas sem esforço. Alcançou a retaguarda da Coluna na fronteira de Xique-Xique e, apesar de quase ter sido alvejado pelas sentinelas, conseguiu avisar que uma armadilha os esperava por lá. Apesar do alto-comando afastado, a tropa volante decidiu que não passaria por aquela cidade e foi a melhor coisa que fizeram, pois uma noite de campana revelou que havia pistoleiros de tocaia ao longo da via principal, rota de entrada prevista. Seria um massacre, mas a Coluna evitou os matadores e conseguiu atacar pelos flancos e em silêncio, rodeando a cidade e surpreendendo os inimigos na base da faca na goela. Houve quem dissesse que a luta foi encarniçada, mas na verdade não houve reação dos sertanejos depois que a décima morte foi anunciada. Restava a rendição.

Os gaúchos achavam que tinham vencido a guerra, mas o cerco a Xique-Xique estava apenas começando. A notícia do massacre se espalhou como queimada em mato seco. Logo a jagunçada arremetia às centenas e era arrebanhada por Floro Bartolomeu que, por trás de seu bigode encerado, almejava uma posição destacada entre os poderosos. Duas brigadas se formaram e seus objetivos eram simples: circundar a Coluna e eliminar a cabeça, separando os sulistas em duas metades menores e facilmente subjugáveis.

Infelizmente, não foi o caso. Ou muito pelo contrário, essa foi a felicidade dos fatos. Os rebeldes reduziram a pó três tropas de jagunços-policiais, virando-os do avesso apesar da gritaria, muito por causa da rígida disciplina autoimposta, mas também pela amizade que unia os membros da Coluna. Os novatos admiravam os veteranos das revoluções de São Paulo e Rio Grande, que obrigaram o governo Artur Bernardes a dedicar o máximo de atenção e recursos a um bando de sediciosos muitas vezes maltrapilhos e que, por conta da familiaridade nascida da intimidade com a morte, tratavam-se como irmãos. Essa irmandade os transformou numa corrente inquebrantável, que muitas vezes resistiu aos ataques dos situacionistas e demais sequazes. Os revolucionários lutavam em trapos, mas sorrindo. Foi nesse clima de festa que o Carioca – a partir de agora nomeado em maiúscula – surgiu com mais dentes na boca do que seria possível ou confiável no sertão.

– Eis que trago boas novas. – Exclamava. – Pois garanto que este é o começo do fim do autoritarismo governista. Com o material que lhes ofereço, a guerra está ganha.

– Revolução – corrigiu Siqueira Campos, à noite, em torno da grande fogueira. – Isto não é guerra, é revolução. Se não sabe a diferença, recomendo que se afaste e nos deixe em paz.

O Carioca não comprou a provocação. Manteve o discurso.

– Revolução agora, a guerra virá depois, não duvide. Estou aqui para prevenir o porvir. E com o que ofereço, o futuro será fácil. Considerem esta a primeira de muitas ofertas de meus superiores.

A luz amarela da chama alimentada por lenha seca, que produzia um mínimo de fumaça, destacava os ângulos agudos de uma peça semelhante a um rifle de vidro. A aparente fragilidade do artefato era contraditória ao peso, porém. Siqueira Campos sopesou-o. Leve demais para ser uma boa arma.

– É alemã? – Perguntou. – Ou isso, ou trata-se de uma piada.

– Se dissesse que é uma arma germânica estaria escapando de minha responsabilidade, mas também sendo desonesto. A verdade, infelizmente, é inacreditável. No futuro haverá uma guerra que chegará a um impasse e permanecerá empatada por vinte anos. Um dos lados pensou que poderia vencer a contenda sem lutar, se armasse sua facção com um arsenal imbatível antes do conflito se desenhar. Contrataram um bom vendedor, que sou eu, obrigado, e enviaram-no ao passado com algum armamento para treinar os combatentes que dariam origem ao partido deles, vencendo a guerra antes de seu início. Eis toda a verdade.

Luís Carlos Prestes, engenheiro, homem de poucas palavras e taciturno, desabou em gargalhadas. Siqueira Campos ficou vermelho e danou a tossir, engasgado com um naco de carne, necessitando de dois tapas nas costas para cuspir o matacão. O Carioca esperou que a hilaridade amainasse e abriu os braços, teatral.

— Eu avisei que era inacreditável.

Siqueira Campos enxugou a gordura que escorreu pelo queixo e, ainda com a respiração alterada, segurou o ombro do interlocutor.

— Sabe qual é o seu azar? Não podemos nos dar ao luxo de carregar prisioneiros. — Voltando-se aos companheiros de Coluna, berrou: — Deem um jeito no pascácio, pode ser? Detesto esse sotaque chiado.

O visitante aproximou o rosto do de Campos e berrou, sem um pingo de medo, distribuindo perdigotos.

— Nós cariocas, senhor, não temos sotaque, respeitamos a sonoridade do português original. Vocês sim, falam com a língua no céu da boca, como bárbaros incultos.

E lá foi o Carioca, escoltado para longe da grande fogueira. A arma transparente, porém, ficou por ali, admirada por todos. Logo se tornou objeto de disputa entre os oficiais, com Campos tirando vantagem de sua fama e buscando alvos aleatórios para os quais apontava o cano de vidro. Descobriu uma galinha desgarrada, ciscando distraída, e apertou o gatilho.

Siqueira Campos era um bom atirador e de coragem indiscutível. No entanto, o efeito do disparo acordou o menino de cinco anos que morria de medo das tempestades e que não se apresentava fora de cenários de pesadelos causados por indigestão de carne mal passada. Basta dizer que, por um segundo, o dia raiou no acampamento e um estrondo ensurdeceu os presentes, comprometendo a posição da tropa. Da galinha errante, nem sinal, mas em seu lugar passou a existir uma cratera calcinada de três metros de diâmetro onde nada nasceria num prazo de dez anos. Aqueles que olharam diretamente para o ponto central do clarão tiveram as vistas afetadas, sendo que dois soldados ficaram completamente cegos e um deles era uma perda irreparável. O Tenente Cleto Campelo, responsável pela sublevação de diversos quartéis do Recife, foi a pior vítima do clarão incandescente, o que gerou na soldadesca uma raiva incontida contra o Carioca e suas traquitanas. Até então um cavaleiro intrépido, Campelo ficou reduzido a um cego dependente da caridade alheia.

Depois de passar em revista a tudo e a todos, arrumando às pressas o material para outra retirada, Prestes e Campos, já montados, mandaram trazer o Carioca. Jogaram-no sobre o jegue e começaram a entrevista cavalgando, pois a estratégia da Coluna era a do movimento perpétuo. A ideia tinha sido de Prestes, criar uma tropa volante que jamais parasse em lugar algum por mais de dois dias e, em consequência, nunca fosse encurralada ou, mais assustador, não se deixasse levar pelas facilidades da vida dos homens comuns. Os revolucionários tinham de ser diferentes do normal, acima do medo, da dor, da sedução dos prazeres e, como tais, incorruptíveis. Até a queda do regime, da deposição do presidente Artur Bernardes, não haveria possibilidade de repouso para os soldados da Coluna. Porém, se houvesse alguma chance de abreviar as agruras do conflito, por que não? O controle de uma arma daquele porte poderia virar as apostas a favor dos revoltosos que, apesar de todo o heroísmo e do trabalho que davam ao governo instituído, estavam em franca desvantagem tanto numérica quanto no que dizia respeito ao arsenal.

– De onde veio essa arma? – perguntou Campos.

– De onde eu lhes disse que veio.

– Deixe de palhaçada, homem, ou dou-lhe um tiro na cara.

– Não dá nada. O que o senhor quer é o que qualquer um em sua posição quereria, que eu lhe ensinasse a manejar o trabuco.

– Uma coisa não impede a outra.

– Um momento aí, General, um momento, não há motivos para chegarmos a esse ponto. Os senhores já testemunharam o poder de fogo do trabuco e sabem que posso ser útil.

Prestes meteu-se na conversa.

– Sejamos claros, senhor... queira perdoar, mas estou em desvantagem aqui. Qual seu nome, por favor?

– Não posso dar-lhes meu nome, desculpe.

– Isso não é próprio de cavalheiros. Como negociaremos se não conhecemos seus termos?

– Meus termos são simples e para isso não precisam saber meu nome: eu lhes dou o armamento, treinamento e alguma assistência técnica por um mês. Depois os senhores vão lá e ganham a guerra que ainda não ocorreu.

– E o que o senhor ganha com isso?

– Já ganhei, caríssimos. Já fui muito bem pago.

– Por seus empregadores do futuro?

– Sim, senhor.

– Quantas armas você trouxe?

– Três, senhor.
– Só isso? Para a Coluna inteira?
– Sim, senhor.
–Mas isso é uma estupidez! Mesmo que sejam artefatos de amplo alcance, jamais poderíamos...
– Se me permite interromper, – o Carioca esticou o braço fino. – Estou aqui para ensiná-los também. Os senhores poderão fabricar suas próprias armas, assim que tiver terminado de me instalar aqui. Ao fim do meu trabalho, a Coluna estará pronta para produzir seu próprio arsenal com o auxílio singelo da natureza e de qualquer objeto que o destino colocar em seu caminho. Posso ter acesso à minha bagagem?

O ordenança de Prestes trouxe a canastra confiscada logo depois do incidente, pendurada na sela, arrastando-a pela terra, pelas pedras e pela grama às vezes alta, o que rendeu um bom par de carrapichos agarrados à lona. Vistosa, a mala do Carioca. Com duas alças de material não identificado, mas resistente, parecido como revestimento da empunhadura do trabuco de vidro, e com ranhuras para o encaixe dos dedos, o que reduzia o transtorno de carregá-la. O único motivo que fazia o soldado arrastá-la pelo agreste era a má vontade com tudo que dissesse respeito ao Carioca.

– O que diabo pensa que está fazendo? – Campos berrou. – Traga essa mala aqui agora, sem procrastinação.

O comportamento do soldado mudou imediatamente. A voz de Campos tinha esse poder e ninguém ousava questioná-la. Alguns veteranos diziam que a única pessoa mais impressionante que Siqueira Campos era seu irmão Juarez, preso em São Paulo, e que diante dele Siqueira era um doce, mas essa comparação jamais seria comprovada.

Antes inerte, uma vez entregue a Siqueira Campos, a mala pareceu não querer ficar em suas mãos, como se uma força magnética a fizesse se inclinar na direção do Carioca. Teimoso, Campos procurou retê-la junto a si, mas a pressão o desequilibrou e quase o derrubou da sela. Fosse com Prestes, reconhecidamente um mau cavaleiro, o tombo seria inevitável, mas Campos retesou o corpo e, com um giro de braço, jogou a mala para cima e recebeu-a sobre a sela. Examinou o que parecia a fechadura, mas embatucou com a ausência de um buraco para chave. Pressionou o botão metálico que sobressaía do suposto fecho, mas nada aconteceu. Procurou o rosto de Prestes em busca de uma opinião, mas o pequeno engenheiro de expressão pétrea e barbas longas não tinha respostas. Derrotado, Campos jogou a mala para o Carioca, que apenas esticou o braço teatral e recebeu o arremesso sem prestar muita atenção, como se o objeto soubesse o caminho. Ajeitou a mala sobre o lombo do jegue e abriu-a com o repouso do polegar sobre o botão que derrotou Campos. Dentro do recipiente, sobre diversos sacos de material não identificado, duas armas iguais àquela que abriu um rombo negro no solo. Carioca jogou um das armas para Prestes e fechou a mala.

– Essa é sua, General. O General Campos já leva a dele pendurada à cintura e uma terceira, de acordo com meus empregadores, tem dono.

Prestes ajeitou a arma no cinto, sem esconder a curiosidade:
– Quem?

O Tenente Cabanas cavalgava à frente da Coluna da Morte. Atrás deles, as chamas altas resultantes do choque de uma locomotiva carregada de explosivos contra os batentes da estação do povoado de Irecê, distante 80 quilômetros de Xique-Xique, de onde os homens do recém-empossado Capitão Virgulino Ferreira se preparavam para enfrentar a tropa de Luís Carlos Prestes e Siqueira Campos. As tropas governistas estavam em seus calcanhares, mas Cabanas sabia o que fazer. Tentaria uma jogada de risco, mas até aí, não eram todas?

A explosão deveria ter atingido boa parte do efetivo da cidadezinha, com sorte metade teria caído, o que deixava a perseguição sob responsabilidade do resto, que tomava conta da cidade. Se fosse verdade, o truque ensaiado à exaustão daria certo. Um homem tem de ter fé, nem sempre Deus está olhando para o outro lado. O chapéu Sacramento de abas largas e cor de pelo de rato quase lhe voava da cabeça, tamanha a velocidade do galope, e o perigo fazia com que um sorriso se grudasse no rosto anguloso.

Cabanas era uma lenda entre a população e seus colegas. Inteligente, criativo, um gênio tático de temperamento inquieto que não fugia da refrega, mas que também não admitia hierarquia. Por isso mantinha distância segura de Prestes, Campos e dos outros líderes de estado-maior. Sabia que não toleraria contradição às suas decisões. Assim, chefiava uma Coluna dentro da Coluna e seus homens o acompanhariam mesmo que decidisse tomar de assalto o Distrito Federal munido de facão e carabina. Sem dar satisfação ao comando revolucionário, a Coluna da Morte tomou mais cidades do que todo o resto durante a campanha que já durava dois anos. Irecê coroaria sua carreira, porque se tratava da última cidade antes da tomada de Xique-Xique, centro de inimigos fanáticos dispostos a tudo para varrer a Coluna para fora da Bahia e, quiçá, do Brasil. Vencê-los seria a prova definitiva de que o comando geral da Revolução deveria mudar para mãos mais capazes. Mas antes Irecê devia cair.

Os vinte cavaleiros de Cabanas voavam contra o sol nascente como que perdidos. Seus perseguidores davam a caçada por encerrada e já gritavam impropérios vingativos. Ferindo as retinas, a luminosidade incipiente impedia que os defensores da cidade percebessem uma alteração recente no terreno, resultado de uma noite inteira de trabalho com pás e picaretas, enquanto a locomotiva assassina rumava para o seu destino. Os membros da Coluna da Morte saltaram o barranco de dois metros em uníssono, cavalos sincronizados e gritos de "fogo!" avisando ao resto dos rebeldes agachados na trincheira improvisada que a hora da colheita havia chegado.

De baixo para cima e munidos de fuzis, os atiradores não tinham como errar e os perseguidores, subitamente transformados em caça, tombaram com estrépito no solo seco e rachado. Dez atiradores derrubaram trinta cavaleiros e Cabanas e seus vinte ginetes terminaram o serviço a tiros de revólver. Na sequência, os rebeldes desmontados lançaram mão das armas dos mortos e das montarias que sobreviveram ao massacre e, reunindo-se aos cavaleiros que acompanhavam Cabanas, voltaram em direção à torre de fogo da qual haviam partido.

Em Irecê, apenas dez homens capazes de revidar sobreviveram à explosão da locomotiva e, como acreditavam que o problema seria resolvido por aqueles que saíram no encalço dos agressores, ocuparam-se em cuidar dos feridos e tentar recuperar o que sobrou da explosão ocorrida na madrugada. Quando viram a nuvem de poeira levantada por Cabanas e seus homens, chegaram a gritar vivas em prol do retorno dos vingadores triunfantes e não entenderam quando começaram a cair vítimas dos tiros dos invasores. Em dez minutos o massacre havia terminado e começava o saque do lugarejo. A Coluna da Morte honrou o nome e Cabanas passou o dia acomodado na delegacia local, na companhia de lápis, papel e café, calculando a empreitada do dia seguinte, quando partiriam para o tudo ou nada contra os jagunços de Xique-Xique. Chamou o líder dos potreiros, homens encarregados de bater as redondezas em busca de víveres e montarias, e mandou que fizessem um reconhecimento detalhado dos entornos de Xique-Xique, que fossem e voltassem com tudo cartografado nos mínimos detalhes, cada falha geológica, cada nascente, cada espinho de cada mandacaru. Três homens partiram e Cabanas continuou contabilizando víveres, armas e munição, buscando o controle absoluto de seu pequeno reinado.

A vida até o advento da revolta tinha sido um tédio sem fim. A carreira na polícia de São Paulo jamais o satisfez. Ordens demais, relatórios demais, chefes demais, ação de menos. Mas não podia reclamar, pois foi o tempo na polícia que construiu seu caráter minucioso, que o ensinou o controle pelos números, que lhe despertou a iniciativa e a criatividade. Lidando com contingentes pequenos e chefiando-os em conflitos contra grandes grupos de bandoleiros desorganizados, Cabanas construiu um sonho de combatente, que consistia em partir para o sertão nordestino e trazer à justiça homens como Corisco, Mariano e Volta Seca, desejo que a Revolução dos Tenentes ajudou a concretizar por caminhos tortuosos. Primeiro veio a guerra contra as forças governistas em São Paulo, quando pareceu que ganhariam a refrega, colocando o governo em xeque-mate. Tinham até um arremedo de Força Aérea, mas Eduardo Gomes e o Carlos Herdler deram azar, pois os aviões sofreram panes nos motores e foram obrigados a pousar num charco, sendo capturados logo no primeiro voo. Os aviões Oriole que roubaram teriam sido uma mão na roda. Sobrevoar aquela cangalha e jogar bombas como quem semeia milho? Sorte que, apesar de tudo contra eles, Gomes e Herdler conseguiram escapar das forças governistas e continuavam sumidos, sabe-se lá Deus onde. Mesmo depois daquele ápice, ainda viveram bons momentos durante a cavalgada para o Sul e agora, finalmente, a subida para o Nordeste depois de uma passagem pela Bolívia, onde recuperaram as forças e reorganizaram a Coluna. Finalmente conhecera Prestes e Campos, lendas vivas da revolta, e não se impressionara. O taciturno Prestes era uma versão contemporânea do Cavaleiro da Triste Figura, parecia a Cabanas um anão cujas roupas mal ajambradas pertenceram a um defunto maior e seu silêncio, em vez de aparentar profundidade de pensamentos, indicava vazio de ideias. Já Siqueira Campos era impressionante durante cinco minutos. Depois disso, suas fraquezas vinham à tona e ali permaneciam para quem tivesse olhos. A insegurança nas ordens, a vaidade, a mitomania. O pior mentiroso é aquele que acredita nas próprias histórias e esse era o caso de Campos, incapaz de discernir um fato do reflexo de seu ego. Isso o enfraquecia diante da tropa, mesmo que o efeito não fosse perceptível de imediato.

Longe iam os dias heroicos da resistência de São Paulo, quando a cidade foi incessantemente bombardeada pelo governo em julho de 1924, mas também quando os rebeldes tinham na figura do Marechal Isidoro um líder de integridade indiscutível. Cabanas acreditava que esses dias poderiam voltar. O segredo residia na conquista do Nordeste, pois do Sul não se podia esperar mais nada. A estreiteza da visão política dos gaúchos, presos a bairrismos, impedia-os de alçar os olhos para além de suas fronteiras. Para eles, o mundo era o Rio Grande e quando derrubassem o governador, mergulhariam numa beatitude infinita, uma churrascada eterna.

Precisava agir com presteza, mas não necessariamente com Prestes. Chamou o ordenança Turíbio Veríssimo, seu braço direito, e cometeu o único ato de humildade possível na situação: perguntou a opinião do veterano.

– O senhor pretende atacar assim que os potreiros voltarem? – perguntou Veríssimo. – Independente das informações que trouxerem, o senhor está decidido?

– Sim. Temos de atacar de um jeito ou de outro e não podemos perder o elemento surpresa. Pretendo esmagar a jagunçada.

– Somos poucos, senhor. Estamos cansados. Longe de mim fugir da refrega, que não sou desses, mas há que se pensar a longo prazo. Não seria mais prudente alcançar o estado-maior do General Prestes?

– Era capaz de ele querer que eu esperasse até decidir se devemos atacar com o vento contra ou a favor. Prestes é cauteloso por demais.

– Se me permite, senhor, foi essa cautela que nos fez evitar confrontos diretos e baixas pesadas até agora. Para enfrentar as forças situacionistas precisaremos de mais do que apenas coragem, seria necessário armamento especial e, de preferência, inesperado.

– Mas não temos nada parecido, o que nos deixa de volta à questão crucial: atacamos agora ou não?

Antes que Veríssimo pudesse abrir a boca, ouviu-se o troar de motores.

– Que é? – perguntou Cabanas, escancarando a porta da delegacia.

– Os potreiros voltaram, Tenente – gritou um dos soldados do outro lado da porta. – E trouxeram um avião com eles.

– Um avião?

– Sim, senhor – respondeu o soldado. – Um Waco em excelente estado.

Cabanas não sabia o que pensar. Parecia presente dos céus, mas como todos deveriam saber, não havia nada parecido com Deus por aquelas bandas. Correu porta afora, sem o mínimo cuidado com a própria segurança, o que fez com que Veríssimo sacasse o revólver e partisse atrás de seu superior. Se fosse uma emboscada, Cabanas estaria morto em dois tempos, pois saiu de peito aberto em direção ao aparelho que vinha se arrastando pelo solo poeirento, pilotado por ninguém menos que o sumido Eduardo Gomes.

– Gomes! – Cabanas gritou. – Você está quase me transformando num religioso, homem. De onde veio? Como chegou aqui? Onde arrumou essa peça?

Saindo do avião estacionado, Gomes não respondeu até pôr os pés no chão.

– Perguntas demais, Tenente. Por enquanto, não conto nada. Preciso de um banho urgente, pois eu mesmo não aguento mais o meu cheiro.

– Banho? Banho? Rapaz, temos de virar esse bicho pros lados de Xique-Xique e arrebentar com os governistas e seus cupinchas, agora.

Gomes passou a mão pelos cabelos negros e falou com voz cansada:

— Agora não, Cabanas. Preciso descansar ao menos duas horas. Depois talvez, mas antes precisamos conversar. Trago notícias da revolução no Sul e na Capital e, acredite, vocês aqui são a última esperança. Muito foi posto em jogo para que eu conseguisse chegar neste buraco dos infernos que você arrumou para toca. Gente morreu para isso, Cabanas. Temos uma boa chance, mas não podemos desperdiçá-la ou perderemos tudo de vez. Quando eu te mostrar o que tenho em mãos, você vai compreender, mas antes preciso saber se temos algum veículo motorizado.

— Assim de cara, não lembro de nada — disse Cabanas.

— Não tem problema. Tive uma ideia aqui que talvez venha a funcionar. Mas agora, pelo amor de Deus, deixa tomar um banho.

O banho de Eduardo Gomes, herói dos primeiros dias da revolução, demorou duas horas, durante as quais dormiu na tina de água tépida, sempre renovada pelas mãos delicadas das moças do povoado de Irecê. Cabanas respeitou o repouso do guerreiro, contendo a ansiedade, mas quando Gomes enfim apareceu, não esperou que o recém-chegado encontrasse uma cadeira confortável.

— Fale como estão as coisas. Por que somos a última esperança?

— Bernardes conseguiu desmantelar tudo, Cabanas. Com sua mania regionalista, os sulistas foram os primeiros a cair. São Paulo e Rio estão sob controle, depois que o déspota desgraçado bombardeou as bases colaboracionistas. A prisão de Isidoro foi decisiva para minar a confiança de nossos aliados. Isso e o fracasso de um atentado mal orquestrado ao Palácio do Catete só serviram para pôr a opinião pública contra nós, como se fôssemos arruaceiros de carnaval, baderneiros. Ou seja, o único braço ainda ativo e digno de nota é a Coluna em si que, apesar das difamações de confisco de dinheiro nos territórios conquistados e de exploração dos paisanos, ainda é bem vista pelo público e mantém certo prestígio e respeito, diria até temor, da parte do governo. Resumindo, lá para baixo estão todos presos ou mortos.

— E como você chegou aqui?

— Quase não chego. Eu e o Carlos Herdler caímos nas mãos dos republicanos logo depois daquele voo frustrado que você deve recordar. Pois sei lá por que me mandaram para uma cela diferente da do Herdler, mas enquanto torturavam o pobre, eu era tratado a pão de ló, com café na hora dos interrogatórios e ninguém esmurrando a mesa ou alterando a voz. Eu dizia que não sabia e eles afirmavam que estava tudo bem, que eu os mandasse chamar quando recordasse. Por que diabos eles torturaram o Herdler, pra mim é inexplicável.

— Herdler era judeu alemão — disse Cabanas.

— E daí? O que isso tem a ver com o que quer que seja?

— Para mim, nada, mas você há de recordar que judeus não são bem vistos por cristãos fervorosos, como é o caso do carola do seu presidente.

— Meu não, que não votei naquele papa-hóstias almofadinha. Quero que ele se dane, mas isso poderia explicar a morte do Herdler dois dias depois de termos sido presos. Já eu, contei com a simpatia até dos carcereiros. No fim das contas, creio que me deixaram fugir.

— E como esse avião apareceu na história?

— Estava na frente da casa, pois tinha sido apreendido de um sujeito que fazia voos rasantes na praia de Copacabana, jogando folhetinhos anti-Bernardes. O piloto foi preso, claro, e o avião acabou na frente da delegacia por falta de lugar melhor onde guardá-lo. Como eu disse, uma sorte dos diabos dar de cara com o aparelho assim que saio pela porta dos fundos.

— Sorte até demais. Se duvidar, você foi seguido até aqui. Vamos nos preparar para a tomada de Xique-Xique antes dos paus mandados de Bernardes darem as caras. Conto contigo para bombardear aquela porcaria?

— Se eu tivesse bombas seria um prazer, mas estou liso.

— Vamos resolver isso, creio que alguns explosivos a base de gasolina devem servir como bombas incendiárias. Poderemos atacar os governistas ainda hoje.

Os preparativos para o ataque prosseguiram céleres por duas horas. O avião foi carregado com bombas improvisadas e abastecido com os galões reservas que carregava. Quando tudo parecia certo, Eduardo Gomes foi se preparar para o voo que deveria anteceder o ataque das tropas de Cabanas, sedentas para combater os cangaceiros de Xique-Xique. Estavam reunidos Cabanas, Veríssimo e o resto do estado-maior discutindo detalhes do ataque, até que uma das moças da cidade se aproximou com ar tímido. Trazia nas mãos algo coberto por um pano.

– Com licença, tomei a liberdade de fazer um bolo para os senhores.

Cabanas levantou a cabeça do arremedo de mapa da região que tinham estendido sobre a mesa de campanha e esboçou um sorriso até perceber algo errado. Tentou sacar o revólver para abater a moça ali mesmo, mas não foi rápido o suficiente. Em sua defesa, é necessário dizer que ninguém teria sido veloz o bastante contra aquela arma desintegradora e foi assim que Maria Bonita dizimou alguns dos homens mais valentes da Coluna Prestes, com um pano e um atomizador que lhe havia sido presenteado por um caixeiro-viajante muito estranho doze horas antes da chegada dos homens de Cabanas. Maria não fazia ideia de quem eram aqueles homens, mas se vestiam, agiam e falavam como macacos. Macacos diferentes, um pouco mais espertos, mas ainda assim macacos.

Com os líderes destroçados, Maria se aproximou do avião, tirou do decote um saquinho com um pó estranho e despejou o conteúdo verde na fuselagem do aparelho. O estranho com sotaque chiado havia lhe dito que o pó mágico saberia o que fazer. Logo, não se preocupou em assistir à metamorfose até o fim. Deu às costas e tencionava voltar à sua vida reclusa em Irecê, esperando a volta de Virgulino, para quem contaria as proezas e prodígios daquele dia. Infelizmente, esquecera que Gomes não estava entre seus alvos prioritários e quando sentiu a bala rasgando as entranhas, percebeu que tinha cometido um erro. A segunda bala acabou com a vida da mulher-demônio da caatinga.

Eduardo Gomes decidiu que seria mais inteligente sair dali o mais depressa possível, de preferência arrasando o inimigo com tudo que tinha, que se resumia agora àquela aberração verde que se descortinava à sua frente, com um canhão nascendo do meio da cabine e esteiras de tanque no lugar dos trens de pouso.

Ao entrar no avião, apertado na cabine, percebeu que as portas se vedavam completamente, a poltrona e o manche fundiram-se à pele. Ao dar a partida, Eduardo Gomes não sabia mais diferenciar o ruído do motor de seus gritos desesperados.

O Capitão Virgulino Ferreira envergava a farda de seus inimigos juramentados e não gostava nem um pouco. Os outros, porém, não viram problema algum em vestir o uniforme do Exército, muito pelo contrário. Desfilavam pelas ruas de Xique-Xique com os queixos empinados, os ombros para trás, recebendo os apupos tímidos da população relutante como fanfarras. Cangaceiros famosos pela impiedade sorriam como crianças, faceiros e orgulhosos das proezas não praticadas em defesa da comunidade. Virgulino sabia que era tudo fogo de palha, que no momento em que enfrentassem os macacos rebeldes do Sul, vencendo ou não, arrependidos ou não, o resultado seria o mesmo. Voltariam à condição anterior de feras dignas de abate imediato, toda a pompa e solenidade esquecidas e renegadas como se nunca houvessem existido. Era tudo forçado, errado.

Tudo, a não ser a arma pendurada em sua cintura. O coldre improvisado deixava à vista boa parte do corpo colorido daquilo que parecia um revólver, mas era muito mais. Ele sabia, tinha experimentado a arma num descampado ali perto e ficou boquiaberto com o poder devastador. Árvores, animais e até pedras desapareceram, deixando um cheiro nauseante parecido com vômito em seu lugar, como se tudo tivesse sido parcialmente digerido. O chão estava dissolvido numa lama cor de beterraba e a temperatura elevada, mesmo para os padrões do sertão baiano, assustava.

Virgulino sacou a arma e mirou a esmo. Um soldado, um soldado de verdade, não um dos seus homens fantasiado como um palhaço, adentrou seu campo de visão. O dedo tremeu, quase disparou, porque velhos hábitos não mudam e por mais que se finja que cachorro é gato, no fim das contas alguém sempre acaba mordido. Nesse caso, porém, seria o fim de tudo, de todos e de toda a esperança. Virgulino não tinha opção. Por mais que simpatizasse com os macacos rebeldes, eles teriam de morrer e, na sequência, ele e todos os seus seguiriam o mesmo caminho. O inferno ficaria cheio de gente, mas talvez a terra acabasse menos parecida com creme de beterraba cheirando a vômito.

Padre Aristides e Floro Bartolomeu se aproximavam como duas comadres. O padre falso e o falso homem. Virgulino começava a pensar que Xique-Xique era uma cidade ao avesso e ele, o milico de araque, colaborava com o cenário. Bartolomeu quebrou o silêncio com voz esganiçada.

— Uma palavra antes da partida, por favor, Capitão Ferreira.

— O que querem?

— Gostaríamos de saber se o senhor se importaria de nos trazer um *souvenir* de campanha.

— Trazer um o quê?

— *Souvenir*, lembrança. Espólio de guerra.

— Os senhores querem uma cabeça específica ou qualquer uma serve?

— Não falei que o capitão era um homem perspicaz? — disse Bartolomeu, dirigindo-se ao padre.

— Qualquer uma não, senhor — completou Aristides. — Faço questão do melhor. Quero a cabeça de Prestes num jarro para enfeitar minha sala.

— Tudo tem um preço, senhores, até cabeça de macaco.

— E qual seria esse preço, Capitão?

— O que estariam dispostos a pagar?

— O que quer dizer?

— Do que os senhores abririam mão por esse... *souvenir*?

Floro Bartolomeu e o Aristides trocaram olhares desconfiados. Bartolomeu, como sempre, quebrou o silêncio.

— Receio não compreender aonde quer chegar.

— Esse é o problema. O senhor não poderia mesmo compreender mesmo que vivesse duas vidas. Aqueles homens lutam por algo além deles próprios. São melhores que eu, que os senhores, que o porco que está no governo deste país. Posso matá-los sem grandes problemas, mas jamais traria a cabeça de um deles para os senhores por um motivo muito simples: eles constroem uma vida nova e os senhores são levados por ela. Somos marionetes desses macacos, mas eu enxergo as mãos dentro das luvas e os senhores acreditam na própria liberdade.

— Isso significa que o senhor não vai trazer os espólios? — insistiu Padre Aristides.

— Podem apostar que terminarei esse serviço com uma cabeça nas mãos — disse Virgulino por sobre o ombro, afastando-se em direção à taberna. — Só não sei de quem.

Entrando na taberna, local cheio de pernis de porco e salsichas ornadas por cordéis de moscas varejeiras verdes como enfeites de Natal, Virgulino viu Corisco todo engalanado, bebericando uma cachaça e Volta Seca, um conhaque. Ao verem o capitão tentaram sorrir, mas Virgulino desferiu dois tapas que jogaram os copos longe. Nessas horas, o bom líder não precisa sequer mexer a boca, seus subordinados compreendem a admoestação pelo brilho dos olhos. Os clientes no bar, uns dez, mantiveram o silêncio reverente, olhando para os próprios copos até a saída dos três soldados. Depois disso, soltaram suspiros de alívio coletivo.

– Estamos de saída – disse Virgulino. – Arrumem nosso povo que vamos ao encontro dos macacos sulistas.

– Dizem que alguns são meio homem, meio mulher – comentou Volta Seca.

– Conversa. Isso é porque usam cabelos compridos.

– Qual o problema com cabelos compridos? – perguntou Virgulino, estancando a marcha. Lembrando o hábito do chefe de perder longos minutos escovando os cabelos cacheados todas as manhãs, os dois acharam melhor encerrar o assunto.

– Nenhum. Foi apenas um comentário dessa gente desocupada de Xique-Xique.

A desculpa esfarrapou-se quando Virgulino levantou a mão, mandando que Corisco calasse a boca. Um zumbido parecia rasgar o céu e logo uma sombra em forma de cruz antecipou a chegada de algo que parecia com um avião Waco no qual algum engenheiro metido a engraçado tivesse acoplado um tanque de guerra europeu. Do chão, contra a luz, era possível enxergar o que seriam esteiras no lugar das rodas dos trens de pouso e um enorme cano de canhão projetado da cabine de comando. Era de se imaginar como o piloto se ajeitaria num espaço exíguo como aquele. O motor a gasolina que impulsionava a quimera voadora era uma protuberância sobre o nariz do aparelho, transformando-lhe a silhueta numa caricatura, um enorme carcará de asas duras.

Naquele momento, enquanto a população de Xique-Xique corria desembestada, Virgulino Ferreira teve certeza que demorou demais para tomar a única atitude possível. A presa inverteu o jogo, tornou-se predador e descia sobre sua cabeça com as garras estendidas.

Prestes estava farto de tudo aquilo, mas era uma estrada sem volta. O Carioca era um fato inescapável, uma incongruência impossível de ignorar e que colocava em xeque a natureza da revolução, quiçá de suas vidas. De que adiantaria subverter o Estado se isso seria apenas uma manobra num teatro de marionetes, disputas ininteligíveis orquestradas por gente ainda não nascida. O livre arbítrio que os revolucionários tanto desejavam provara-se uma mentira. Todos habitavam a ditadura do porvir e isso era um conceito que Luís Carlos Prestes não podia aceitar. Ele não seria escravo de ninguém. Campos não enxergava nada além do poder de fogo que agora pendia de seu cinturão de couro cru e nada sentia fora a determinação míope de desintegrar os adversários. Não conseguia pensar noutra coisa e seus assuntos perderam a pluralidade. Ordenou marcha acelerada para Xique-Xique, pois desejava chegar o mais rápido possível para arrasar a cidade. Os objetivos da revolução empalideciam em sua mente, ofuscados pelo desejo de impor sua vontade aos homens que ousaram se interpor à Coluna, empossando gente de baixa estirpe nas hostes do outrora glorioso Exército Brasileiro.

E assim seguia a Coluna, monstro bicéfalo de objetivos nublados, em direção à cidade onde as contas seriam acertadas. Cisões no comando não eram novidade desde que o General João Francisco acusou o grande Marechal Isidoro de desertor em 1924 e nem por isso a revolução acabou. Mas agora era diferente, havia a aura de estranheza no ar, uma sensação de insegurança, pois o Carioca não saía do lado de Campos, cavalgando seu jegue enquanto o grosso da tropa andava sabe-se lá em que condições. Montaria, afinal, não era para qualquer um e, por mais que os potreiros arrumassem cavalos aqui e acolá, nunca eram o bastante para todo o contingente que já passava de mil pessoas, incluindo as amásias, que seguiam a Coluna mesmo contra as ordens de Prestes.

Era uma conversa sem fim, com o Carioca desfilando as vantagens e propriedades do novo armamento e suas cargas devastadoras, enquanto Campos, sorrindo, raramente formava frases com mais de quatro palavras. Prestes não se aproximava, decidiu que não valeria mais a pena tentar fazer com que Campos acordasse de seu torpor e achou melhor deixar que a cavalgada continuasse e cumprissem o objetivo, enfrentando os cangaceiros de Artur Bernardes. Passado o fulgor da batalha, o colega talvez voltasse ao normal.

— O que podemos fazer com suas máquinas é inacreditável. Uns retoques aqui e ali e tudo se renovará — falava o Carioca.

— O diabo é achar essas máquinas. O cavalo ainda é a melhor opção para percorrer longas distâncias em terreno como este — Respondia Siqueira Campos.

— Isso é o que o senhor pensa. Já existem projetos de veículos especializados em terrenos agrestes, que funcionariam muito bem nesta situação. Se acharmos qualquer motor de combustão por aqui, talvez eu prove que nossos processos de adaptação podem ser considerados revolucionários.

— O senhor utiliza o termo revolução num contexto quase ofensivo. Mas, indo ao ponto, refere-se ao material que carrega ensacado em sua maleta? Aquilo ali são sacos de peças?

— E também minhas ferramentas especiais. As ferramentas são parte de nossa capacidade em sanar defeitos da natureza, não podem ser deixadas de lado. Um homem moderno sem ferramentas é o mesmo que um cavaleiro sem as calças.

— O senhor considera a natureza defeituosa? — perguntou Prestes

— Não seria o mesmo que afirmar que Deus erra?

O Carioca encarou Prestes com as sobrancelhas tão altas que transformavam seu rosto numa máscara de carnaval.

— Mas ele erra, ou não estaríamos aqui nesta situação, tentando corrigir o meu passado e o seu futuro. Mas vamos lhe dar um desconto, não creio que seja por maldade, apenas um caso de desatenção com as criaturas inferiores.

Curiosamente, nessa fase da vida, Prestes era religioso a ponto de trazer consigo um altar portátil e se ofendeu de maneira obscura. Não era apenas a heresia, coisa comum entre soldados e levada na galhofa, como quase tudo na vida de quem está sempre a um passo da morte, mas o tom de superioridade com o qual a frase fora proferida. O Carioca soava como um Nietzsche sem sífilis, alguém maior e mais alto que o Reino dos Céus, que tivesse direito e dever de ser arrogante para o bem comum. Prestes concluiu que, se alguma vez ouvisse a voz do Diabo, não seria muito diferente daquela.

— Não gosto do senhor — disse. — Reconheço a vantagem estratégica que representa, mas temo pelo preço a pagar.

— Não importa o preço, Luís — argumentou Campos. — Não teríamos dinheiro de qualquer maneira. Encaro a presença de nosso amigo Carioca como uma oportunidade para sedimentar nossas posições e nos fazer ouvir de uma vez por todas.

— A voz da razão — disse o Carioca. — Aproveite o dia, General Prestes, pois nunca se sabe até quando a sorte dura. Encare-me como seu pé de coelho, seu amuleto. Agora digam, como posso usar minhas ferramentas a seu favor? Qualquer veículo se beneficiaria dos aprimoramentos que posso oferecer. Um aeroplano seria ideal, mas até um trator pode ser de alguma serventia. Vamos, sei que podemos ter acesso a alguma tralha dessas. Qualquer coisa com um motor.

Campos e Prestes silenciaram por motivos diferentes. Enquanto um forçava a mente buscando qualquer lembrança de veículo motorizado nas redondezas, o outro contabilizava as chances de acertar uma bala na cabeça do Carioca antes que as coisas saíssem do controle. Campos ganhou a competição com um grito de "já sei!" e apontou para a carroça de Naíra e Hermano Heringer, ele um dos engenheiros ferroviários alemães que se juntou à Coluna pouco depois da batalha em São Paulo, ela uma das prostitutas que, contra a vontade de Prestes, seguiu os combatentes e encontrou em Heringer a oportunidade de mudar de vida. Depois de muita insistência, conseguiram permissão para construir uma espécie de lar ambulante, onde tentavam emular uma vida de classe média em todos os detalhes possíveis. Chamava a atenção, por exemplo, o número e a qualidade das panelas que Naíra colecionava. Heringer trazia sempre um utensílio doméstico novo a cada ida à cidade, fosse qual fosse, o que acabou tornando o deslocamento do casal uma operação à parte dentro da Coluna. Apesar dos transtornos, Prestes e Campos admitiam que a presença do casal transmitia certa paz aos combatentes cansados da Coluna e isso compensava qualquer prejuízo ou atraso. Era na "casa" de Heringer que os feridos e os miseráveis se abrigavam, nem que fosse apenas para um dedo de prosa, e todos eram bem-vindos, até o próprio Prestes que, num surto de saudade do lar, permitiu-se uma xícara de café com o casal, na falta de chimarrão. Mas agora o motivo da visita seria outro, bem mais prático.

— Qual é a ideia, Campos? — perguntou Prestes.

— Não enxerga? O Heringer e sua mulher têm mania de achar que isto aqui é um tipo de acampamento familiar e tentam recriar uma vida normal. Lembra quando eles nos atrasaram na retirada de Ribeirão? Como pediram ajuda para carregar aquele volume pesado? Era uma máquina de costura, não era? Daquelas enormes. Máquinas de costura têm motor, não têm?

— Sim, têm — disse o Carioca. — Preciso ver o artefato, mas creio que vai servir direitinho.

Prestes levantou-se contra a vontade, mas acompanhou os dois até o lar ambulante de um dos poucos casais da Coluna, onde estava a única máquina a motor num raio de vinte quilômetros. Convencer Naíra a emprestar a Singer, que vinha acoplada num armário de mogno trabalhado bem conservado, apesar das constantes andanças pelo Brasil, constituiu trabalho mais árduo que combater os jagunços de Artur Bernandes. Depois de muita bajulação e promessas do Carioca, ela cedeu e a máquina — demasiado pesada para o lombo de um cavalo — foi pousada no chão enquanto a Coluna passava ao largo. Prestes, Campos e o Carioca carregaram o trambolho para longe e os dois primeiros ficaram de vigia enquanto o visitante buscava o jegue e sua bagagem.

— Não sei ao certo qual será o resultado, porque temos que lidar com algumas variáveis como massa, quantidade de óleo e tamanho do motor, mas garanto que os senhores se espantarão com o resultado final.

Abrindo a mala, retirou um saco transparente cujo conteúdo parecia um pó verde. Prestes se aproximou para observar o conteúdo de perto e se espantou ao perceber que as partículas não estavam em repouso dentro do saco.

— É como se essa areia estivesse em combustão — afirmou. — Nunca vi nada igual.

— Isso acontece porque não se trata de areia, mas de máquinas pequeninas.

Campos riu. — Como é?

— Sim, máquinas diminutas, menores do que a cabeça de um alfinete, que absorvem certos compostos carbônicos por combustível. Por isto, recomendo cautela ao manuseá-las. Nunca aproximem essas micromáquinas da epiderme, porque elas adoram todo tipo de óleo, metabolizam e expelem dejetos numa velocidade absurda. Mas, vamos à demonstração.

Com todo cuidado, o Carioca despejou o correspondente a uma colher de chá da substância verde sobre o chassi da velha máquina de costura e instou os companheiros a recuar dois passos. Os revolucionários incrédulos não estavam preparados para o que se seguiu. O verde se espalhou pela superfície metálica, buscando reentrâncias, moldando uma capa arenosa que logo se expandiu para envolver a base de madeira, cobrindo cada alto-relevo com motivo esculpido nas laterais e nos pés transformando a máquina de costura numa escultura coberta de musgo. Essa peça escultórica só durou dez segundos e foi se remodelando, desenvolvendo apêndices e bulbos de aparência rebitada. Aquilo que fora uma máquina de costura transformou-se numa monstruosidade com blocos maciços em lugar de pés e uma grande agulha projetada. O Carioca pegou outro pacote, dessa vez amarelo, despejando o conteúdo no monturo esverdeado tomando o máximo de cuidado para não ser atingido por nenhuma partícula.

A transformação se interrompeu e o verde escorreu até desaparecer dentro do solo, deixando uma estranha forma negra, mescla de metal e madeira.

Campos estendeu a mão.

– Nem pense em tocar nisso, não ainda. – O Carioca gesticulou, alarmado. – Os resquícios podem atacar seu organismo por causa do suor. Vamos esperar uns dois ou três minutos.

– Parece uma manopla, uma luva – falou Prestes.

– Pois é, – explicou o Carioca, – deve ser mesmo. Os pequeninos estão programados para assumir a forma bélica equivalente à massa e tamanho do objeto original. Pelo visto, a máquina de costura só fornecia material para uma manopla de guerra com esse esporão na parte superior. Interessante, mas creio que pouco prático.

– Pequeninos? – perguntou Campos. – Que pequeninos são esses?

– A areia verde é um coletivo de máquinas microscópicas, capazes de fazer qualquer coisa que bem entenderem.

– As máquinas decidem sozinhas o que devem fazer e que forma tomar?

– De certa forma, sim. São programadas com uma lista razoável de opções. Como falei, elas analisam o artefato que devem transformar e o adaptam para um tipo de armamento, às vezes aproveitando funções pré-existentes, outras vezes reformulando tudo do zero. Quando terminam o serviço, descem até o subsolo e hibernam.

— Se isso é uma luva, eu quero usar — disse Campos.

— Não é assim que trabalhamos. — Prestes estava possesso e assustado, mas sua voz não se alterava. — Se há algo novo aqui, deveríamos mostrar ao resto da tropa antes de dispormos do que quer que seja.

Siqueira Campos agarrou a manopla e a enfiou na mão direita. Assim que fez contato com sua pele, a luva pareceu se ajustar, adequando-se ao tamanho dos dedos e à palma da mão.

Prestes deu um passo em sua direção, mas teve de recuar quando a agulha projetada da parte inferior da luva pairou a dois centímetros do seu pescoço.

— Caso não tenha percebido, Luís, as regras mudaram.

---

O avião sobrevoou Xique-Xique e o primeiro disparo arrancou a torre da igreja, na praça central da cidade. Os soldados disparavam incessantemente contra o aparelho, mas nada parecia intimidar o piloto. Virgulino correu para a delegacia, onde estava o grosso do arsenal da cidade. Abrigado atrás do muro frontal do edifício de dois andares, sacou a arma miraculosa e disparou contra a aeronave. Se aquilo era obra dos homens de Prestes, talvez eles tivessem mesmo um conluio com o Canhoto. Porém, de um jeito ou doutro, a bagunça acabaria num instante, com uma cratera.

Seu disparo fez a cauda do avião desaparecer, mas Virgulino se arrependeu por ter usado a arma. Pois, voando a cem metros de altura e 200 km/h, a aeronave se espatifou no limite da cidade com uma explosão que matou 150 pessoas e incendiou três construções próximas, dentre elas o prédio da prefeitura, onde se abrigava boa parte do efetivo regular do Exército, e o lar do Padre Aristides, onde moravam sua mulher e filhos. Com um tiro, Virgulino abateu inadvertidamente um terço das forças governistas em Xique-Xique.

— Que diabo foi isso, Capitão? — gritou Floro Bartolomeu, que saiu correndo da delegacia. — Quer matar a todos? Que catástrofe!

— Alguém mais viu o acontecido?

– Como?
– Quem estava como senhor?
– Ninguém, estava sozinho na delegacia, porque os soldados estavam em treinamento lá na prefeitura, mas o que isso tem a ver co...
A frase foi interrompida. Floro Bartolomeu, que tanto insistiu na presença de Virgulino na cidade, terminou seus dias degolado pelo facão do cangaceiro por quem nutria admiração sincera. Virgulino largou o corpo e se dirigiu à praça central, onde vinte soldados de Corisco pareciam congelados de terror. Ao chegar a uma distância razoável, gritou:
– Vamos, cambada! Vamos sair enquanto ainda podemos, com sorte chegamos em local seguro em três dias.

Uniformizados como soldados do Exército Brasileiro, os jagunços de Virgulino Ferreira fugiram a cavalo da cidade de Xique-Xique, deixando para trás não apenas o povo que os sustentou por um mês, mas dezenas de seus próprios companheiros, feridos ou mortos pela queda do aeroplano abatido por seu líder. Nem a incerteza da sobrevivência do Padre Cícero interrompeu a marcha da tropa de Virgulino, que seguiu por um dia e meio até encontrar com um grupo de trinta cavaleiros chefiados por Padre Aristides, que patrulhava o entorno de Xique-Xique.

– Capitão Ferreira, que satisfação revê-lo. Como andam as coisas em casa? Por aqui nenhum sinal dos rebeldes. Acho que os covardes debandaram.

– Por lá as coisas andam sérias. Por acaso não viram a aeronave que sobrevoou a cidade ontem de manhã? Pois foi derrubada, mas varreu parte da cidade na queda. Aliás, viemos até o senhor para pedir que nos acompanhe em uma busca pelos bandidos de Prestes. Estamos preparados para um confronto definitivo.

Aristides desconfiou na hora. Não era idiota e farejava traição a quilômetros, talvez porque fosse matéria na qual o padre se especializou. Afinal, não havia motivo para enviar uma tropa menor para bater o mesmo território que eles já estavam patrulhando.

– Veja, Capitão, com todo respeito, isso está me cheirando a maracutaia.

Os homens de Aristides não mexeram um músculo, mas Virgulino sabia que isso significava pouco. A experiência avisava que logo o sangue correria em rios. Em atitude displicente, como quem não quer nada, Aristides jogou por cima dos coldres a batina puída que sempre envergava mesmo em campanha militar, deixando à mostra os dois 38 na cintura. Virgulino pousou a mão direita sobre a sela, próximo à pistola Lugger da qual tanto se orgulhava.

– O senhor vai se juntar a nós ou nos dará passagem?

– Não creio que dar passagem aos senhores seja uma opção. Há apenas dois cursos de ação neste momento, ou o senhor me revela por que está aqui, ou vamos concluir essa prosa à bala.

– Palavras duras para um homem de batina e temente a Deus.

– Duras, mas verdadeiras.

As diversas possibilidades de ataque passaram pela cabeça de Virgulino. Seu forte não era a pontaria. Logo, não teria como derrubar Aristides num primeiro tiro. Precisava confiar na mira de Corisco, esse sim, um atirador de primeira. O detalhe complicador era que não tinha como avisar ao companheiro que estava delegando essa função a ele. Cumpria confiar na comunicação intuitiva que os dois desenvolveram nos anos de convívio. Se tal não funcionasse, havia sempre a arma devastadora, o chuço do Cão, com o qual havia derrubado o aeroplano dos macacos do Sul. Porém, apesar de não gostar de admitir, Virgulino morria de medo de usar a arma. Não se sentia no controle, muito ao contrário. Mas se não houvesse outro jeito, a jurupoca cantaria.

Virou a cabeça para Corisco à sua direita, como se lembrasse de alguma coisa, uma bobagem qualquer, as mãos relaxadas, imóveis sobre a sela. Soltou um muxoxo quase inaudível e percebeu o franzir no cenho do companheiro. Teria de confiar que a mensagem fora passada e deu continuidade ao jogo, chamando a atenção do adversário para outro ponto, tal qual prestidigitador no clímax do número de desaparecimento da moeda atrás da orelha de alguém da plateia. Sabia que os olhos dos homens de Aristides estavam colados nele, mas que alguns responderiam prontamente com uma chuva de balas. Então, cabia a ele se expor para dar cobertura a Corisco, que estaria indefeso depois do balaço certeiro. O segredo nessas horas era manter o sangue frio e a atenção em um alvo de cada vez. Em meio ao tiroteio, a tendência é de se atirar a esmo, portanto, quem mira a cada disparo leva vantagem.

Levantou a mão esquerda como aluno que pede licença para ir ao banheiro, capturando a atenção da maioria dos adversários. Abriu a boca com expressão tranquila, como quem vai enunciar uma amenidade e, no momento em que sentiu os olhos de Aristides colados nele, falou baixo sem deixar o meio sorriso desaparecer de seus lábios finos e dos olhos cobertos pela sombra do chapéu:

– Agora.

Corisco girou de lado, sacou o rifle da sela e disparou entre os olhos do Padre Aristides. Um olho do padre girou para cima, mostrando o branco, enquanto o outro, ainda ignorante do que acontecia ao resto do corpo, manteve-se fixo no rosto de Virgulino, esperando a frase conciliadora que jamais viria. Virgulino, por sua vez, sacou a Lugger com gestos curtos e, mantendo-a junto ao corpo, atirou nos dois homens que primeiro reagiram ao ataque, um depois do outro, com um cálculo que compensava sua visão míope. O resto ficou ao encargo de Deus. Ou não.

※

O Carioca estava feliz. Segundo o relatório recebido de seus superiores pelo comunicador intra-auricular, tudo corria bem nos dois lados do front, com um partido causando danos irreparáveis ao outro, graças às inúmeras armas especiais distribuídas a pessoas-chave, preparando o terreno para a invasão definitiva, apesar de um ou dois imprevistos. Pois, imprevistos eram, claro, previsíveis. Apesar do alto risco, a mentira sobre viagens no tempo foi bem aceita, mas a jogada decisiva, a cartada final, seria jogada agora, assim que Campos matasse Prestes e assumisse o controle absoluto da Coluna, partindo em ofensiva contra Xique-Xique, Juazeiro e, finalmente, ameaçando Salvador. Isso criaria o cenário ideal de instabilidade no governo, forçando o presidente Artur Bernardes a direcionar o grosso das forças governamentais para a Bahia, deixando o Distrito Federal indefeso e pronto para a chefia fechar o cenário, controlando figuras-chave no governo e efetivando a invasão do Brasil com um mínimo de baixas ou perdas materiais. Talvez o próprio Bernardes pudesse ser copiado.

Se isso acontecesse, o resto da América Latina poderia ser tomado em seguida, sempre com o máximo de sutileza, graças aos agentes infiltrados na Argentina e no Chile que esperavam o resultado da operação no nordeste brasileiro. O Carioca não sabia do andamento da invasão nos outros cenários de operações, mas, de acordo com a atuação minuciosa da chefia, apostava que no mínimo o planeta Terra, rico em água, terra e oxigênio, ainda com níveis de poluição baixos, estava prestes a enfrentar uma grande convulsão política, talvez outra guerra generalizada que superaria o conflito de 1914.

– Abaixe essa coisa, Campos – disse Prestes sem alterar a voz.
– Ah, Luís, sempre controlado, sempre racional. Infelizmente, o tempo para conversar acabou. Estou assumindo o comando agora e pretendo acabar com essa história de fugir, fugir, fugir. Chega de fugas! Nosso destino é glorioso. Não tenho nada contra você, muito pelo contrário, sempre admirei suas qualidades táticas, mas tenho certeza que, no fim das contas, sua presença aqui atrapalha mais do que ajuda. Nasce uma nova frente de batalha, a Coluna Siqueira Campos.

Ao tentar alterar a voz, Campos percebeu que não tinha fôlego. Uma dor lhe subiu do ventre e o fez dobrar-se ao meio. Retirando o punhal da barriga do colega, Prestes afastou a manopla para longe e chutou o peito de Campos, jogando-o ao chão.

– O nome da coluna é Prestes – afirmou sem paixão. – Coluna Prestes.

Incerto quanto a que atitude tomar, o Carioca aplaudiu enquanto pensava furiosamente em como tirar vantagem da situação. Prestes sacou o revólver e lhe apontou a arma na cara.

– Parabéns, General. O senhor tem uma fleugma invejável.
– Não gosto do que fiz, mas gosto ainda menos de você. Dê-me um motivo para não puxar o gatilho.
– Pois não. Acreditaria se eu dissesse que a cidade de Xique-Xique caiu? Que não há mais defensores por lá? Que neste momento os cangaceiros-soldados estão perto da dizimação completa e absoluta?
– Por que acreditaria em você?
– Porque o senhor já viu o que posso fazer e pode ser que eu esteja falando a verdade.
– Mas, mesmo que assim seja, por que mantê-lo vivo?
– Porque o senhor sabe tão bem quanto eu que de onde vieram as maravilhas que agora tem em mãos, podem vir outras.

Prestes baixou a arma, pensativo. O Carioca manteve o sorriso jovial. Imprevistos são previsíveis, pensou, o que temos a fazer é manter a calma. Com uma boa conversa, tudo se resolve.

Então Prestes levantou os olhos e falou:

– Não, obrigado – e pressionou o gatilho.

Virgulino Ferreira e Luís Carlos Prestes se encontraram no dia seguinte e não se mataram. Depois de uma boa conversa, chegaram à conclusão de que não valia a pena usar as armas definitivas que ambos possuíam e decidiram unir forças por um objetivo comum. Virgulino nutria simpatias inegáveis pelos ideais da Coluna e Prestes sabia reconhecer um líder nato quando o encontrava. Se havia um objetivo que a Coluna jamais conquistou foi convencer o povo nordestino a aderir aos seus ideais e isto Virgulino Ferreira sabia fazer, mesmo no papel de bandoleiro sanguinário. Ambos perceberam que tinham muito a ganhar unindo forças, com Virgulino à frente, ícone da região, e Prestes como eminência parda, arquiteto teórico de uma nova proposta social. A cidade de Xique-Xique foi eleita como o marco zero do novo projeto, um governo nordestino para o povo nordestino. Assim nasceu a União dos Estados Nordestinos Independentes.

Quanto ao Carioca, que não era do futuro, mas representava potestades de outros mundos interessadas em certas áreas de nosso planeta, sua carcaça foi largada no local onde caiu e um pequeno verme algo similar a uma lacraia saiu de seu ouvido esquerdo, rastejou por doze horas no calor inclemente da caatinga. Impossibilitado de se comunicar com os superiores, pois o comunicador intra-auricular só funcionava com o hospedeiro vivo, terminou seus dias degustado por um teiú faminto, encerrando de forma definitiva e prosaica a maior tentativa de invasão que o planeta Terra já sofreu.

# IMPÁVIDO COLOSSO[1]
Hugo Vera

---
[1] 09 de agosto de 1801.

# 1

AQUELE ERA O SEXTO NAVIO inglês que aportava em Zárate, causando o mesmo alvoroço das vezes anteriores. A Marinha Argentina entrava em ação isolando o porto, enviando seus fuzileiros para auxiliar no descarregamento da misteriosa carga britânica.

A movimentação dos militares pra lá e pra cá fugia da rotina da pequena cidade às margens do rio Paraná de las Palmas, distante menos de 80 Km de Buenos Aires.

Funcionário portuário de confiança, Carlos Mendoza foi designado pela primeira vez para fiscalizar o descarregamento do navio britânico. Boatos diziam que eram equipamentos para a construção de uma futura linha ferroviária que finalmente atingiria Zárate, mas ele acreditava que tais informações eram apenas suposições equivocadas de seus colegas de trabalho.

A segurança do desembarque era reforçada. Fuzileiros se multiplicavam silenciosamente na zona portuária, causando burburinho na cidadezinha pacífica, que se questionava, temerosa, acerca de uma improvável nova guerra contra brasileiros e paraguaios.

Mendoza caminhava sozinho pelo depósito observando os grandes contêineres enfileirados. Não tinham qualquer marca ou identificação que pudesse revelar seu conteúdo. Como sempre, chegavam lacrados com travas de segurança magnéticas, impossíveis de se abrir sem a inserção do código correto. Para ele, aquilo não seria problema. Agente infiltrado do DGI – *Despacho General de la Información* – trazia consigo um decodificador de travas magnéticas.

Seguro de que ninguém o vigiava, o espião paraguaio apontou o aparelho para a parte frontal do contêiner e girou o seletor de comando, até ouvir o "clique" aguardado. Aberta a trava de segurança, buscou no bolso do macacão a pequena lanterna e ligou-a, apontando para o interior do contêiner.

– *Por Dios!* São mecanoides!

A luz da lanterna se refletiu na superfície prateada das grandes criaturas de aço com três metros de altura, que jaziam inertes, devidamente presas a um engradado de madeira e dispostas em três fileiras, cada uma contendo dez unidades, réplicas grosseiras de um ser humano.

Num cálculo mental rápido, o espião deduziu que com aquele carregamento, o depósito já teria recebido algo em torno de 3.600 mecanoides. Sabia o que aquilo significava. Foram os mecanoides que fizeram a diferença na Grande Guerra Mundial, dando vitória aos britânicos e seus aliados há quase trinta anos, arrasando a Alemanha de tal forma que essa nunca mais se recuperou. Baseada em motores diesel e baterias elétricas de longa duração, essa tecnologia substituiu os antigos autômatos a vapor, servos mecânicos que haviam sido coqueluche no fim do século XIX.

O próprio Paraguai ainda possuía milhares dos velhos autômatos a vapor trabalhando em suas lavouras. Contudo, seus pesquisadores, em parceria com cientistas brasileiros, desenvolviam novos modelos, baseados na tecnologia a diesel. Alguns poucos já funcionavam em fase de testes em alguns cafezais do Oeste Paulista e em fazendas da Região do Chaco. Contudo, os mecanoides a diesel ainda não eram fabricados em larga escala como seus precursores a vapor haviam sido.

Contudo, nada se comparava àquelas criaturas mecânicas do interior dos contêineres. E se os mecanoides de trinta anos atrás eram considerados "máquinas de matar extraordinárias" pelos historiadores, o que se diria destas unidades?

Mendoza retirou de outro bolso um radiocomunicador, no intuito de repassar sua descoberta ao seu contato fora do Porto de Zárate, na esperança que ele retransmitisse as informações para Asunción com urgência. Em seguida, lacrou novamente o contêiner, acionando de volta a trava magnética. Deixara tudo da maneira que havia encontrado, de modo a não despertar suspeitas. Mas antes que pudesse sair do local, foi abordado por quatro soldados que apareceram de surpresa. Sob murros e pontapés, tentou reagir, mas em vão. Apanhou até desfalecer. Algemado, foi arrastado para uma viatura militar, sendo levado para interrogatório.

Sem dúvida haviam descoberto que ele abrira o contêiner, talvez houvesse algum alarme que não pudera identificar. Mendoza nunca soube como conseguiram apanhá-lo, pois não sobreviveu ao interrogatório para descobrir.

2

Em seu negro reluzente com detalhes prateados, o Rolls-Royce Phantom III saía do aeroporto trazendo consigo o monarca e sua consorte, rumo ao recém-inaugurado Palácio Imperial da Alvorada no Planalto Central Brasileiro.

Transitavam pelas ruas retas e recém-construídas da nova capital. Contudo, o imperador perdia a oportunidade de admirar os edifícios de projeto arrojado, obra de Oscar Niemeyer, jovem gênio brasileiro da arquitetura.

A festa de inauguração estava preparada. Desde cedo, a cidade estava em polvorosa. Prometida pelo próprio imperador nos festejos do primeiro centenário de independência da nação, Brasília, a nova capital imperial, apenas sairia do papel quase duas décadas depois. As dúvidas de seus súditos de que algum dia o poder central pudesse realmente sair do Rio de Janeiro tiveram resposta.

Pedro III conferiu a hora em seu relógio de pulso, ornado em ouro e pequenos diamantes. Quase meio-dia e o sol já estava a pino, resplandecendo naquele céu de azul profundo. Ainda contrariado, o imperador fitou sua consorte que o observava atentamente com aqueles olhos brilhantes que sempre o encantavam desde a juventude. Sabendo das preocupações de Dona Maria Isabel, certificando-se de que o chofer não os ouviria, mesmo com a divisória de vidro que os separava do condutor fechada, ele se sentiu seguro para finalmente desabafar.

– A Inteligência enviou uma mensagem. Alegam que sofremos

sérios riscos de um ataque nos próximos dias.
— Ataque? — Ela se exaltou, mas, ao ter a mão pressionada pela do imperador, conteve-se. Recompôs-se e prosseguiu. — Terroristas republicanos?
— Não. Pelo informe recebido, os argentinos planejam um ataque ao Império. A fonte provém de informações obtidas junto ao governo paraguaio, que há uma semana descobriu indícios sérios, mas que só puderam ser confirmados esta manhã, através de fotografias aéreas. Eles têm o apoio da velha Inglaterra que, ao que parece, vem fornecendo tecnologia e armamentos necessários para uma incursão em nosso território. Entretanto, o povo não deve ser alarmado. Hoje é dia de festa. Brasília será inaugurada e faremos deste dia o mais espetacular dos últimos anos.
A imperatriz arqueou as sobrancelhas e nada mais disse. Religiosa como era, voltava seus pensamentos ao Senhor, pedindo que nada de ruim acontecesse naquele dia iluminado.

# 3

Milhares de pessoas estavam diante do Palácio do Planalto, a sede dos Poderes Moderador e Executivo, e do próprio Governo Imperial Brasileiro, de onde o imperador promulgaria decretos e realizaria os despachos necessários à condução do país. No palanque, frente à turba em festa que portava em suas mãos pequenas bandeiras nacionais, o porta-voz do cerimonial de inauguração da nova capital, após uma abertura breve e solene com os agradecimentos devidos às autoridades e convidados presentes, anunciou a presença do chefe de Estado da nação.
— Passo agora a palavra à Sua Majestade Imperial, Dom Pedro III, por Graça de Deus e Unânime Aclamação dos Povos, Imperador Constitucional e Defensor Perpétuo do Brasil.
Os súditos aplaudiram com fervor. O imperador era sem dúvida o governante mais popular do país desde os tempos do seu bisavô, o amado Pedro II, e se erguia no palanque com seu traje de gala, trazendo ao peito a faixa imperial verde-amarela, junto a condecorações contendo o brasão do Império do Brasil.

Iniciou o discurso junto ao grande microfone de bronze, instalado sobre um pedestal esguio, fazendo um breve histórico das últimas realizações de seu governo, citando os benefícios trazidos ao povo brasileiro e as melhorias na economia da nação. Enfim, iniciou suas palavras acerca da nova capital, enquanto dezenas de fotógrafos e jornalistas, das mais variadas regiões do Império e das nações amigas, registravam o momento que estaria estampado nos jornais da manhã seguinte como principal manchete do dia.

– Como todos sabem, a ideia da mudança da capital imperial, do belo Rio de Janeiro para a vastidão do interior do Brasil, é bastante antiga. Desde os tempos do meu glorioso trisavô, D. Pedro I, herói máximo da independência, através de projeto defendido por José Bonifácio, ao famoso sonho de Dom Bosco, que já vislumbrava a construção desta nova cidade no distante ano de 1883, Brasília estava predestinada a florescer no Planalto Central Brasileiro. Alguns alegarão que transferimos a capital para longe do litoral a fim de evitar possíveis invasões e ataques inimigos pelo mar. Digo que não estão errados ao pensar assim. Os mais prudentes falarão que a transferência tornará mais fácil a questão da segurança em casos de rebeliões e convulsões sociais. Talvez não estejam de todo equivocados. Outros, maledicentes, ainda dirão que ter a capital em um local de menor população deixaria os governantes da nação menos sujeitos às pressões populares. Tolice! O imperador sempre escuta seu povo. Entretanto, digo-lhes que o principal motivo da aurora de Brasília, neste Sete de Setembro ensolarado, é trazer o progresso ao interior do Império do Brasil.

A multidão interrompeu o discurso com uma salva de palmas. O imperador continuou sua fala após o fim dos aplausos.

– Brasília é um dos maiores empreendimentos realizados neste século. Será não só a capital de nossa nação, mas também a cidade que refletirá o progresso contínuo de todo o Império do Brasil. Seus edifícios arrojados apontarão para os céus, lembrando-nos a cada dia de nossa grandeza, das glórias de nosso passado e das nossas conquistas futuras. Que sejam bem-vindos os homens de boa vontade nesta nova era de desenvolvimento que bate às nossas portas. Seguiremos adiante, rumo ao lugar de destaque que nos cabe no presente cenário mundial. Somos uma nação florescente, uma nação rica, cujo belo povo tem um encontro marcado com a prosperidade. Sigamos juntos, nessa jornada gloriosa e que tremam nossos inimigos, afinal, ninguém segura este país!

Com seu discurso carregado de emoção, Pedro III contagiou os presentes, umedecendo os olhos de não poucos jornalistas. O povo aclamava o nome do imperador, enquanto esse, mantendo sua postura soberana no palanque, pensava o que sua falecida avó, a imperatriz D. Isabel I, Libertadora e Mãe dos Pobres, pensaria de toda aquela glória.

Ele sabia falar a linguagem dos súditos, sabia dizer aquilo que queriam ouvir. Desde que sucedeu sua avó, coroado em lugar de seu pai, morto em campanha na Grande Guerra Mundial, sua popularidade não atingia índices tão elevados quanto naquele momento. Era amado de Macapá a Montevideo, de Recife à Tabatinga, dando continuidade ao movimento progressista iniciado no século anterior.

O imperador tinha consciência de que era fundamental levar a modernização ao interior do Brasil. Pois, apenas um país tecnologicamente forte conquistaria o poderio almejado para confrontar potências mundiais, como a França, o Império Britânico e os Estados Unidos da América. Muito foi investido pelo país na educação de talentos promissores, futuros cientistas a serviço do Império, que traziam de seus estudos na Europa o conhecimento necessário para o trabalho em terras brasileiras. O esplendor de Brasília era apenas o símbolo de tudo aquilo que estava sendo construído.

O som dos aplausos e assobios da multidão foi suplantado pelos estampidos advindos da queima de fogos nos céus da capital recém-inaugurada. Aviões da Esquadrilha da Fumaça cruzaram os céus da cidade, riscando-os com seus desenhos, para encanto de homens, mulheres e crianças.

Pedro III saía do palanque, sendo cumprimentado por sua esposa e filhos, seguido de seus assessores, generais e convidados de honra, entre eles o Presidente Vitalício da Gran República del Paraguay, Sr. Ernesto Gómez, que estava na nova capital não somente em virtude de sua cerimônia de inauguração, mas também para tratar de um assunto de grande importância para as duas nações amigas: o ataque eminente das forças argentinas aos seus territórios.

# 4

Felipe Evangelista vestia sua melhor roupa: terno completo em cor grafite com riscas de giz, camisa branca, gravata cinza com nó impecável e calçados pretos bem engraxados, a ponto de reluzirem ao sol da tarde. Sentia-se um pouco nervoso. Afinal, o Conde de São Bernardo nunca o havia chamado para uma reunião como aquela. O velho preferia enviar recados através de seus assessores e raramente lhe telefonava. Diziam que o velhote, militar reformado e Ministro da Defesa do Império, era um homem ríspido, muitas vezes mesquinho, com andar arrogante e fama de lidar com suas obrigações com mão de ferro.

O jovem Barão de Mauá aguardava pacientemente na antessala do gabinete. Após boa dose de espera, o velho enfim apareceu. Mário Furtado, Conde de São Bernardo, aproximou-se do rapaz caminhando vagarosamente, apoiado em sua bengala. Cumprimentou o visitante esboçando um sorriso ligeiro, suficiente para ressaltar os vincos marcantes de seu rosto enrugado. Indicou a entrada do gabinete e o jovem o acompanhou.

Sentaram-se em poltronas confortáveis, próximas às estantes de livros. Sem rodeios, o conde entregou um exemplar do *Tribuna Paulista* ao rapaz. Era uma edição do dia anterior e sugeriu que ele lesse a manchete estampada na primeira página.

— Temos informações de uma frota de navios de guerra adquirida pelo Chile há cerca de cinco anos. — O conde esclareceu. — Foi comprada da Inglaterra à época em que esta mediou a disputa entre chilenos e argentinos pela Terra do Fogo e sul da Patagônia.

Felipe coçou o queixo, fitando o ministro com olhar preocupado.

— Segundo me lembro, os argentinos perderam esses territórios para os chilenos. Não houve um acordo sobre isso naquela época?

— Você está certo. Porém, segundo os últimos fatos, parece que as coisas não aconteceram da maneira que nos contaram. Pelo visto, houve um acordo secreto entre Chile e Argentina, patrocinado pela Inglaterra, bem diferente do que nos foi oficialmente informado. A negociação da compra dos navios ingleses ocorreu da seguinte forma: dois quintos ficariam com o Chile enquanto os três quintos restantes pertenceriam à Argentina, mas ficariam atracados em portos chilenos, fazendo-se passar por navios daquele país com o fito de enganar as autoridades brasileiras e paraguaias. Afinal, o que pensa que faríamos se descobríssemos que a Argentina está aumentando sua esquadra? Os argentinos esperaram o momento oportuno para resgatar seus navios do Chile, preparando-os para um ataque ao Brasil e ao Paraguai.

— Mas como o Chile consentiria tal coisa? Sempre foi uma nação amiga. E, além disso, são rivais dos argentinos no que se refere a disputas territoriais. Não creio que o Chile tenha se unido aos argentinos para nos atacar desta forma covarde.

— E não se uniu. O governo do Chile aceitou tal artimanha por interesses nacionais sob as bênçãos da Inglaterra, que intermediou a transação. O acordo era simples: o Chile cuidava da nova frota argentina e recebia em troca a posse definitiva da Terra do Fogo e do extremo sul da Patagônia, findando a disputa territorial existente desde os tempos coloniais. A Argentina também se comprometia a reconhecer as Ilhas Falklands, ou Malvinas, como eles gostam de chamá-las, como território britânico, abrindo mão de qualquer reivindicação futura sobre elas.

Felipe retirou do bolso de seu colete uma carteira metálica. Com a permissão do anfitrião, abriu-a, tirando um cigarro. Ofereceu educadamente ao Conde, que recusou. Tirou de seu outro bolso um isqueiro e acendeu o cigarro, tragando profundamente, para em seguida liberar uma baforada nervosa.

— Onde os argentinos obtiveram recursos para adquirir à Inglaterra uma frota como essa? — Felipe piscou os olhos, ao tomar para si o cinzeiro que descansava numa pequena mesa de centro.

— Meu jovem, o que os ingleses mais desejam é nossa ruína econômica, para não dizer a destruição do nosso país. Com o Brasil em dificuldades, a Inglaterra poderia investir pesado nas vendas de seus produtos às nações sul-americanas, abocanhando nosso mercado tradicional. Sem dúvida, a Inglaterra vendeu seus navios aos argentinos a preço de banana, isso se não foram dados de presente, coisa que ainda não pudemos apurar. Contudo, o aparente prejuízo auferido com o fornecimento das embarcações se reverterá em lucro, caso os ingleses consigam o que tanto almejam.

Naquele momento, bateram à porta.

Um dos criados do Conde entrou, anunciando a presença de mais uma visita. Os olhos curiosos de Felipe acompanharam a entrada daquela mulher, cujos saltos altos estalavam contra o piso de madeira encerada, quando caminhava em direção ao Conde, que se levantou da poltrona, estendendo-lhe a mão em cumprimento.

Felipe ainda observava a bela moça embasbacado quando notou que não se levantara do assento para cumprimentá-la. Percebendo a gafe, levantou-se de súbito, estendendo-lhe a mão, constrangido pela falta de cavalheirismo.

– Barão, esta é Clarissa Riquelme, agente do Despacho General de la Información, cedida pelo governo paraguaio para nos auxiliar. Fique tranquilo, pois ela já está a par de todos os detalhes referentes ao seu *empreendimento*.

Aquela revelação deixou o rapaz chocado. O empreendimento citado pelo Conde era segredo de Estado. Não se sentia à vontade em compartilhar tal informação com uma estrangeira. Mas o incômodo foi minimizado por três fatores: pelo fato de ela ter sido apresentada pelo Conde de São Bernardo, por ser nativa do Paraguai, nação amiga e aliada mais importante do Império, e por se tratar de uma bela mulher.

– *Buenas noches*. É um prazer finalmente conhecê-lo, Barão. Pena que isso aconteça nas circunstâncias atuais. Perdoem-me pelo atraso. Vim direto da nossa embaixada, onde recebi as últimas orientações do meu governo. Acabamos de saber que a esquadra argentina também atacou dois de nossos portos no Rio Paraná.

Clarissa aprendera a língua portuguesa ainda menina, e até o momento vinha se saindo muito bem com o idioma, deixando escapar apenas um leve sotaque castelhano. Não devia possuir mais do que 1,65m de altura, e vestia um terninho cor de vinho sobre uma camisa branca com babados e uma saia preta que ia até a altura dos joelhos.

– O ataque ao Paraguai não é surpresa, minha querida. – O conde falou com voz cansada. – Depois do ataque-surpresa a Montevidéu, a lógica ditava que atacassem também nosso principal aliado, que sem dúvida viria em nossa defesa.

Felipe revoltou-se.

– Então esses britânicos de uma figa querem abocanhar Brasil e Paraguai de uma vez só manipulando seus marionetes argentinos?

– É o que está acontecendo. – Clarissa concordou. – Não esqueça que, além de nossas nações serem as duas maiores economias do hemisfério sul, uniram-se contra os argentinos na Segunda Guerra do Prata em 1865, mantendo-se como fortes aliados desde então. Momento glorioso de nossa história, conflito este que pôs fim às pretensões argentinas em tomar a região de Formosa e do Chaco Paraguaio. Os argentinos sonhavam em conquistar aquelas terras desde a metade do século passado. – A bela esclareceu ao barão em tom didático. – Sua ousadia fez com que perdessem parte de seu antigo território. Como devem saber, as províncias paraguaias de Corrientes, Entre-Ríos e Misiones, já constituíram território argentino.

– Nós também fomos afortunados, minha querida. – O Conde sorriu de forma galanteadora para a jovem. – Reconquistamos a província Cisplatina, que estava sob o domínio argentino desde a Primeira Guerra do Prata, no reinado de Pedro I, além de tornar a Argentina um protetorado do Império e do Paraguai por mais de trinta anos. Em vista disso, mesmo passados 80 anos da última guerra, não há um argentino que não se ressinta em ter perdido territórios aos paraguaios e aos brasileiros, além da derrota humilhante na guerra.

O Conde de São Bernardo pegou a pasta de couro que estava sobre a mesa. Abriu o feixe e retirou papéis com o brasão imperial e um punhado de fotografias em preto e branco.

– Nosso problema não está somente nos navios que atacam nossas cidades portuárias no sul. O problema maior está aqui.

O barão olhou atentamente os documentos e fotos que recebia em mãos, verificando em silêncio folha por folha.

– Não pode ser! Como eles conseguiram esses mecanoides?

– Provavelmente com os ingleses, meu caro. As fotografias aéreas foram tiradas por dirigíveis das Forças Armadas que sobrevoavam Montevidéu antes de serem abatidos. Felizmente, a Inteligência conseguiu recuperar parte dos negativos que haviam sido ejetados antes da queda dos dirigíveis. Segundo os informes, estão avançando pelos Pampas, destruindo tudo pelo caminho, o mesmo acontece em território paraguaio.

Felipe estava estarrecido com as notícias. O Conde prosseguiu:

– A Srta. Riquelme é a maior especialista em mecanoides da

América do Sul. É por isto que está aqui. Vocês trabalharão juntos a partir de agora.

– As fotografias obtidas pelos seus dirigíveis deixaram claro qual o modelo de mecanoides que os argentinos estão utilizando – Clarissa tomou delicadamente as fotografias das mãos do rapaz. – É um *Avenger* Série 5. Não é o mais moderno já construído, mas também não é um modelo ultrapassado. Tenho todas as informações a respeito dessa máquina de matar. São programadas para avançar e atacar o inimigo de forma implacável. Sua movimentação sempre ocorre em grandes grupos, todos seguindo o comando de um *mecanoide-líder*, que recebe as orientações via rádio do comando militar argentino. O que nós precisamos fazer é escolher um desses grupos de ataque, encontrar seu líder e interromper a comunicação entre ele e os demais mecanoides. Encontrar o líder requer um trabalho apurado de observação e análise, já que é visualmente indistinguível dos demais. Vale lembrar que esta busca é uma operação delicada, pois se o líder se sentir ameaçado a ponto de concluir que poderá ser pego ou eliminado, ele transferirá seu comando para qualquer outro mecanoide do grupo, o que fará a procura pelo líder voltar à estaca zero, tornando nossa busca inviável.

O homem idoso sacou o cachimbo da algibeira, municiou-o com tabaco e o acendeu. Três baforadas mais tarde, determinou após expelir um belo anel de fumaça:

– Temos que colocar os Colossos para funcionar imediatamente.

– Ainda precisamos efetuar alguns testes. Não estão inteiramente aptos. – Felipe relatou. – Levaremos de duas a três semanas para prepará-los.

– Não temos todo esse tempo. Precisamos agir agora! Somente os Colossos poderão impedir o avanço dos mecanoides. Nossos exércitos serão massacrados se tivermos que esperar tanto tempo. E quanto ao protótipo? Aquele apresentado ao imperador no ano passado? Está operacional, não está?

– Sim, mas é apenas um protótipo e não a versão final.

– Servirá até que os demais estejam operantes. E tire essa expressão desanimada da cara, meu jovem. Não temos alternativa. Prepare seu pessoal. Precisamos contra-atacar.

# 5

Felipe Evangelista cuidou de todos os detalhes. Não houve tempo para os aperfeiçoamentos que julgava necessário e torcia para que nada saísse errado. Doía-lhe o coração enviar aquela que considerava sua obra-prima para o campo de batalha. Embora concebido para atuar em cenários de guerra, o Colosso Alfa não fora concebido para participar de uma. Era um protótipo cujo destino futuro devia ser a incorporação ao acervo de um museu, para ser contemplado pela posteridade, como o primeiro de sua espécie, ao contrário de seus irmãos, que estavam sendo prontificados com o propósito de engajar em combate.

Funcionários devidamente selecionados da Mauá Indústria e Tecnologia partiram para a cidade de Uruguaiana, no extremo oeste da província do Rio Grande do Sul, levando consigo o Colosso Alfa desmontado, em quatro cargueiros da Força Aérea. O tempo era curto. Deviam preparar o protótipo para entrar em ação nas próximas 24 horas, pois os mecanoides inimigos ganhavam terreno ao sul do Império, tomando toda a Província Cisplatina desde Montevidéu, chegando aos municípios de Pelotas e Santana do Livramento, com perspectivas de alcançar Porto Alegre em poucos dias.

O pânico se instalara entre as populações das pequenas cidades que eram arrasadas pelo caminho. Relatos chegavam a Brasília, com informações de casas destruídas, plantações arrasadas, centenas de mortos e milhares de feridos.

Soldados brasileiros e paraguaios se uniram para combater a ameaça que vinha do sul. Traziam consigo suas submetralhadoras, granadas e fuzis semiautomáticos, além de morteiros e canhões antitanque. Tanques de guerra cruzavam os Pampas em busca do inimigo e, nas batalhas sangrentas travadas, vários mecanoides foram abatidos. Porém, o número de baixas humanas era quase cem vezes maior. As armas dos exércitos aliados mal arranhavam a blindagem reforçada das couraças metálicas dos mecanoides, que revidavam com disparos de metralhadora, lança-foguetes e potentes descargas elétricas, sua arma mais temida.

As tropas paraguaias e brasileiras finalmente conheciam de perto uma geração de autômatos mais poderosa que o terrível exército mecânico que vencera os alemães em terras europeias na Grande Guerra Mundial.

Alinhados em várias fileiras horizontais, cada uma afastada dez ou vinte metros da anterior, os mecanoides prosseguiam em sua marcha pelos Pampas, comandados pelas instruções transmitidas via rádio pelo mecanoide-líder, que se mantinha sempre à retaguarda dos conflitos, devidamente protegido por uma escolta de soldados mecânicos.

Do lado paraguaio também chegavam notícias alarmantes. Asunción colocava-se em estado de alerta, e soldados da reserva eram convocados para o conflito. Mecanoides subiam para o norte, dominando as províncias Entre-Ríos e Corrientes, chegando à cidade de Monte Caseros.

No aeroporto da base militar de Uruguaiana, Clarissa Riquelme desceu do táxi aéreo fretado pela Mauá Indústria e Tecnologia, acompanhada pelo jovem barão. Foram recepcionados pelo Capitão do Exército, Lucas Ribeiro, que auxiliou a dama na descida dos últimos degraus da escada de desembarque.

– Fico feliz que tenham chegado – O capitão os saudou. – Embora as notícias sejam desanimadoras. O inimigo está quase às portas de Uruguaiana, não acredito que tenhamos mais do que um dia.

– É um prazer revê-lo, Capitão – O barão o cumprimentou. – Esta é Clarissa Riquelme, da Inteligência Paraguaia.

– Encantado, senhorita. Então, vamos para o galpão?

Ao caminhar pela pista de pouso do aeroporto militar, os três passaram por jipes e caminhões de abastecimento, cruzaram com grupos de soldados que corriam empunhando fuzis, em direção ao comboio que partiria em instantes.

Aproximando-se do galpão de armazenagem, encontraram o engenheiro Zé Carlos. Ele estava com seu costumeiro macacão azul surrado, desfiado e manchado com graxa, e um boné de aba rasgada. Amigo íntimo do jovem Barão de Mauá, conhecia o projeto como poucos. Com barba de quatro dias por fazer, via-se que não era um homem vaidoso, mascando fumo enquanto aguardava a aproximação das três pessoas que vinham em sua direção.

– Estamos todos a postos, Barão, apenas aguardando suas ordens.

– Ele cuspiu no chão ao lado, causando leve repulsa à paraguaia.

Sempre cavalheiro, Felipe indicava à Clarissa a entrada do galpão. Ela agradeceu com uma vênia, seguindo em frente. Os três homens a acompanharam.

— Clarissa, o que você está vendo é a oitava maravilha do mundo!

— O barão afirmou, empolgado. — Enquanto europeus e norte-americanos buscam substituir seus soldados por mecanoides, nossos engenheiros conceberam uma alternativa.

— *Por Dios!* — Clarissa ficou estupefata. Boquiaberta, quase não conseguiu falar. — Me disseram que você estava desenvolvendo um novo tipo de mecanoide gigante, mas não imaginei que fosse tão grande...

Felipe sorriu triunfante.

— Não, minha querida. Isso não é um mecanoide. É muito mais que isso. Conheça o primeiro dos Colossos, cujo nome é uma alusão à grande estátua de bronze do deus grego Hélios que, segundo relatos da Antiguidade, situava-se à entrada da ilha grega de Rodes, no Mar Egeu.

— Sim, o Colosso de Rodes. Conheço a história. Mas isto aqui é magnífico!

A superfície metálica do corpo da máquina gigantesca reluzia sob as lâmpadas do galpão. Com dezoito metros de altura, mostrava-se imponente ante os humanos minúsculos à sua frente, mesmo deitado em cima da plataforma móvel.

— Ele é diferente dos mecanoides a que está acostumada. — O barão explicou. — Não foi desenvolvido para trabalhar sozinho. Quem sabe, as próximas gerações tenham esse recurso, mas não os Colossos. Estes foram projetados como engenhos tripulados.

Com um sinal, pediu que retirassem o Colosso do depósito. A plataforma se movimentou sobre rodas gigantescas para fora do galpão, levando consigo aquele que era o primeiro de uma geração de 25 unidades, conforme o barão esclarecia à operativa paraguaia, que acompanhava tudo embevecida. Não tinha palavras para descrever a engenhosidade que se exibia ante seus olhos.

# 6

Enquanto a equipe de engenheiros montava o Colosso, preparando-se para colocá-lo de pé, Clarissa Riquelme acompanhava Felipe pela base militar.

— Estou bastante impressionada com tudo, Barão — Os olhos da paraguaia brilhavam.

— Contei com a ajuda de um importante engenheiro mecânico. Sem ele e sua louvável criatividade, talvez meu desenho nunca saísse do papel. Eu tive a ideia, ele ajudou a executá-la.

Clarissa olhou adiante e viu o grande monstro mecânico ser erguido por um guindaste. Divertiu-se com a apreensão do barão ao longo do processo. Felipe Evangelista dedicava ao Colosso um apreço de pai orgulhoso.

— Fico imaginando todo o sistema eletromecânico empregado para o funcionamento do Colosso. Deve ser mesmo uma obra de arte!

— Os dois motores do Colosso funcionam à base de óleo vegetal.

— Aquilo que chamam de *biodiesel?*

— Exatamente. Estão usando esse nome agora, não é isso? Pois bem, biodiesel.

Felipe abriu o colete, tirando a carteira de cigarros. Ofereceu um à jovem, mas ela recusou. Acendeu um cigarro, de olho nos engenheiros que concluíam a elevação do Colosso. Ficou a observar um velho engenheiro que insistia em acompanhar de perto todo o processo. Podia vê-lo em seu macacão largo, sujo de graxa, andando vagarosamente apoiado numa bengala, mas com gestos enérgicos e palavras de ordem aos empregados da Mauá Indústria e Tecnologia e aos soldados da base militar.

— Vê aquele velho?

— O ranzinza de bengala? — Clarissa indagou. — Não parou de reclamar desde que você pediu para colocarem o Colosso para fora do galpão.

— Ele é o orgulho da companhia. O pobre diabo tem 87 anos e não para um só minuto, recusando terminantemente a cogitar a ideia de aposentadoria. É a inspiração para todos esses rapazes à volta dele.

Ela olhou o semblante do jovem barão que sorria orgulhoso ao observar aquele homem.

— Minha família sempre foi boa nos negócios. — Ele disse em tom de desabafo. — Desde os tempos do meu bisavô Irineu, o primeiro Barão de Mauá. Foi ele quem construiu as primeiras linhas ferroviárias do Império. Era um visionário. Não queria só enriquecer, mas ansiava em promover o progresso do país. Depois dele, meu avô e meu pai tocaram os negócios da família adiante. Multiplicamos a fortuna herdada do velho Irineu, e não é segredo para ninguém que sou um dos homens mais ricos do Brasil. Entretanto, dinheiro não me basta. Preciso de satisfação pessoal. Meu pai e avô nada mais fizeram além de cuidar dos negócios da família. A contragosto do meu pai, preferi ir além. Sempre invejei os homens de visão, como meu bisavô. Por isso, além de administração, estudei engenharia mecânica e elétrica. Sempre julguei que poderia fazer mais se meus talentos fossem além do empreendedorismo que aprendi com meus antepassados.

— É admirável sua iniciativa em evoluir, Barão.

O velho engenheiro esbravejava ao fundo, batendo sua bengala no chão e gesticulando de forma às vezes cômica. Ele fiscalizava cada detalhe da preparação do Colosso e parecia tão ou mais preocupado que o próprio barão.

Felipe Evangelista continuou com sua narrativa.

— Desde que Rudolf Diesel criou o primeiro motor à base de óleo de amendoim, inspirados nas ideias revolucionárias daquele alemão, nossos pesquisadores projetaram novos motores capazes de atender nossas necessidades a custos mais acessíveis. Apesar da abundância de petróleo no mundo, antevejo um futuro promissor para o biodiesel.

O Colosso estava de pé afinal. Impávido, diante de todos os que o admiravam na Base Militar de Uruguaiana. Agora fariam os preparativos para colocar o monstro em operação.

— Se estivesse vivo, Rudolf Diesel teria orgulho da utilização de suas ideias em seu trabalho — Clarissa caminhava junto ao barão em direção ao Colosso.

Felipe soltou uma risada. Sem falar nada, Clarissa exigiu explicações com o olhar zangado. Recompondo-se, ele tratou de se desculpar, esclarecendo o motivo da graça.

— Vou lhe contar algo que poucos sabem, senhorita. A história oficial afirma que Rudolf Diesel morreu em 1913, durante uma travessia de balsa no Canal da Mancha, entre Antuérpia, na Bélgica e Harwich, na Grã-Bretanha, um incidente jamais esclarecido. A imprensa da época deu grande destaque ao fato e os boatos sobre sua morte falavam de acidente em alto mar, suicídio, homicídio, entre outras teorias jamais comprovadas. Na ocasião, foi noticiada a descoberta de um corpo próximo à costa belga, cujas roupas e objetos foram recolhidos. O corpo foi devolvido ao mar, procedimento habitual na época. Entretanto, Eugen Diesel, filho do renomado engenheiro mecânico, chegou a reconhecer os pertences recolhidos como sendo de seu pai. Dessa forma, concluiu-se que Rudolf Diesel estava morto. Mas aquele corpo não pertencia ao engenheiro.

– E de quem era aquele corpo?

– Pertencia a um pobre coitado, cujo nome não foi registrado pela história. O fato é que Diesel não havia morrido e estava em segurança a milhares de quilômetros dali, do outro lado do Atlântico. E aqui começa o segredo. Rudolf Diesel planejou seu desaparecimento com nosso auxílio. Ele não morreu e está bem vivo em solo brasileiro.

Incrédula, Clarissa arqueou as sobrancelhas.

– Mas isso é inacreditável! E por que ele faria isso? Está abusando da minha boa vontade...

– A história é verdadeira. O velho Rudolf fugia de credores ingleses. Apesar das negociações de seu invento abrirem novos horizontes, há muito na história desse velho alemão que o mundo desconhece e a Grande Guerra Mundial só piorou as coisas. Mas lhe garanto que ele teve motivos justos para abandonar tudo e partir para o Brasil.

– E onde estaria o famoso engenheiro mecânico?

– Aqui. – Uma voz rouca esclareceu às costas do casal. Era aquele velho de cabelos brancos, com bigode protuberante e óculos finos de aro redondo, que caminhava com dificuldade, batendo no solo com sua bengala. – Rudolf Diesel, ao seu dispor.

# 7

Agraciado pela Mauá Indústria e Tecnologia com as condições necessárias para desenvolver seus projetos, Rudolf Diesel trabalhou anos a fio sob os interesses da família Evangelista, tornando-se não só um grande trunfo no desenvolvimento de motores a óleo vegetal, mas também assumindo a posição de grande mestre do jovem Barão de Mauá, em sua formação como engenheiro mecânico. A relação entre mestre e aprendiz sempre foi pacífica. Felipe interessava-se em absorver tudo o que o mestre tinha a ensinar e Rudolf se interessava pelas novas possibilidades que vislumbrava nas ideias inovadoras de seu pupilo. Era justo dizer então que o projeto Colosso era fruto das confabulações criativas intermináveis do jovem barão com o velho Diesel, embora o nome deste último jamais pudesse ser oficialmente mencionado. Após desenvolverem juntos os sistemas de refrigeração e combustão, além dos alternadores e das baterias vitais ao funcionamento do gigante mecânico, chegava a hora de pôr a criação à prova.

– É um prazer conhecê-lo, Sr. Diesel.

O velho ranzinza pegou na mão da mulher, sorrindo e se curvando numa reverência.

– O prazer é todo meu, senhorita. Vê-la caminhando por essa base é um colírio para os olhos deste pobre velho, obrigado a conviver com essas bestas humanas! – Seu sotaque alemão carregado era evidente.

– Pelo visto, o velhote está de bom humor. – Felipe sussurrou à Clarissa.

– Ainda acho o que estão fazendo uma loucura! – Diesel esbravejou. – O Colosso Alfa não foi feito para a guerra!

O Capitão Ribeiro aproximou-se esbaforido.

– Temos que agir depressa. O exército mecanoide está a pouco menos de uma hora de Uruguaiana.

O barão pediu para que todos o acompanhassem, à exceção de Rudolf Diesel. Entrando de volta ao galpão, encontraram o engenheiro Zé Carlos no caminho, com um fardo de roupas especialmente desenvolvidas para a utilização no Colosso: botas de cano longo, blusas e calças emborrachadas azul-marinho, capacetes da mesma cor, que mais parecia um chapéu-coco com uma alça para prendê-lo abaixo do queixo.

Trajando a roupa nova, Felipe sinalizou que ativassem o gigante mecânico. O corpanzil humanoide estremeceu com um rangido e então ficou estático, aguardando instruções. A escotilha se abriu na parte de trás da grande cabeça do monstro, muitos metros acima, chamando a atenção da paraguaia.

– Vê aquilo? – Felipe apontou. – No interior da cabeça está a cabine de comando. Há lugar para quatro tripulantes, cada um controlará funções específicas.

Clarissa olhou para o alto, protegendo seus olhos do sol com a mão.

– É muito alto...

Ele conduziu a paraguaia pela mão. Sem alternativas, ela se deixou levar. Aproximaram-se do gigante metálico, chegando à escada preparada para a subida dos tripulantes. Clarissa olhou mais uma vez para o alto, mal enxergando a cabeça do monstro sob o sol forte. Mesmo assim, não se cansava de admirar a estrutura. Ela trazia consigo uma caixa de ferramentas retangular, contendo tudo que precisava para a missão.

– Suba! – Ele indicou à mulher. – É seguro! Irei logo atrás de você. Com todo respeito, evidentemente.

Chegando ao topo, o casal entrou na cabine de comando do Colosso. O interior era impressionante, embora fosse menor do que Clarissa imaginava. A cabine circular tinha o piso inteiramente emborrachado, com vincos antiderrapantes. Avante, um console em forma de quarto crescente, com alavancas, válvulas, medidores, botões e interruptores, caracterizando o painel de controle. Na frente, três assentos acolchoados fixos no piso, um ao lado do outro, com cintos de segurança desafivelados e prontos para o uso. Havia ainda um quarto assento, junto à antepara traseira, na direção assento central, elevado em uma plataforma pequena e pouco mais de trinta centímetros do piso, com um console à sua frente. Clarissa deduziu que seria a cadeira de comando, estação provável do Barão de Mauá.

Mais além do painel principal, Clarissa contemplou a vasta janela panorâmica cujo vidro blindado demasiado espesso permitia a observação do mundo exterior. Era como se estivesse olhando pela janela de um apartamento no alto de um edifício. Um arrepio de frio lhe percorreu a espinha.

– Aqui temos todos os instrumentos necessários para fazer o Colosso caminhar tal como um ser humano. Por favor, sente-se ali.

A paraguaia se acomodou no primeiro assento à direita, tal como indicado pelo barão. Naquele instante, o engenheiro Zé Carlos entrou na cabine, acenando com a cabeça em saudação à moça, trazendo consigo o Capitão Lucas Ribeiro. Acomodaram-se em cada um dos assentos restantes, o engenheiro à esquerda e o capitão ao centro.

– Está ficando quente aqui dentro. – A paraguaia reclamou.

– Não se preocupe. – O engenheiro Zé Carlos pressionou um dos interruptores. – Temos um sistema interno de refrigeração.

Pouco depois, Clarissa já podia sentir a temperatura do ambiente baixar com o frescor do ar emanado das várias ventoinhas que se encontravam acima de suas cabeças, próximas às lâmpadas fluorescentes.

– Espero que não quebrem nada por aí! – O rosnado de Rudolf Diesel explodiu nos alto-falantes do painel dianteiro. – Vou monitorar os sistemas. Mantenham contato.

Clarissa Riquelme sentia-se incomodada com aquela roupa emborrachada. Ficava colada ao corpo de forma a lhe ressaltar os seios benfeitos, chamando atenção do capitão ao seu lado, que tentava disfarçar sem sucesso. Ignorando o militar, voltou-se para o barão.

– Estaremos seguros aqui em cima?

– Sem dúvida. O Colosso dispõe de blindagem pesada. Sua couraça nos protegerá do ambiente hostil que enfrentaremos em breve. Além disso, daqui de cima você poderá observar melhor o comportamento dos mecanoides e indicar qual deles é o líder para que possamos capturá-lo.

O quarteto em que o Império do Brasil e a Gran República do Paraguay depositava suas esperanças estava pronto em seus assentos.

– Afivelem os cintos de segurança. – O barão ordenou. – Capitão, vamos colocar esse "bichão" aqui para funcionar.

Ribeiro girou uma chave no painel, puxando para si duas alavancas e pressionando alguns botões, enquanto o engenheiro verificava os indicadores de temperatura. Um tremor percorreu o interior da cabine.

O gigante de dezoito metros começou a caminhar. O sistema complexo de polias, engrenagens e circuitos elétricos trabalhava eficientemente, enquanto os motores de combustão a óleo vegetal do interior da grande máquina expeliam uma fumaça escura por quatro escapamentos, produzindo ruídos irritantes característicos.

No solo, espectadores da base militar aplaudiam o avanço daquela máquina, obra fantástica da engenharia moderna. Alguns deles cumprimentavam o velho Diesel, que não conteve a lágrima que lhe escorreu face abaixo.

Na cabine, Clarissa ainda tentava se acostumar aos movimentos, enquanto Zé Carlos lhe explicava que estavam sobre um sistema de amortecedores eficiente que evitava uma trepidação maior, assegurando para a moça que, na ausência desse recurso, a vibração interna, que já era grande, seria maior ainda, a ponto de causar náuseas aos estômagos mais delicados. Indicou também os controles dos armamentos que o Colosso trazia consigo: um lança-chamas potente, metralhadoras, canhões, lança-foguetes e o repulsor eletromagnético.

O Colosso caminhava para fora da base militar a uma velocidade de quatro quilômetros horários, média da caminhada humana, aumentando gradativamente sua velocidade, ao se dirigir à estrada rumo ao sul.

8

Em meio às colinas cobertas de pastagem, passando pelo grande tapete verde dos Pampas Gaúchos, entre árvores e arbustos isolados, próximos a cursos d'água estreitos, o grupo de 500 mecanoides avançava rumo à Uruguaiana, deixando um rastro de terror e destruição pelo caminho.

Plantações de trigo, milho e feijão ardiam em fogo, para desespero dos poucos sobreviventes que se esvaíam em lágrimas, num pranto sofrido, enquanto tentavam salvar suas vidas fugindo das tropas argentinas que seguiam os mecanoides a uma distância de cerca de cinco quilômetros. Os argentinos ocupavam as áreas arrasadas por seus escravos mecânicos, rendendo os sobreviventes do massacre e os tomando como prisioneiros de guerra.

O sol baixava lentamente no poente, mas ainda proporcionaria boas horas de luz abundante naquele campo de batalha, tocando com seus raios os corpos metálicos que traziam pintado em seu peito a bandeira alvo-celeste da Confederação Argentina. As máquinas avançavam em sincronia numa marcha tenebrosa.

Além das coxilhas do horizonte, um vulto erguia-se majestoso. Os mecanoides interromperam sua marcha, analisando a situação tática enquanto recebiam ordens do líder, oculto à retaguarda. Seus olhos fotoelétricos tentavam focalizar o objeto descomunal que vinha do norte, no intuito de identificá-lo. A princípio, classificaram-no como mecanoide, pois sua forma em muito se assemelhava a dos assassinos metálicos. No entanto, a estatura do objeto contrariava as informações que tinham em seu sistema de dados.

O Colosso Alfa avançava solitário e imponente rumo ao inimigo. O radar instalado em seu topo indicava a presença de invasores adiante. Distância: 230 metros. O contato visual era cada vez mais nítido.

– Esses covardes não vão nos atacar? – Zé Carlos indagou.

– Devem estar confusos. – Clarissa esclareceu. – Não estavam preparados para enfrentar um "mecanoide" *tão grande* quanto o Colosso. Daí, estão hesitando.

As vibrações incomuns dos passos do gigante podiam ser medidas à distância pelos mecanoides que insistiam em sua comunicação via rádio com o líder, em busca de respostas. Clarissa Riquelme concluiu que precisavam usar esse momento de hesitação do inimigo para agir rápido. Apresentou seu ponto de vista e o barão assentiu. Sem pensar duas vezes, solicitou a Zé Carlos que acelerasse o Colosso, enquanto orientava o capitão a atacar o grupo de soldados mecânicos. Lucas Ribeiro se preparou para disparar os canhões alojados nos braços do gigante.

Os mecanoides enfim receberam a ordem do líder para atacar. Empunhando suas metralhadoras fixas aos membros superiores, a primeira fileira de mecanoides abriu fogo.

Os disparos atingiram a couraça metálica do Colosso, sem danos perceptíveis. O gigante se aproximou rapidamente da primeira fileira de mecanoides, atropelando-a. Durante a corrida, chutou cerca de uma dúzia de mecanoides que se encontravam no caminho, não lhes dando oportunidade de se esquivarem, pisoteando e esmagando alguns deles.

Ribeiro acionou as metralhadoras e o lança-chamas. O Colosso parou em meio à turba de seres mecânicos que, embora incapazes de manifestar sentimentos, pareciam furiosos. Alguns deles insistiam em disparar projéteis contra a superfície blindada do gigante, enquanto outros mudavam a configuração de ataque, lançando morteiros às pernas e abdome do monstro que, ao ser atingido, cambaleou, quase perdendo o equilíbrio.

Clarissa estava assustada. Embora tivesse participado de treinamentos em guerras simuladas, jamais vivera uma situação como aquela. A cabine de comando chacoalhava, mesmo com os amortecedores agindo para compensar a violência do ataque mecanoide. Seu cinto de segurança não parecia suficiente para mantê-la presa ao assento. Tentava rastrear a frequência de rádio transmitida pelo líder aos demais mecanoides, mas ainda não obtivera sucesso.

Sentiram estrondos das explosões e dos impactos, mas o Colosso permanecia de pé. Sua couraça estava chamuscada e levemente amassada ao abdome, mas se mantinha estável.

Ribeiro mirou o lança-chamas para um pequeno grupo de mecanoides à frente, disparando sem piedade. As chamas atingiram os inimigos, chamuscando-os sem muitos danos, mas era um artifício eficiente para interromper o ataque e criar distração. Enquanto os mecanoides se sentiam confusos com as labaredas à sua frente, não perceberam os canhões de curto alcance que o militar ativara. Os bocais cilíndricos saíram por aberturas nas laterais da região torácica do Colosso, mirando precisamente sobre os alvos. Ribeiro disparou os canhões sem cerimônia.

O pasto ardia em chamas à volta do Colosso. Destroços dos mecanoides se espalhavam ao seu redor. Braços mecânicos fixos a carcaças retorcidas ainda se mexiam caídos ao chão, até a interrupção final de suas funções. Ribeiro abrira passagem, possibilitando que Zé Carlos e Felipe avançassem com o Colosso, que fazia o chão tremer novamente com suas passadas firmes.

Um novo grupo de mecanoides atacou, desta vez com lança-foguetes. O ataque preciso fez com que o Colosso perdesse o equilíbrio por alguns instantes, cambaleando como um bêbado, mas recobrando a estabilidade graças à habilidade do Barão de Mauá nos controles. Ele transpirava, enxugando a testa com as costas da mão, ajeitando o capacete.

Pela janela panorâmica, Clarissa observou um pequeno grupo de mecanoides que permanecia afastado. Acreditou que poderia ser a escolta que protegia o líder. Ela indicou ao capitão e esse não teve dúvidas, abriu caminho com uma salva de disparos de metralhadora, enquanto pisoteava alguns deles.

O Colosso parou, arqueando levemente suas pernas e girando o corpo em torno da cintura, apontando os canhões de curto alcance para os mecanoides à volta e disparando enquanto lançava jatos de fogo. As baixas inimigas continuavam a crescer, e o gigante parecia imbatível. Entretanto, os mecanoides eram muitos e não pareciam dispostos a desistir sem luta. Um novo grupo avançou, conseguindo passar em meio às chamas expelidas pelo gigante, chegando às suas pernas. Os atacantes começaram a golpeá-las, porém, constatando sua resistência, encetaram uma nova estratégia. Agarraram-se na perna direita, circundando-a. O mesmo fez outro grupo com a esquerda. Tentavam desequilibrar o Colosso através de sacolejos frenéticos.

O barão fez com que o gigante movimentasse uma das pernas, chacoalhando-a de modo a conseguir se libertar de alguns mecanoides, que caíram ao solo, sendo esmagados em seguida. Entretanto, quando alguns se soltavam da perna do Colosso, outros tantos vinham e a agarravam, fazendo o monstro se desequilibrar.

– Esses malditos querem nos derrubar! – Zé Carlos gritou.

– Estabilize! – O barão ordenou. – Não podemos deixar que isso aconteça. Ribeiro! Ative o repulsor eletromagnético!

O militar assentiu e, com um olhar à paraguaia, solicitou seu auxílio. Ele indicou os instrumentos que precisavam ser operados e ambos ativaram o recurso salvador.

Um campo eletromagnético foi gerado em torno do Colosso, fazendo com que os mecanoides fossem imediatamente repelidos. Alguns foram lançados à curta distância, caindo no solo visivelmente desnorteados.

– O nível de energia dos repulsores caiu a 50%. – O capitão informou. – Tivemos que utilizar quase a potência máxima para nos livrar deles. Havia dezenas em cada perna!

— Tire-nos daqui, Zé Carlos! Capitão, ataque esses malditos com tudo o que temos! Temos que agir rápido, antes que tentem nos derrubar novamente. Clarissa, alguma novidade? Encontrou o líder?

— Tenho uma boa pista da sua localização. O grupo em que supus que estivesse foi descartado, pois nos atacaram logo em seguida e o líder não engajaria numa ação dessas.

— Então descubra onde está esse infeliz, rápido! Tem uns duzentos mecanoides enraivecidos vindo em nossa direção.

Como abelhas defendendo sua colmeia, os inimigos mecânicos partiram para o contra-ataque. Vinham em novos grupos, rodeando o Colosso aos poucos, não todos de uma vez. Muitas vezes esses grupos recuavam, dando espaço a outros que se aproximavam rápido, disparando suas armas ferozmente. Alguns deles lançavam raios elétricos na tentativa de desestabilizar o Colosso. Os mesmos raios que exterminaram tantas vidas no decorrer da marcha daqueles demônios. O recurso não chegou a abalar a blindagem resistente do gigante.

Do alto da cabine de comando, Clarissa arqueou as sobrancelhas ao observar outro pequeno grupo de mecanoides que caminhava em torno do Colosso. Muitos outros grupos faziam o mesmo, numa ciranda frenética, disparando contra o gigante, enquanto o Capitão Ribeiro revidava com canhões e lança-foguetes. No entanto, aquele grupo pequeno em particular rodeava o Colosso em movimento retrógrado, da direita para a esquerda, diferente dos demais grupos, a uma distância afastada, mas ainda em meio à multidão mecânica que os cercava. Ela percebeu que parte dos integrantes daquele grupo era substituída por mecanoides que circulavam da esquerda para a direita a cada revolução, como se viessem na direção do Colosso com novas instruções, enquanto que aqueles que já o circulavam retornavam ao pequeno grupo, como se buscassem novas orientações. Um deles, entretanto, não participava desse movimento de vaivém, permanecia circundando o grande monstro, sempre da direita para a esquerda.

— Encontrei o desgraçado! — Clarissa se exaltou.

Sua descoberta foi confirmada pouco depois, quando a agente paraguaia conseguiu enfim identificar a frequência de transmissão de rádio utilizada pelo líder.

De repente, a cabine de comando tremeu com tanta força que faíscas crepitaram do console de Felipe, gerando uma nuvem de fumaça que logo tomou conta do ambiente. Os exaustores de ar foram acionados em potência máxima.

– Fomos atingidos, Barão! – O capitão alertou. – E desta vez foi pra valer!

– Relatório da situação, Capitão.

– Nos atingiram com um conjunto de foguetes disparados simultaneamente. Creio que comprometeram nossa blindagem.

– Eles são orientados a explorar nossos pontos fracos. – Clarissa esclareceu. – Sozinhos, não conseguiram nos abalar, mas juntos são capazes de nos destruir.

– Eles voltaram a nos cercar as pernas, Barão. – O capitão girava o seletor das câmeras externas para focalizar o ponto desejado. No monitor de vídeo à sua frente aparecia uma imagem em preto e branco de um enxame de mecanoides, envolvendo os membros inferiores do Colosso. – Vão tentar nos derrubar novamente!

Naquele instante, um grupo de mecanoides se juntava no alto de uma colina, curvando-se para o Colosso, como se estivessem reverenciando a grande máquina. No entanto, portinholas se abriam em suas costas, de onde emergiram tubos cilíndricos apontados ao corpo do gigante.

– Estão preparando um novo ataque conjunto com foguetes. – O engenheiro sinalizou. – Vejam!

– Estabilize o Colosso! – O barão ordenou. – Temos que resistir a esse ataque. Prepare o repulsor eletromagnético, Capitão!

Lucas Ribeiro se virou para fitar o Barão de Mauá. Sua expressão já dizia tudo: após o contra-ataque não haveria carga nas baterias para empregar esse recurso uma terceira vez. O barão confirmou a ordem com o olhar duro. Sem alternativa, o capitão girou para frente e ativou o repulsor.

A forte descarga eletromagnética emanou do Colosso, repelindo os inimigos. Contudo, assim que a descarga se interrompeu, foguetes de curto alcance foram lançados pelos mecanoides da colina, atingindo a parte frontal do gigante, desequilibrando-o. Seu corpanzil metálico bambeou sobre as pernas vacilantes, acionando o alarme de emergência da cabine de comando. Enquanto isso, uma nova investida de mecanoides se agarrava às pernas do monstro, forçando-o à queda.

— Vão nos derrubar! — Zé Carlos anunciou. — Eles são muitos para nós.

— Rudolf estava certo. — O barão resmungou. — Sozinho, o Colosso Alfa não aguentará muito tempo o ataque de centenas de mecanoides.

A cabine balançava com força, enquanto o Colosso era alvejado por disparos de morteiros, que finalmente conseguiram comprometer sua estrutura física, após os ataques dos foguetes. Um rombo na blindagem frontal expunha engrenagens, cabos e barras de metal retorcidas. Outro buraco havia sido feito na região da *virilha* direita do monstro, comprometendo a ligação da perna com o tronco do corpanzil. O Colosso tentava caminhar, mas era impedido pelo peso de dezenas de mecanoides que se amontoavam em torno de suas pernas, escalando-as até o *joelho* e subindo pela região das *coxas* do gigante. Ouviram os rangidos das juntas de seus membros inferiores, evidência do comprometimento que afetava suas estruturas.

— O mecanoide-líder! — Clarissa exclamou. — Temos que capturá-lo! Somente assim poderemos sobreviver a essa batalha. Estou preparando uma contraordem para emitir via rádio na mesma frequência utilizada por ele. Isso o colocará em estado de repouso, de modo que não se sinta ameaçado quando o Colosso curvar-se para pegá-lo com suas garras.

Era tudo ou nada. Felipe lamentava saber que outros 25 Colossos estavam prestes a entrar em operação, mas não em tempo hábil para auxiliá-los. Apenas mais um ou dois deles seriam suficientes para exterminar todos os mecanoides sem maiores problemas. Mas estavam sós e precisavam agir rápido.

Clarissa emitiu a contraordem, solicitando que o líder interrompesse suas funções. Da janela panorâmica, ela o viu estacionar, permanecendo parado sobre o capim à frente, ao contrário da turba de mecanoides que continuava a atacar.

Felipe deu ordens para que o Colosso se curvasse, de modo a poder capturar o alvo com sua garra. No entanto, sabia que a ação era extremamente arriscada, pois permitiria que os inimigos escalassem facilmente o corpo do Colosso para atacar a cabine de comando.

Todavia, possuía um último trunfo, a ser empregado em situação de emergência.

O engenheiro ativou os comandos que fariam o gigante se abaixar. Enquanto isso, o barão controlava as garras do Colosso, que se abriam à medida que os braços mecânicos se movimentavam. Pelo monitor de vídeo minúsculo de seu console, ajustava o foco da câmera na tentativa de localizar o alvo.

O Colosso abaixava e, da janela panorâmica, o quarteto via os mecanoides cada vez mais próximos, enquanto se aproximavam do chão. Muitos deles começavam a subir pelas costas do gigante, enquanto esse se curvava. Numa medida desesperada, o capitão tentou acionar o repulsor eletromagnético, mas o mostrador do painel indicava que a carga das baterias estava esgotada. Assim, não lhe restou opção, a não ser alvejar os inimigos à volta com disparos das metralhadoras que emergiam das costas do monstro de metal, atingindo alguns mecanoides, mas com pouco efeito. Tentou lançar os foguetes, mas o sistema fora comprometido pelos ataques anteriores.

Os mecanoides continuavam sua investida, tomando conta do Colosso. Subiam por suas pernas e costas, alguns chegando aos braços, alguns desferindo murros, outros ativando motosserras que surgiam de seus membros superiores, na tentativa de romper a blindagem que revestia corpo do gigante. Grupos deles continuavam a rodear o Colosso, como numa ciranda sem fim, esperando para atacar no momento oportuno.

Desequilibrando-se, o Colosso prostrou-se de joelhos no solo, num impacto que fez a terra em volta tremer. Na cabine, o chacoalhar intenso da queda fez com que parte do painel de controle entrasse em curto-circuito, impossibilitando o comando das pernas do gigante. A partir daquele momento, o Colosso não levantaria mais.

Finalmente o barão conseguiu focalizar no alvo. Vendo o mecanoide-líder adiante, empurrou as alavancas do console para frente com um gesto brusco, girando o seletor que se encarregava do controle das garras. O gigante estendeu o braço e agarrou sua presa. Felipe ajustou a pressão da garra, evitando esmagar o mecanoide.

Enquanto o barão manobrava o braço mecânico para trazer o líder até a escotilha de entrada da cabine, o capitão soltou seu cinto de segurança e se levantou do assento, segurando-se no encosto para não se desequilibrar. Dirigiu-se para perto de Clarissa, apoiando-se na antepara, até se agarrar ao corrimão soldado à mesma. Guindou-se até junto à escotilha aberta pelo engenheiro e aguardou a entrada do líder.

Lucas Ribeiro logo visualizou o braço mecânico gigantesco se aproximando. Olhou para baixo e contemplou a multidão de mecanoides acumulados à volta e sobre o corpanzil metálico do Colosso. Pareciam uma tropa de formigas ensandecidas sobre uma guloseima largada no chão. Escalando uns sobre os outros, aproximavam-se gradativamente da cabeça do gigante. Não tardariam a alcançar a escotilha da cabine.

Coma garra próxima da entrada da cabine, Felipe manejou os controles orientando o braço mecânico a girar o mecanoide de modo a colocá-lo deitado ali dentro, no espaço exíguo que separava o painel de controle frente à janela panorâmica e seu console de comando. Era o único meio de acomodá-lo no interior da cabine. Pois, com seus três metros de altura, jamais passaria de pé pela escotilha.

Enquanto isso, os outros mecanoides já tomavam boa parte do corpanzil do Colosso. Não conseguiriam se livrar deles. O sistema de armas não funcionava e os demais recursos estavam comprometidos. Tinham que sair dali o quanto antes.

Cerrada a escotilha da cabine, Felipe Evangelista colocaria sua ideia em prática. Usaria o dispositivo de fuga, o recurso derradeiro do Colosso, devidamente projetado pelo próprio barão para situações de emergência.

Pediu que o engenheiro verificasse se havia energia suficiente para que iniciassem os procedimentos de fuga. Porém, o setor do painel que comandava o procedimento estava inoperante, com os ponteiros dos mostradores parados no "zero". Claro que isto podia não indicar a situação real. Sem dúvida, pelo menos um dos motores funcionava, afinal, houve energia suficiente para operar o braço mecânico que capturara o líder. Precisavam saber se o sistema de alimentação estava chegando aos pontos necessários para que acionassem o sistema de fuga e somente descobririam isso ao tentar fazê-lo funcionar.

Acomodaram-se em seus assentos novamente e Felipe pediu que todos se segurassem em algo, pois a reação seria violenta. Sem mais delongas, destravou o compartimento de segurança, abrindo a pequena portinhola do console e pressionando o botão vermelho em seu interior.

A explosão fez a cabine de comando estremecer. Os foguetes propulsores instalados na base da cabeça do Colosso impulsionaram-na para cima a grande velocidade, escapando do campo de batalha momentos antes que os mecanoides pudessem alcançá-la. Ejetada do corpo, a cabeça prosseguiu em sua ascensão descontrolada, perdendo forças à medida que seu combustível se esgotava e retornando à Terra numa parábola suave. Três paraquedas de emergência foram acionados a partir de nichos no topo da cabeça do Colosso e se abriram como cogumelos gigantescos, proporcionando uma descida tranquila no pasto verdejante dos Pampas.

## 9

– O que vocês fizeram com o Alfa? – Rudolf Diesel berrava pelo rádio. – Por que utilizaram os sistemas de emergência?

Impaciente, Felipe revirava os olhos ao ouvir as broncas e lamentações do velho engenheiro mecânico pelo comunicador. Olhou para o lado e viu Clarissa Riquelme ajoelhada frente ao mecanoide capturado, tendo a caixa de ferramentas aberta a seu lado. Desparafusou a placa que dava acesso à região do tórax com o auxílio do capitão, com quem trocava olhares significativos. Observando a cena, o jovem barão abanou a cabeça em reprovação e voltou sua atenção ao comunicador do console.

– Por favor, Rudolf, esclarecerei tudo mais tarde. Agora preciso que nos ajude e peça à base que providencie nosso resgate o mais rápido possível. Os mecanoides em breve nos alcançarão e não sabemos se teremos sucesso até que Clarissa termine seu serviço.

Cinco minutos de reclamação mais tarde, Felipe se sentiu aliviado quando o velho Diesel encerrou bruscamente o contato. Nunca ouvira tantos palavrões falados em alemão em toda sua vida. Parando para pensar na situação, até que se distraiu com os impropérios.

Clarissa estava concentrada. Acabara de remover a placa torácica do líder, colocando-a de lado, deixando o interior do mecanoide à mostra. Lá estavam centenas de fios finos e coloridos e cabos grossos de alta tensão, entre engrenagens, correias e placas de circuitos elétricos. Em meio àquela parafernália de coisas, estava o Ordenador Eletrônico de Dados.

O barão já conhecia os OEDs e tinha alguns deles trabalhando na Mauá Indústria e Tecnologia. Contudo, era sempre fascinante examinar uma dessas máquinas fantásticas.

A paraguaia retirava as peças delicadamente, estudando-as com cuidado e depositando-as sobre o piso, dispondo-as devidamente, uma ao lado da outra, numa ordem lógica, de modo a simplificar o trabalho que terá posteriormente para colocá-las de volta ao lugar.

Enfim, Clarissa chegava ao núcleo de processamento de dados daquele computador eletromecânico. O OED utilizava relés desenvolvidos para executar milhares de cálculos matemáticos por minuto, interpretando dados e processando informações. Abriu uma caixa de cobre, retirando de seu interior quatro rolos extensos de fitas perfuradas, contendo a sua programação primária.

– Deve estar aqui em algum lugar – A paraguaia resmungou. – Ilumine aqui para mim, sim?

O capitão a auxiliou ligando uma lanterna e apontando para o interior da máquina. Não compreendia nada do que via, mas era empolgante observar a "operação cirúrgica" que a especialista paraguaia executava.

Clarissa prosseguiu em sua investigação minuciosa, manuseando uma pinça delicada.

– Ahá! Encontrei! É um modelo superior aos que eu conheço, o que me faz imaginar que os britânicos possuem exemplares ainda mais avançados que este, já que dificilmente cederiam aos argentinos sua tecnologia mais recente. Construíram uma biblioteca eficiente de pequenos programas, que eu chamo de sub-rotinas. Veja, estão impressos nesses cartões perfurados.

Ela retirou um exemplar, exibindo-o ao capitão. Do tamanho aproximado de um maço de cigarros, o cartão era feito de aço inoxidável, revestido em cromo e tinha apenas três milímetros de espessura. Possuía mais de quarenta linhas horizontais, umas sobre as outras, com perfurações aleatórias dispostas numa sequência lógica que dificilmente se repetia.

— Pelo que estou vendo existem mais de duzentos cartões como este, cada um com sua respectiva instrução. São substituídos tal como os discos compactos de vinil num *jukebox*, podendo ser utilizados vários ao mesmo tempo e combinados de diversas maneiras, dependendo da tarefa exigida.

Enfiou a mão dentro do corpo inerte do mecanoide, retirando um objeto metálico diminuto, quadrilátero e achatado, com dentes finos que saíam de seu corpo básico, interligando-se ao sistema de força principal.

— Isto aqui é feito de germânio e arseneto de gálio. Faz com que as correntes elétricas passem entre o coletor e o emissor, variando dentro de determinados parâmetros pré-estabelecidos pelo projetista do circuito eletrônico. Veja como são engenhosos!

O capitão recebeu em mãos a peça minúscula, arqueando as sobrancelhas sem entender nada. Aquela definitivamente não era a sua especialidade e as palavras da paraguaia soavam como grego em seus ouvidos. Curiosos, o barão e o engenheiro se aproximaram.

— Usamos peças semelhantes nos Colossos. — O barão comentou.

— Mas estas parecem ser um pouco mais avançadas do que as que temos. São chamadas "resistências de transferência", não?

— Exatamente, Barão. Aliadas à biblioteca de sub-rotinas dos cartões perfurados e aos relés, essas coisinhas são capazes de comandar as mais variadas ações nos mecanoides.

— Basicamente, aquilo que fazemos manualmente, ao operarmos o Colosso.

— Sim... Isso e muito mais, pois não precisam da ajuda humana. Vou substituir algumas sub-rotinas. Retirarei alguns cartões perfurados, trocando-os por modelos semelhantes que trouxe comigo. Além disso, vou alterar a frequência de recepção do rádio do mecanoide. Dessa forma, não receberá mais orientações dos argentinos, só as nossas ordens, com base em uma nova frequência codificada que somente nós temos acesso.

— Você é fantástica! — Fascinado, Lucas Ribeiro fitou a agente com seu melhor sorriso, deixando-a enrubescida.

Da janela panorâmica, o barão e o engenheiro avistaram a tropa de mecanoides surgindo por detrás de uma das colinas, caminhando em direção ao local da aterragem.

Alertada deste fato, a paraguaia correu contra o tempo. Colocou de volta as peças que havia retirado do interior do mecanoide, conectando-as em seus devidos lugares. Suas mãos transpiravam. Pediu ajuda ao capitão para aparafusar a placa pesada do tórax do líder. Estava pronto! Os mecanoides desciam a colina, correndo a passos largos, cada vez mais próximos, para desespero de Felipe.

– Como é que é, Clarissa? É agora ou nunca! Hoje não é um bom dia para morrer.

– Só mais uns segundinhos... Os sistemas estão quase terminando de reiniciar.

O motor do mecanoide emitia seu ruído característico ao queimar óleo diesel e expelir uma fumaça negra pelo duto de escapamento nas costas da máquina humanoide, empestando o ambiente. Com os exaustores inoperantes, foram obrigados a abrir a escotilha da cabine, de modo que a fumaça pudesse sair e eles não sufocassem ali dentro. Os olhos fotoelétricos do líder se moveram para um lado e outro, registrando o ambiente à sua volta. Finalmente, sentou-se no piso emborrachado da cabine, enquanto uma portinhola abria no topo de sua cabeça. Dela, emergiram duas antenas de rádio para irradiar as novas ordens ao exército de homens mecânicos.

– Só nos resta orar. – Clarissa sussurrou ao ouvido do capitão.

Imediatamente, a tropa inimiga interrompeu sua marcha. Os mecanoides se quedaram estáticos. Ouvia-se apenas o zumbido irritante de seus motores trabalhando, enquanto processavam as informações recebidas.

O ar no interior da cabine estava ficando sufocante em virtude da fumaça cada vez mais densa. A escotilha aberta não era suficiente para arejar o ambiente. Assim, o barão decidiu sair da cabeça do Colosso, chamando consigo seus colegas. Um a um, eles pularam da escotilha aberta até o solo, três metros abaixo. Uma queda desconfortável, mas amortecida pelo capim espesso. Circundaram a cabeça do gigante, tentando perscrutar a reação do exército mecanoide. Para a surpresa dos três homens, as máquinas voltaram a marchar, só que em direção contrária.

– Eles estão partindo! Você conseguiu, Clarissa! – Zé Carlos pulou de alegria, retirando o capacete da cabeça e arremessando-o para o alto.

— Não sei se estou feliz com o que foi feito, mas foi necessário. Eu os reprogramei para dar meia-volta, deixando claro que o inimigo a ser atacado é outro.
— O exército argentino! — O capitão exclamou.
— Eles devem estar marchando para cá, seguindo os rastros de destruição dos mecanoides para ocupar essas terras.
— Exato. Isso quer dizer que em breve o inimigo vai provar do próprio remédio!

## 10

A guerra com os argentinos durou mais algumas semanas. Apesar das perdas consideráveis na banda ocidental do Prata, os argentinos persistiram no ataque, sendo derrotados por seus próprios mecanoides, que retornavam para as terras de seus antigos senhores e avançavam rumo à Buenos Aires. No caminho, os homens mecânicos encontravam mecanoides não reprogramados, engajando contra eles em conflitos épicos jamais vistos.

Batalhas navais foram travadas no Atlântico Sul, desde o litoral da província do Rio de Janeiro até a Cisplatina, chegando à província argentina de Buenos Aires. A Marinha Paraguaya contra-atacava em lutas sangrentas nos Rios Paraná e Uruguai, enquanto seus caças disparavam contra o Exército Argentino em Santa Fé, Rosário e Zárate.

Desterro, a capital da província de Santa Catarina, foi bombardeada pela Segunda Esquadra Argentina, deixando suas ruas coalhadas com centenas de mortos e milhares de feridos. A retaliação da Marinha Imperial não se fez tardar. Após uma longa batalha frente ao litoral rio-grandense, a Armada pôs a pique praticamente toda a Primeira Esquadra Argentina, conseguindo apresar umas poucas fragatas ao inimigo.

O clima de tensão se instaurou na região dos Pampas. Batalhas campais entre os Aliados e o Exército Argentino ocorriam em várias partes da Cisplatina e de Entre-Ríos, na luta pela retomada dos territórios.

De Brasília, o imperador Pedro III mantinha contato frequente com o presidente paraguaio Ernesto Gómez, em Asunción, enquanto as Forças Armadas de ambos os países planejavam a grande estratégia conjunta daquela que os historiadores batizariam de "Terceira Guerra do Prata". As duas nações aliadas cortaram relações diplomáticas com a República do Chile, devido ao complô junto aos governos argentino e britânico para ocultar as belonaves inimigas em seu território. O mesmo fizeram em relação ao Império Britânico. Os embaixadores de ambos os países em Londres foram convocados de volta, ao mesmo tempo em que os embaixadores britânicos em Asunción e Brasília foram instruídos a deixar os dois países.

Pedro III buscou o apoio da França, procurando resguardar o Império de uma possível retaliação por parte do Reino Unido, caso os britânicos resolvessem apoiar seus aliados argentinos. Entretanto, o Imperador sabia que os rivais estavam mais preocupados com a guerra deflagrada contra o Império Nipônico pela posse de territórios insulares no Oceano Pacífico, além de enfrentar revoltas constantes na Índia, pois a joia da Coroa Britânica se debatia pela independência.

Contudo, o golpe final ao inimigo estaria ainda por vir.

A Mauá Indústria e Tecnologia finalmente conseguiu prontificar os 25 Colossos prometidos. O Exército Imperial os distribuiu nos teatros de operações ao sul do país e nos territórios invadidos do Paraguai. Os mecanoides que ainda lutavam pela conquista do Sul, foram massacrados pelos gigantes metálicos, mais fortes, mais resistentes e mais bem armados que o protótipo Colosso Alfa, cujos destroços permaneciam esquecidos nas cercanias de Uruguaiana.

Duas semanas após a entrada dos Colossos na guerra, Buenos Aires foi ocupada e a Confederação Argentina se rendeu, reconhecendo a vitória aliada. A alegria e as comemorações da vitória tomaram conta das principais cidades do Brasil e do Paraguai. Enfim, a paz retornaria à região, que se concentraria agora em se recobrar dos estragos causados pelas batalhas travadas pelas forças dos três países.

# 11

Na véspera do Ano Novo de 1946, o jovem Barão de Mauá foi convidado pelo Imperador ao baile de *réveillon* oferecido à nobreza. Era a segunda vez que ele visitava a Corte, desde sua transferência do Rio de Janeiro.

Junto a ele estavam seus colegas de missão, o engenheiro José Carlos Dias, trajando fraque e sapatos bem engraxados, em contraste com seu aspecto desleixado habitual. Barbeado, estava quase irreconhecível.

Também estava presente o bom Capitão Lucas Ribeiro, em seu traje militar de gala de um branco impecável, com botões dourados, lustrosos e brilhantes e divisas da mesma cor, bordadas ao uniforme. Estava acompanhado por sua noiva, a paraguaia Clarissa Riquelme.

A bela morena se exibia num vestido longo branco pérola finíssimo, com detalhes às bordas, em babados feitos à mão, além de exibir um decote convidativo, deixando antever parte dos seios formosos, que agradavam não apenas ao capitão, mas a uma parcela considerável dos homens da Corte que cruzava com o casal. Após ter sido condecorada como heroína da pátria pelo presidente paraguaio, Clarissa pediu dispensa ao DGI, fixando residência no Brasil sob convite do jovem barão, contratada para chefiar sua equipe de desenvolvimento de novas tecnologias. Não hesitou em se aliar ao empreendedor brasileiro, não só pelo convite insistente que lhe havia sido feito e pelos vencimentos anuais polpudos, muito superiores aos soldos pagos aos militares paraguaios, mas, sobretudo, por causa da paixão fulminante pelo Capitão Ribeiro.

Felipe bebia um drinque preparado especialmente para ele, trazido por um dos serviçais do Palácio Imperial. Seu smoking preto emprestava-lhe um ar aristocrático, acima do título nobiliárquico adquirido quatro anos antes por alto preço, com o intuito de se equiparar a seu ancestral famoso. O *glamour* de herói de guerra agora fazia as mulheres da Corte notarem sua presença, flertando com ele, em trocas de olhares, ora gentis, ora carinhosos, ora lascivos. Tais promessas faziam Felipe se sentir bem, minimizando, de certa forma, a grande tristeza que lhe tomava o peito: a morte recente de seu mestre e amigo, o lendário engenheiro mecânico Rudolf Diesel.

– Descanse em paz, velho amigo. – Ergueu a taça de champanhe, brindando sozinho. – Desta vez, de verdade.

Seus olhos marejaram quando se perdeu nas lembranças de sua convivência com Diesel. Então notou que a orquestra silenciou a execução das músicas. No salão, apenas o burburinho normal das conversas entrelaçadas das centenas de convidados, quando enfim, anunciaram a presença do Imperador.

Em meio a aplausos eufóricos, a Corte recebia Pedro III e sua consorte, que se dirigiram para os tronos, colocados em posição de destaque sobre uma plataforma. Contudo, o Imperador não se sentou. Parado de pé, avistou seus súditos abaixo, olhando aquele pequeno mar de pessoas que o fitavam à espera de um possível pronunciamento. Um dos assessores colocou diante do monarca um pedestal com um microfone preso à extremidade superior, ficando claro que Pedro III iniciaria seu tradicional discurso de Ano Novo.

Ele exaltou o país, a monarquia e os bons costumes do povo brasileiro. Enalteceu as vitórias na guerra, citando batalhas gloriosas e a derrocada do país vizinho, alardeando a superioridade da nação e a importância do Império do Brasil para o mundo. Um discurso eloquente, capaz de mexer com os brios patrióticos dos presentes. Palavras que tocaram o coração de Felipe Evangelista e que o fizeram sentir um orgulho genuíno de ser brasileiro.

O Imperador prosseguiu em suas palavras:

– Damas e cavalheiros. Sinto-me honrado não somente com a presença de vocês neste baile de Ano Novo, o primeiro realizado em nossa nova capital, mas também por ter aqui presente um autêntico herói de guerra. Um homem que pensou em seu país e nos proporcionou a vitória através de sua mente criativa genial. Portanto, gostaria que todos aqui brindassem à presença, do antigo Barão de Mauá, atual *Visconde de Mauá!*

Os convidados do Imperador ovacionaram o rapaz em aplausos, assobios e gritos de congratulações. Felipe foi conduzido ao monarca, que também o aplaudia. Diante de Pedro III, o novo Visconde de Mauá se curvou em reverência, voltando-se para os convidados que ainda o aplaudiam, para acenar sorridente. Seu momento de glória arrancou suspiros de muitas pretendentes na

Corte, que fariam questão de se aproximar "do homem que foi enaltecido pelo Imperador" naquela noite.

Pedro III apertou a mão do rapaz, aproximando-se novamente do microfone.

– Quero também anunciar meu pedido para que o Visconde de Mauá aceite ser meu novo Ministro de Ciência e Tecnologia. O Império se sentirá infinitamente grato em tê-lo servindo-nos mais uma vez, porém desta vez em um cargo digno de sua genialidade.

Felipe assentiu ao convite e recebeu nova salva de palmas. Do alto do palanque, avistou seus colegas, que o saudavam e brindavam em sua homenagem.

O Imperador cedeu espaço para que ele lhes dirigisse algumas palavras.

– Majestades, nobres amigos e colegas aqui presentes. Agradeço as honrarias que recebo esta noite. Quero que saibam que torço por um futuro melhor para nosso país. Um futuro baseado na ordem e no progresso desta nação. Para tanto, conto com o apoio e o auxílio de todos vocês. Pois, ideias, temos muitas! Precisamos agora de empenho e boa vontade para concretizá-las.

– E qual sua previsão para nosso futuro, meu bom Visconde?

Felipe meditou diante da pergunta do Imperador. Olhou para o público que o assistia e recordou-se do velho amigo Diesel.

– Majestade, eu antevejo um futuro promissor para o Império. Que continuemos nosso caminho de progresso, ambicionando cada vez mais o crescimento econômico, industrial e tecnológico, para situar o Império do Brasil, este gigante pela própria natureza, entre as nações mais poderosas do mundo. Quem sabe, desbancar de vez a própria Inglaterra e, talvez, por que não, realizar a ousadia de colocar homens caminhando na Lua.

Tais palavras surpreenderam Pedro III e seus convidados. O Imperador pegou uma taça de champanhe, brindando em homenagem ao Visconde e a todos seus súditos.

– Que Deus abençoe nossos Colossos, símbolos máximos do nosso progresso e do nosso futuro.

A Corte aplaudiu calorosamente uma vez mais. Com um aceno do monarca, a orquestra voltou a executar belas músicas, para divertimento dos convidados. Pedro III se aproximou de Felipe, falando-lhe discretamente, de modo que os que estavam à volta não os ouvissem.

— Homens na Lua? De onde tirou esse disparate?

— Não é tolice, Majestade. Podemos fazê-lo. Mas antes, tenho projetos para construir novos aviões de guerra. Máquinas voadoras inteligentes, superiores às esquadrilhas que possuímos hoje, inteiramente mecanizadas e independentes. E vou além. Precisamos de uma nova esquadra para proteger nosso litoral. Vi do que os novos mecanoides são capazes. Suas maravilhas vão muito além dos parcos autômatos movidos a vapor que ainda mantemos em nossos cafezais. Os mecanoides são o futuro! E precisamos dominá-los o quanto antes.

Pedro III sorriu, cumprimentando-o mais uma vez e se afastando em seguida. Decepcionado com a expressão de descrença que o Imperador tentou ocultar, Felipe se perguntou em pensamento: *"Por que, não?"*

Evidente que as visões de futuro do novo Visconde eram por enquanto sonhos que a ser cultivados. E o trabalho seria duro. Afinal, o Brasil era uma potência emergente no hemisfério sul que já preocupava em muito as ambições das potências mundiais já estabelecidas. Era a pedra no sapato da Inglaterra, sua tradicional concorrente e agora inimiga, na venda de produtos industrializados para os países da América do Sul.

Enquanto todos esperavam os momentos finais de 1945, na expectativa de saudar o novo ano que chegava, Felipe deixou discretamente o salão, sem que percebessem sua saída. Com as mãos no bolso da calça, caminhou cabisbaixo pelos corredores extensos do palácio, sem rumo definido. Queria apenas ficar sozinho. Não percebeu, no entanto, a pessoa à frente que caminhava em sua direção.

— Sr. Visconde?

Felipe ergueu o olhar, reparando na bela jovem. Loura, olhos azuis, pele alva, lábios pequenos e carnudos, trajando um vestido fino num leve tom rosado. Talvez outra pessoa entediada com a festa e que, assim como ele, preferiu ficar sozinha.

— Às suas ordens, senhorita. — Ele respondeu, com a voz mais gentil que pôde conjurar de momento.

— Que bom que eu o encontrei, Sr. Visconde.

— Em que posso servi-la, senhorita?

— Tenho algo para o senhor.
— Para mim? E o que é?
— Uma visão do futuro.
Ela arregaçou a manga esquerda do vestido. Intrigado, o Visconde ficou observando as ações da jovem. Ela levou a mão direita ao antebraço exposto e, surpreendentemente, removeu a camada fina de pele clara, exibindo sob ela uma espécie de esqueleto de metal, entremeado por fios, cabos e outros mecanismos que ele não pôde identificar.
— Mas que diabo é isso? — Ele arregalou os olhos, assustado. Sentiu a voz trêmula. Mal podia crer no que via. — Você é um mecanoide!
A bela mulher piscou seus olhos azuis esboçando um sorriso. Antes que o rapaz pudesse reagir, ergueu a mão até o pescoço dele. A agulha emergiu de baixo da unha de seu dedo indicador direito, perfurando a epiderme do novo visconde.
Reagindo ao ataque, Felipe se esquivou da loura, levando a mão ao local da picada. Tentou protestar, mas não conseguiu falar.
— Com os cumprimentos do Rei George VI. — Ela suspirou com sua voz suave. — Você virá conosco, Visconde. A partir de hoje, a Grã-Bretanha cuidará do senhor.
Sentindo o corpo fraquejar, Felipe olhava assustado para aquele ser estranho. Atordoado, sentiu a visão turvar. Três segundos mais tarde, desfalecia sobre o piso acarpetado do corredor.
Sem reação aparente, a mecanoide retraiu a agulha de volta ao interior do dedo, enquanto recolocava a camada de pele artificial no antebraço, recompondo a manga do vestido. Indiferente, observou o corpo do jovem empreendedor do Império estendido ao solo, notando que ainda respirava.
Pouco depois, dois homens trajando a farda da guarda imperial apareciam no corredor, caminhando apressadamente rumo ao corpo estirado do Visconde. Sem se importar com a presença da loura, a dupla tomou o corpo de Felipe, carregando-o para longe.
Sozinha, a loura varreu o ambiente à sua volta com o olhar, em busca de vestígios capazes de denunciar a abdução. Segura de que tudo estava em ordem, esboçou um sorriso vitorioso, sem sinal de remorso.
— Deus salve o Rei.
E sumiu pelo corredor afora.

# País da Aviação
## Gerson Lodi-Ribeiro

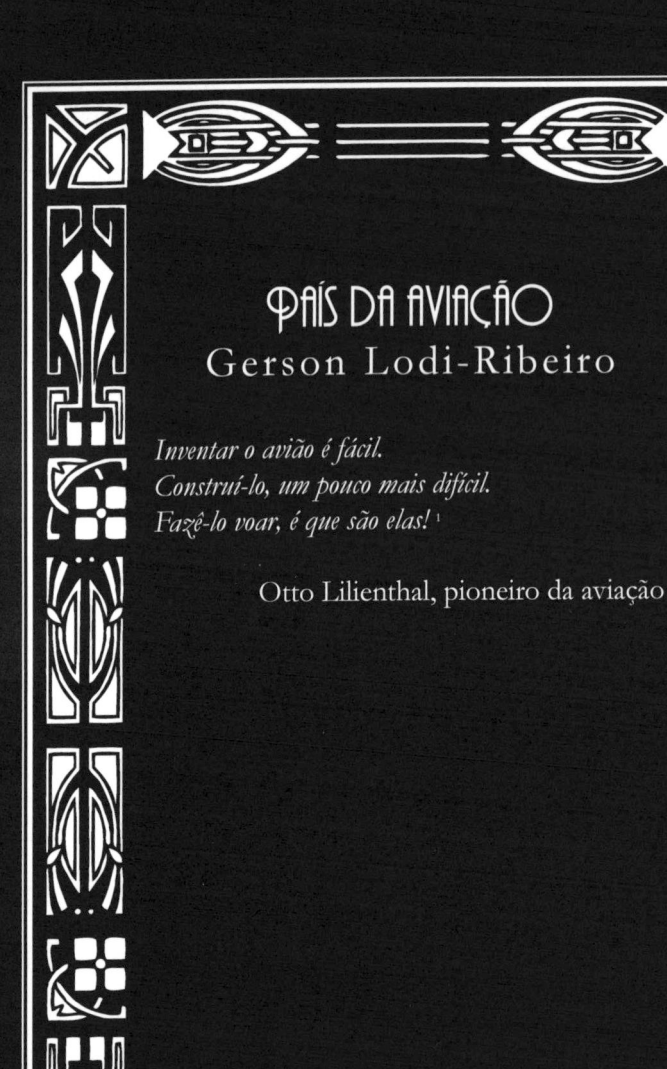

*Inventar o avião é fácil.*
*Construí-lo, um pouco mais difícil.*
*Fazê-lo voar, é que são elas!* [1]

Otto Lilienthal, pioneiro da aviação

---
[1] 21 de outubro de 1805.

## O Cônsul e o Engenheiro
PARIS, 21 THERMIDOR IX[1]

O ESTADUNIDENSE FOI CONDUZIDO *château* adentro pelo ordenança sisudo. O cabo trajava uma farda de corte elaborado, que o visitante atribuiu a um dos corpos de artilharia do *Grand Armée*. À medida que avançavam pelo corredor estreito, o estrangeiro lançava olhares breves às velhas estátuas egípcias cinzeladas em basalto negro e pórfiro vermelho, aos bustos de mármore de Carrara, esculpidos há pouco tempo, mas com nítida inspiração greco-romana. O visitante piscou os olhos assombrado. Por instantes teve impressão de que tanto os deuses zooantropomórficos quanto os heróis de perfil clássico pareciam corresponder aos seus olhares, a partir de seus nichos nas paredes.

Infelizmente, ao contrário de sua visita anterior, desta feita não houve tempo para contemplar os vários quadros, grandes demais para espaço tão exíguo. Confirmou, no entanto, que todas as pinturas retratavam cenas de batalhas antigas e modernas com realismo impressionante.

Após três minutos de caminhada por corredores labirínticos, recobertos por espessos tapetes azuis, os dois homens pararam junto à porta de mogno maciço. Um indivíduo de tez achocolatada e uniforme de colorido espalhafatoso aguardava do lado de fora.

O ordenança saudou o outro e murmurou:

---
[1] 08 de julho de 1895.

– O engenheiro estadunidense.

O homem de tez escura respondeu à continência de forma relaxada e assentiu em silêncio. Abriu a porta, entrou e fechou-a em silêncio atrás de si.

Vinte segundos mais tarde reapareceu e, com um gesto teatral, convidou o visitante a ingressar no aposento.

– Monsieur Fulton. – O homem escuro anunciou da porta, sem se dar ao trabalho de entrar.

O recém-chegado ingressou numa sala relativamente acanhada, com uma boa escrivaninha de madeira escura, um sofá confortável e um grande globo terrestre. Quatro cadeiras de espaldar alto e estantes repletas de livros do piso ao teto completavam o mobiliário. Ouviu a porta se fechar às suas costas.

– Só um instante. – Atrás de sua escrivaninha, o *Premier Consul* permaneceu sentado, sem erguer os olhos dos papéis que examinava.

O visitante avançou com certa familiaridade pelo tapete espesso que revestia o assoalho de tábuas corridas. Lançou um olhar ao homem sentado, que fazia anotações esporádicas. O aparo da pena calcado com força sobre uma folha à parte.

Quedou-se defronte ao globo, próximo à janela central do aposento.

Seus lábios se entreabriram num sorriso irônico ao contemplar a Europa proeminente.

Quase todo o oeste do continente exibia-se tingido em várias tonalidades de rosa e vermelho, numa genuína apoteose enológica. No *rouge* escuro dos tintos de Bordeaux, os territórios da *Grand République*; confrontados a leste por um vermelho claro dos Borgonhas, das novas províncias conquistadas pela força das armas na península italiana e nos reinos germânicos; o tom ainda mais claro do vinho rosé, as nações que se haviam tornado aliadas nominais da França Revolucionária, ou que haviam sido *persuadidas* a se declarar aliadas, sem que para tanto fosse preciso o *Grand Armée* enviar corpos de tropas para convencê-las.

Conhecedor dos hábitos do anfitrião, o estadunidense acomodou-se no sofá estofado, baixo mas confortável, próximo à escrivaninha do *Premier Consul*. Quando já estava devidamente afundado nas almofadas, de modo que o homem mais baixo por detrás da mesa pudesse olhá-lo de cima, esse pôs os papéis de lado afinal e

descansou a pena no aparador do tinteiro de prata lavrada. Ergueu a cabeça, dignando-se enfim a dar atenção ao visitante:
— Monsieur Fulton! Encantado por sua presença. Agradeço por ter vindo tão rápido.
— Parti de Brest há três dias, tão logo recebi sua convocação, Cidadão Bonaparte. — Admoestado no passado, Robert Fulton aprendera que não devia se dirigir ao *Premier Consul* por "excelência". Sabia porque fora chamado. Com o peito inflado de orgulho, não resistiu a comentar: — Conforme adiantei em minha mensagem, torpedos lançados pelo *Nautilus* puseram a pique três navios-de-linha britânicos.
— Como você designa mesmo esse seu barco? — Napoleão indagou, curioso, sem demonstrar entusiasmo especial ante a façanha.
— Navio-de-mergulho torpedeiro?
— Submarino torpedeiro. — Fulton corrigiu, intrigado. O que estava havendo? Julgara-se prestes a receber congratulações efusivas pela proeza, quiçá uma condecoração. De todo modo, os bons prêmios em dinheiro que fazia jus, conforme o combinado. Não esperava, em absoluto, que o Consul o tratasse com tamanha reserva e indiferença. — O *Nautilus* é apenas um protótipo. Imperfeito, como todo vaso experimental. Porém, quando a Marinha da República possuir uma flotilha de submarinos torpedeiros, o Cidadão verá como...
— Tolice!
— Como é, Cidadão? — O estadunidense bufou com indignação controlada. — Acaso o afundamento de três fragatas inglesas constitui tolice?
— Não, Engenheiro Fulton. O extermínio de três belonaves inglesas, conquanto fundeadas, constitui uma bela façanha. — Napoleão sorriu com ar de espadachim prestes a desferir o golpe mortal.
— Tolice é julgar que a Armada da República será capaz de derrotar a Marinha Real com um brinquedo como o seu *Nautilus*...
— Mas, Cidadão, com uma flotilha...
— Nem com uma, nem com várias flotilhas. Seu submarino, ou como quer que o chame, é muito lento. Para cumprir com êxito uma missão de ataque, depende inteiramente do fator surpresa e, da próxima vez, os ingleses estarão em guarda. Não, meu caro. Seu *Nautilus* é, quanto

muito, uma arma de curto alcance. Um artifício, a ser empregado em situações especialíssimas, contra naus fundeadas ou atracadas num porto. Jamais desempenhará papel decisivo numa batalha naval.

— Se o Premier Consul de fato pensa destarte, por que me convocou com tanta urgência?

— Porque tenho planos novos em mente. — O indicador de Napoleão tamborilou em sua têmpora direita. — Para a execução desses planos, a República necessitará da genialidade do engenheiro que concebeu o *Nautilus* e inventou o primeiro torpedo efetivo.

Fulton esqueceu a indignação de pronto, indagando, sem ocultar o interesse:

— E no que consistiriam esses planos?

— Belonaves movidas a vapor. — Ante o ar de surpresa do engenheiro, Napoleão acrescentou: — Monsieur afirmou, quando nos conhecemos, que se julgava capaz de construir um barco movido a vapor, não foi?

— Lembro-me bem disso, é claro. Foi na primeira vez que nos encontramos, pouco após o 18 *Brumaire*... — Fulton apoiou as mãos nos joelhos, inclinando-se para frente. — Mas eu me referia a um barco de passageiros, não a um navio de guerra.

— Ora, Monsieur Fulton! — O Premier Consul arreganhou seu melhor sorriso de predador. — Sei que, como eu, é um visionário. Imagine só uma flotilha... não! Uma frota, uma Armada de belonaves a vapor.

— A República precisaria de pelo menos cinco anos...

— O Consulado lhe concederá três anos e nem um dia a mais. Isto, e todos os recursos que precisar. Em troca, Engenheiro Fulton, o senhor nos dará a Marinha mais poderosa da Terra. Com ela, varreremos os ingleses dos mares e fincaremos nossas botas naquela maldita Ilha Autoritária!

## A boa sorte do Almirante Villeneuve
29 Vendémiaire XIV Oceano Atlântico, Costa da Espanha, próximo ao Cabo Trafalgar

— Senhor, a formação do Almirante Collingwood está presentemente engajando com o centro da formação inimiga. — O oficial-comandante da *Victory* baixou a luneta e encarou o lorde-almirante parado a seu lado na popa da capitânia inglesa.

O Almirante Nelson esboçou um sorriso de satisfação discreto. A Esquadra Imperial Francesa cruzara enfim o Estreito de Gibraltar, rumo ao Atlântico. Demandava de velas plenas, de leste para oeste. Só que desta feita a *Royal Navy* a surpreendera no ato! Ao que parecia, a proverbial boa sorte do Almirante Villeneuve o abandonara.

— Excelente, Hardy. — Lorde Nelson suspirou, contendo a custo a onda de felicidade que o invadia. Chegara afinal o dia ansiado. A ocasião de se defrontar em mar aberto com o grosso das esquadras francesa e espanhola. A oportunidade de comprovar que a pretensa sorte do adversário de nada valia contra a maestria de sua estratégia genial. — Nosso bom e leal Collingwood cortará essa linha franco-espanhola em dois tempos. Exatamente como planejamos. Então, nossa própria formação os atingirá, qual aríete, impedindo que se reagrupem. Dispersos, tornar-se-ão presas fáceis ante a perícia de nossos artilheiros.

De olhos brilhantes, o comandante da capitânia assentiu a seu ídolo, o grande herói da Batalha do Nilo. Então voltou a observar o engajamento pela luneta.

— Senhor, os franceses trouxeram consigo os tais navios a vapor.

— Nossos informantes em Brest e Le Havre nos alertaram que o inimigo andava a experimentar barcos assim. Decerto inspirados nas invenções esquisitas daquele rebelde yankee... O tal Fulton...

— Forçando a vista, Nelson vislumbrou doze ou quinze belonaves com chaminés cilíndricas a meio-navio e grandes protuberâncias semicirculares nos costados de estibordo e bombordo, onde se abrigariam, em tese, as ditas "rodas de pás". Não gostou do que viu. Com aqueles perfis baixos, as belonaves dessa nova classe constituiriam alvos difíceis de alvejar com os disparos de canhões situados nos costados elevados de suas naus-de-linha. Pois a estratégia naval vigente preconizava que as trocas de tiros entre os diversos vasos inimigos se dessem quase que à queima-roupa. — Lembro que ele apresentou seus projetos em palestra proferida numa reunião do Almirantado. Todavia, não logrou nos convencer da eficácia dessas tais belonaves a vapor.

*Imagine, navios com caldeiras a fumegar convés abaixo...*
— Ora, esses barcos estapafúrdios... — O resmungo do comandante soou mais incrédulo que indignado.
— O que há com eles, Hardy? — O almirante se agarrou ao trilho da amurada com as duas mãos.
— Estão guinando, Milord. Guinando demasiado rápido. — O comandante da *Victory* informou, sem descolar o olho da luneta. — Estão manobrando! Fechando a brecha por onde a cunha da formação do Almirante Collingwood devia penetrar!
— Manobrando rápido? Mas... Contra esse vento? Impossível, meu bom Hardy. — A mão de Nelson descreveu um arco peremptório, cortando o ar marinho para descartar a possibilidade.
— Por Deus! Estão convergindo sobre a *Royal Sovereign*!
— Dê-me cá essa luneta. — O almirante estendeu a mão ao comandante. A atitude fleugmática atraiçoada por ligeiro tremor.
Nelson assestou o olhar pelo instrumento e então viu.
A capitânia da formação de Collingwood engajou-se heroicamente contra cinco daqueles vasos a vapor. Leão colérico cercado por bando de chacais traiçoeiros. A *Royal Sovereign* lutou com bravura indômita, como só um navio-de-linha britânico seria capaz de lutar. Mas os disparos de seus canhões falharam em atingir os costados rasos das belonaves adversárias e a outrora galharda capitânia da primeira formação, de mastros abatidos e convés principal varrido por dezenas de balaços certeiros, foi posta fora de combate em questão de minutos, antes mesmo que as naus da escolta pudessem fechar sobre a capitânia para salvaguardá-la.
Grossos rolos de fumaça se elevaram do madeirame da fragata castigada. Labaredas compridas erguiam-se no convés principal, consumindo velas e homens. Chamas furiosas já lambiam boa parte do costado. Através da luneta, Nelson observou os marujos desesperados lançando-se ao mar revolto. Ante a visão dantesca, perdeu as esperanças de resgatar os sobreviventes da outra capitânia.
Os tais navios a vapor revelaram-se belonaves exímias, afinal.
Logravam demandar a barlavento com facilidade inaudita. Não espantava que parecessem estar em todos os sítios a um só tempo.
Afligido por mau pressentimento, Nelson ordenou que se içasse as flâmulas de comando, determinando que sua própria formação

demandasse a todo pano, no intuito de tentar salvar o que pudesse dos barcos sob comando do fiel amigo Collingwood.

Foi tudo em vão.

Os barcos a vapor revelaram-se mais rápidos e, sobretudo, mais manobráveis naquelas condições de mar. Com perfis baixos e deslocamento célere, configuravam-se em alvos assaz difíceis de atingir. Em inferioridade numérica, as belonaves da *Royal Navy* foram sendo aniquiladas uma a uma.

Desprezado anos atrás pelo Almirantado, aquele método de propulsão heterodoxo constituiu toda a diferença.

Ao cabo do engajamento naval, de pouco valeu a estratégia britânica genial de perfurar a linha inimiga, aproada para o oeste, com duas formações paralelas vindas do sul. Pois a maior velocidade e a grande capacidade de manobra das belonaves a vapor impediram que as naus-de-linha rompessem a linha franco-espanhola.

Antigo sobrevivente da tragédia de Abu Qir sete anos antes, Charles Jean Baptiste Silvestre de Villeneuve obteve afinal a vingança almejada.

A Batalha do Cabo Trafalgar constituiu um revés sem precedentes para a Inglaterra.

Das vinte e sete belonaves sob o comando de Horatio Nelson, apenas três conseguiram regressar às águas do Canal da Mancha. As demais foram apresadas ou destruídas.

Nelson e Collingwood pereceram em combate. Vários comandantes britânicos caíram prisioneiros da Armada Imperial.

Trafalgar foi o primeiro grande desastre naval britânico naquele novo século que, de acordo com o calendário antigo, iniciara-se cinco anos antes.

Um ano mais tarde, na Batalha de Dover, já alçado ao posto de herói do recém-proclamado Império de França, com uma esquadra de sessenta naus de linha e vinte e três belonaves a vapor, Villeneuve destruiria os últimos remanescentes da outrora altiva *Royal Navy*.

Conquistando a vitória nessa segunda batalha naval de grande envergadura, o Imperador Napoleão I pôde enfim concretizar o velho sonho de invadir a Grã-Bretanha.

A curto prazo, os resultados da ocupação da Ilha Orgulhosa

foram idênticos aos de outra invasão, perpetrada 740 anos antes pelos normandos, com pleno êxito.

A longo prazo, as Ilhas Britânicas seriam mais uma vez subordinadas à estrutura política de uma Europa Ocidental unificada, tal como ocorrera dezoito séculos antes, quando se tornaram colônias romanas.

**Inventores e inventores...**
VERSAILLES, 19 MESSIDOR CIII

– Não entendo, Excelência. – Nervoso, o estadunidense mais velho sacou um lenço de linho branco da algibeira do colete para enxugar a calva pronunciada. – Afinal, como o próprio Monsieur Verne atestou, nosso aeroplano voou por 120 pés, antes de retornar ao solo.

Procurou o irmão mais novo com o olhar, em busca de confirmação. Orville, contudo, fitava os bicos dos próprios sapatos, fingindo-se alheio aos apuros por que ambos passavam.

O interlocutor dos irmãos estadunidenses, um francês baixo e troncudo, enfiado numa sobrecasaca azul vistosa, repleta de condecorações, suspirou fundo, conteve o sorriso matreiro e se imbuiu de paciência.

*Pés? Por que será que esses estadunidenses ainda insistem nessas medidas arcaicas? Aliás, quantos metros correspondem mesmo a 120 pés?*

Da sacada onde recebia os inventores, lançou um olhar fútil às carruagens e automotores que trafegavam na avenida larga asfaltada e ladeada por árvores frondosas, defronte ao Palácio de Versailles. Curioso, esticou o pescoço para observar dois veículos compactos, que rodavam com o ronco característico dos motores de combustão interna. Ainda eram minoria em relação às *bouilloires*, os automóveis trambolhudos movidos a vapor, com altas caldeiras cilíndricas ocupando seus terços traseiros.

Sabia que essas proporções estavam prestes a mudar.

– A questão crucial é que, tão somente após examinar os planos do seu aparelho, tive oportunidade de ler o relatório do Ministro das Invenções. – O francês mordeu o lábio inferior, contendo a custo o sorriso trocista conhecido em toda a Europa.

Como de hábito, o relatório de seu Sub-Ministro das Invenções situou-se entre o vago e o redundante. Em verdade, Jules Verne fora alçado ao cargo graças sobretudo à insistência de Henry Bessemer. Tudo por causa da predileção desmedida que seu Ministro da Tecnologia genial nutria pelos romances científicos do escritor francês.

Entrelaçou os dedos sobre o tampo da mesa de mogno antes de prosseguir num tom deliberadamente jovial:

— A meu ver, o maior óbice à aquisição do invento é esse aparato de lançamento complicado. Nosso governo pretende investir no desenvolvimento de aeronaves com sistemas de decolagem mais seguros e eficientes.

— Nossa catapulta de lançamento e o aparato do monotrilho são bastante eficientes. E perfeitamente seguros, também. — O estadunidense mais jovem asseverou de peito estufado, cofiando o bigode farto. Lançou um olhar condescendente ao francês. — Já consigo vislumbrar uma bateria de catapultas lançando simultaneamente ao ar dezenas de aeroplanos com as cores da Hegemonia. Esquadrilhas terríveis, que farão os inimigos da Europa tremerem de medo.

— Ora, Mr. Wright, a Hegemonia Europeia não nutre todos esses sonhos de conquista que vocês americanos costumam nos atribuir lá no outro lado do Atlântico. Tampouco almejamos empregar esses tais aeroplanos como máquinas de guerra.

— Ora, digo eu, Monsieur Napoleão...

— Por favor, *messieurs*, não precisam se referir a mim dessa forma em privado. Como sabem, meu nome é Pierre Bonaparte.

— Mas, seu cargo...

— Bem sei, meus amigos. Meu cargo e meu título. Ainda assim, como lhes expliquei em nosso primeiro encontro, prefiro que me chamem de Monsieur Bonaparte.

— Pois não, Monsieur Bonaparte. — O Wright mais jovem não se fez de rogado. — Como ia dizendo, no passado, seu avô também contou com um inventor americano para mudar radicalmente o cenário europeu de sua época. Hoje em dia, com o Império Russo ameaçando a fronteira leste da Hegemonia...

— O genial Fulton, é verdade! — O hegemon interrompeu o Wright mais novo com um sorriso nos lábios. Seus olhos brilharam com uma centelha de fulgor nostálgico. – Aqueles foram outros tempos, cavalheiros. Nossos antepassados viviam num mundo mais simples.

Quando Napoleão I, aliás, meu bisavô e não meu avô, convenceu Robert Fulton a construir fragatas a vapor para derrotar a até então imbatível *Royal Navy*, ele era tão somente o Imperador de França. Como tal, só precisava se ater aos interesses dos franceses.

Com ar sonhador, Pierre Bonaparte afagou o cavanhaque espetado.

Napoleão I? Cognominado com frequência Napoleão, o Grande, não obstante tivesse sido o único da dinastia a ter o "Napoleão" como nome próprio, e não como substantivo comum para lhe designar o cargo.

Napoleão I, o defensor dos idolatrados princípios revolucionários. O pacificador da Europa. Segundo muitos, o verdadeiro idealizador da Hegemonia... Seu bisavô fora um autocrata inveterado, isto sim! E, antes de mais nada, um tremendo oportunista.

Não precisara responder a ninguém por seus atos e decisões. Tampouco por seus desatinos.

*Em pensar que o Velho quase pôs tudo a perder com aquela incursão despropositada ao Egito em 1798...*

No entanto, foi um estrategista brilhante e, a seu modo, um visionário. Como logrou concretizar a maioria de seus sonhos megalômanos, naturalmente, entrou para a posteridade como o melhor general e o maior estadista da história.

Não raro, o hegemon se surpreendia com inveja do bisavô.

É claro, as coisas começaram a mudar um bocado após a conquista da Inglaterra.

Sem oposição de porte, o Império Francês derrotou os exércitos prussianos e austríacos. Removidos os obstáculos de caráter militar, seu bisavô guindou ao poder nos reinos aliados e vassalos, governantes simpáticos à causa e aos ideais da Revolução.

No início, tudo funcionou como nos sonhos de grandeza acalentados pelo primeiro napoleão. Por mais de duas décadas, a Europa foi varrida por uma maré de progresso e prosperidade sem precedentes na história humana.

Contudo, passada uma geração, surgiu a primeira crise, quando as populações daqueles reinos aliados, educadas dentro dos princípios progressistas da Revolução, decidiram exigir mudanças e, sobretudo, direitos idênticos aos gozados pelos cidadãos franceses.

Surpreso e decepcionado, o Velho Napoleão concluiu que a era dos governantes autocráticos havia acabado.

Por seu lado, os franceses, a começar pela família Bonaparte, compreenderam que seria cada vez mais difícil governar a Europa sem o apoio dos outros povos.

Assim, sob o título de Napoleão II, Léon Bonaparte, o avô do atual hegemon, propôs oficialmente a criação da Hegemonia Europeia. Alguns estrangeiros ainda julgavam que fora o pai e não o filho que concebera essa federação.

– Sabemos, Excelência, que a Hegemonia não é como o antigo Império Francês do Primeiro Napoleão. Como os Estados Unidos, a Europa também constitui uma democracia. – O irmão mais velho, Wilbur, hesitou um pouco ante as sobrancelhas arqueadas do hegemon. Teria o governante se sentido indignado ante a comparação? *Paciência.* – Outrossim, sabemos que todas as nações da Hegemonia possuem assentos em seu parlamento. Porém, o fato é que a França é a locomotiva da organização. Todavia, não ignoramos que a opinião do hegemon e de seu ministério pesará muito quando o projeto do nosso aeroplano for apresentado aos parlamentares.

– Talvez seja assim. – Pierre Bonaparte voltou a cofiar o cavanhaque, com o olhar perdido no trânsito de Versailles. – Contudo, até o hegemon depende do parecer de seus cientistas e engenheiros.

– Apesar do que Vossa Excelência afirma quanto aos anseios pacíficos da Hegemonia, soubemos que uma facção da elite militar europeia apoia a criação de uma esquadrilha de aeroplanos. A ameaça do tsar...

– Repito, não é nossa intenção transformar os aeroplanos em máquinas de guerra. Não pretendemos declarar guerra ao Império Russo. E, mesmo que o fizéssemos, cremos haver formas melhores de lidar com os exércitos do tsar do que atacá-los com aeroplanos.

Desde a época de Louis Bonaparte, pai do hegemon atual, que os linhas-duras do exército, prussianos em sua maioria, advogavam a necessidade de uma guerra preventiva total para conquistar todas as províncias russas a oeste dos Urais. Desnecessário enfatizar que os sonhos megalômanos dos prussianos eram secundados por parlamentares ucranianos e bielo-russos.

Ainda se lembrava do pai vociferando com raiva contida à mesa do desjejum. De como costumava se irritar com as diatribes de seu Ministro da Guerra, Otto von Bismarck. Felizmente, há apenas quatro anos, já em sua própria gestão, conseguira enfim persuadir o Chanceler de Ferro a gozar a aposentadoria merecida, em sua Schönhausen natal.

Mais sensata, a alta oficialidade oriunda das nações ocidentais da Hegemonia advogava a postura defensiva clássica em relação ao Império Russo. Em compensação, garantia que os exércitos hegemônicos seriam plenamente capazes de aniquilar as tropas de Alexandre IV, caso essas se atrevessem a cruzar a fronteira.

— Mesmo que essa propalada guerra contra os russos jamais estoure, talvez fosse interessante desenvolver aeroplanos militares. — Wilbur Wright afirmou, fitando o irmão. Desta vez, Orville apoiou seu argumento com vigoroso aceno da cabeça hirsuta. O irmão mais velho prosseguiu. — Todavia, não é nossa intenção nos imiscuir em questões político-militares hegemônicas. O que nos importa é ver nosso projeto aprovado e posto em execução o mais rápido possível.

O francês esboçou um sorriso irônico antes de responder:

— Para que tal aprovação ocorra, faz-se mister que nos demonstrem que seu protótipo é capaz de decolar por seus próprios meios.

— No futuro, com aperfeiçoamentos adicionais que pretendemos implementar no design básico do aeroplano, e com os novos projetos de motores a gasolina, mais potentes e construídos com ligas mais leves que os atuais, decerto conseguiremos abrir mão desse sistema de lançamento. — Wilbur empertigou-se, reforçando a afirmação com um olhar resoluto ao hegemon. — De momento, contudo, é de todo impossível efetuar decolagens em terreno plano sem o auxílio das catapultas e dos monotrilhos.

— Impossível? — Pierre Bonaparte arqueou as sobrancelhas e soltou um risinho maroto característico. — Vossas Senhorias têm certeza?

— Certeza absoluta, Monsieur Bonaparte. — Orville adiantou-se, sob o olhar aprobativo do irmão. — Estudamos a fundo a dinâmica dos aeroplanos e concluímos que ainda não é possível, no âmbito da tecnologia atual, solucionar o problema da decolagem autopropulsada. No entanto, asseguro-lhe, esta solução é mera questão de tempo.

– Como os *messieurs* decerto não ignoram, há outros inventores trabalhando presentemente para solucionar o problema. – O francês cofiou o cavanhaque ruivo com ar divertido, os olhos brilhando com alegria de garoto travesso, ante a inquietação súbita dos estadunidenses. Após uma pausa de efeito dramático, indagou com ar inocente: – Acaso já ouviram falar em Alberto Santos-Dumont?
Alguns segundos de hesitação e Wilbur recordou o nome:
– *Le Petit Santos*? O balonista brasileiro?
– Em verdade, ele é cidadão francês. Pois que é neto de franceses, como seu nome de família indica, aliás. – Bonaparte corrigiu, contendo a custo o entusiasmo. – Contudo, francês ou brasileiro, pouco importa. Monsieur Dumont é nacional da Hegemonia.
*Esses estadunidenses... Fazem sempre questão de se esquecer que a maior parte das Américas constitui território da Hegemonia Europeia.*
– Não é o jovem que circulou a Torre Eiffel num dirigível alguns anos atrás? – O Wright mais novo franziu a testa no esforço para lembrar.
– O próprio. E também passou por baixo do *Grand Arc de Triomphe*. Santos-Dumont possuía somente dezenove anos quando recebeu um prêmio pela primeira dessas façanhas e uma admoestação rigorosa pela segunda. – Bonaparte levou a mão à boca para conter o riso. Não pretendia detalhar de que maneira Petit Santos efetuou essa segunda proeza. – Claro, Dumont é apenas dois ou três anos mais jovem que você, meu caro Orville.
– Certo. Mas o que há com esse balonista? – Wilbur passou o lenço outra vez pela calva suarenta e sorriu, nervoso. – Não me diga que ele decidiu se tornar aeronauta?
– Não só aeronauta, como também manifestou interesse em projetar aeroplanos.
– Ora, veja! Quem sabe não poderíamos lhe arranjar um lugar em nossa equipe... – Orville cogitou, com vagar magnânimo. Enfim intuiu onde esse hegemon astuto queria chegar. – Afinal, vamos precisar de jovens talentosos para construir nossos aeroplanos, bem como gente qualificada e audaz para pilotá-los.
– Excelente! – O hegemon exibiu os dentes alvos em seu sorriso mais franco. – Que tal se fizéssemos uma visitinha ao jovem Santos-Dumont?

— Agora?

Ante o ar de pasmo dos estadunidenses, Bonaparte contrapôs:

— E por que não? É de todo provável que ele e seus companheiros tenham uma ou duas ideias que vocês possam aproveitar.

— Excelência, duvido muito que... — Wilbur começou, contrafeito.

— Por favor, cavalheiros. — O francês ergueu as mãos num gesto conciliador estudado. — Eu faço questão.

Os dois irmãos trocaram olhares intrigados.

Não havia o menor sentido em prestar visitas a um balonista que sonhava em se tornar aeronauta. Ao menos, não naquela ocasião crucial, em que o veredicto quanto à aprovação do protótipo permanecia em suspenso.

Contudo, não julgaram prudente contrariar o homem mais poderoso da Europa. Por isto, a contragosto, acabaram por assentir ao convite do napoleão da Hegemonia.

Manipulador exímio de pessoas e situações, o hegemon constatou de imediato o dilema dos Irmãos Wright e se aproveitou do fato. Jamais pôs em dúvida o êxito de seu pequeno estratagema.

Afastando-se da sacada da varanda, caminhou até a parede fronteira a seu salão de trabalho. Retirou o auscultador do gancho preso junto ao portal da varanda e transmitiu algumas instruções em voz baixa, primeiro em francês e depois num idioma que os irmãos supuseram italiano.

Voltou para perto dos irmãos estadunidenses, que o observavam sem ocultar a curiosidade.

— Pronto. Já mandei preparar o automotor e pedi que avisassem Monsieur Dumont de nossa chegada.

— Para onde iremos? — Wilbur lançou um olhar inquieto à avenida movimentada, defronte ao palácio.

— Para *le Parc de Bagatelle*, em Paris.

— *Monsieur napoléon*, tenha certeza de que essa viagem é mesmo necessária?

— Não se preocupem. Em meu novo Benz-Royce, a viagem durará apenas uma hora, se tanto.

Ante a incredulidade expressa na testa franzida do Wright mais velho, Bonaparte indagou:

— Então? Podemos ir?

Desconcertados, os dois irmãos julgaram por bem assentir em silêncio.

Desta forma, seguiram o hegemon para dentro do salão.

Conforme Monsieur Bonaparte prometera, a viagem de Versailles a Paris levou pouco menos de uma hora. Um trajeto percorrido numa estrada larga, asfaltada de ponta a ponta, a velocidade estonteante de 60 km/h.

Os dois estadunidenses acomodaram-se no confortável assento traseiro do grande automotor conversível, enquanto o napoleão sentou-se no banco dianteiro, à direita do motorista uniformizado, um italiano animado e tagarela, que parecia desfrutar de um prazer incomensurável ao descrever, num francês carregado, as minúcias do funcionamento do motor do veículo, um engenho a explosão, algo semelhante, porém mais robusto, do que o modelo instalado no protótipo dos Wright.

Aquela não fora a primeira vez que os irmãos viajavam de automóvel. Foi, contudo, a primeira vez que andavam num automotor, um veículo com motor de combustão interna, visto que os carros existentes nos Estados Unidos, com exceção de uns poucos modelos importados, ainda eram movidos a vapor – aquilo que seus compatriotas chamavam de *steamers*.

Como o italiano não se cansava de repetir, o Benz-Royce possuía um poderoso motor Diesel com 55 cavalos-vapor, potência consideravelmente maior que a fornecida pela caldeira de qualquer *steamer*. Ainda que a contragosto, os irmãos se interessaram pelas conversas do motorista, questionando-o quanto as especificações do veículo.

Já no início da viagem, o hegemon aproveitou a primeira oportunidade para cortar o fluxo de informações que o italiano fornecia de bom grado. Manobrou a conversa, fazendo com que os temas girassem em torno de assuntos inócuos. Teceu considerações abalizadas sobre a qualidade esperada das novas safras de tintos hegemônicos, em função do clima e das chuvas. Em seguida, travou uma discussão acalorada com os estadunidenses sobre cruzeiros a bordo dos transatlânticos modernos, capazes de ligar a Europa à América em pouco mais de uma semana. Daí, distraiu seus ouvintes com dicas de bons restaurantes das principais cidades da Hegemonia, com ênfase aos estabelecimentos de Paris, Roma, Lisboa e Viena.

Então, os três debateram sobre as novidades da jovem e promissora indústria dos plásticos, tópico que os levou, naturalmente, às novas perfuratrizes que os consórcios petrolíferos hegemônicos estavam experimentando nos protetorados do Oriente Médio. Voltaram aos transportes, quando Bonaparte detalhou a problemática das linhas ferroviárias subterrâneas que se estendiam sob as grandes metrópoles hegemônicas. Então, o francês discutiu com os estadunidenses sobre dois projetos que o Ministério da Tecnologia estava analisando: o túnel sob o Canal da Mancha e a aprovação para a fábrica de dirigíveis gigantescos proposta por Ferdinand von Zeppelin. Segundo os engenheiros prussianos, aqueles colossos cruzariam os céus, ligando Paris a New York em questão de dias.

No fim, o napoleão logrou seu intento. Em momento algum da viagem falou-se de aeroplanos. Tampouco da situação diplomática mundial.

Quando os estadunidenses deram por si, o barulhento Benz-Royce já estava adentrando na alameda principal do parque para o qual se dirigiam.

O automotor parou próximo a um palanque improvisado, uma estrutura baixa, coberta por um toldo listrado de azul, vermelho e dourado, as cores da Hegemonia. Por trás do odor penetrante de óleo diesel, os irmãos sentiram cheiro de serragem e tinta fresca.

Bonaparte saltou do automotor assim que o veículo estancou, sem esperar que o motorista desligasse a máquina e desse a volta para lhe abrir a porta. Sem demonstrar espanto, o italiano deu dois passos para o lado e, com uma mesura pronunciada, abriu a porta traseira direita e gesticulou para que os estadunidenses saíssem.

Intrigados, os dois irmãos seguiram o hegemon quando esse se dirigiu ao palanque.

De testa franzida, Wilbur observou que o gramado do parque era recortado por diversos trechos de estrada que pareciam não conduzir a destino algum. Os fragmentos de pista não eram asfaltados, como as demais ruas de Paris e a estrada pela qual vieram de Versailles, mas revestidos com um material claro, semelhante ao concreto.

– Está quase na hora combinada. – O francês declarou, sério, examinando os ponteiros do relógio de ouro, sacado da algibeira da sobrecasaca. – Esse sol da tarde está um absurdo. – Subamos logo para o palanque.
– Onde está o tal balonista e sua equipe? – Orville indagou, varrendo o gramado do parque com o olhar.
– Não devem tardar. – Bonaparte asseverou, consultando o relógio outra vez.
Observou o horizonte leste com o binóculo que o motorista havia pego no porta-luvas do Benz-Royce.
– Ah, lá estão eles! Observem ali, cavalheiros.
Os dois estadunidenses miraram na direção indicada. No entanto, só viram as copas escuras das árvores frondosas que margeavam o gramado verdejante à beira do parque.
Então, quatro pontos brilhantes minúsculos se destacaram no céu azul sem nuvens. Quatro besouros a zumbir baixinho na tarde ensolarada de verão.
– Balões motorizados? – Orville forçou a vista, tentando distinguir os objetos voadores.
– Não creio. – Wilbur murmurou, quase que para si próprio. – Repare nas asas. Parecem pássaros...
Com um sorriso, Bonaparte estendeu o binóculo ao Wright mais velho.
Wilbur aceitou o aparelho. Levantou-o à altura do rosto e assestou as lentes na linha de visada dos objetos.
– São aeroplanos, Orville! – Ele exclamou, consternado. – Quatro aeroplanos! As linhas são esguias e elegantes. Diria que seus motores são demasiado pequenos para impulsioná-los. Parecem leves ao extremo, quase diáfanos. No entanto... comportam-se como se fossem capazes de voar com aerodinâmica segura.
Passou o binóculo ao irmão e indagou ao francês:
– Afinal, do que se trata, Excelência? – O tom cerimonioso traía uma ponta de indignação. – Cremos merecer uma explicação.
– Ora, essa é a equipe de Monsieur Dumont. – Bonaparte deu de ombros com ar inocente. – Bem na hora combinada.
Ante os estadunidenses boquiabertos, os aeroplanos manobraram com elegância e coordenação perfeita. Descreveram uma curva descendente em torno do parque, perdendo altura em sua segunda passagem,

de oeste para leste. Enfim, suas rodas delgadas tocaram as pistas de pouso menos de cinquenta metros a oeste do palanque.

A primeira aeronave parou cerca de vinte metros a leste dos três observadores. A terceira foi a que estacionou na pista mais distante: quase trinta metros a sudeste da primeira.

Os quatro pilotos arremessaram escadas de cordas do alto de suas carlingas. Sob o olhar assombrado dos estadunidenses, desceram dos aparelhos sozinhos, sem o auxílio de uma eventual equipe de terra.

Mais próximo ao palanque, o piloto da primeira aeronave, um homem de bigode, baixo e magro, com não mais de vinte e poucos anos, retirou os óculos escuros protetores, descalçou as luvas de couro e arrancou o capuz da cabeça. Manteve-se parado, à espera de seus companheiros. Nos lábios, o sorriso de rapazola prestes a concretizar uma travessura das boas.

Orville percebeu que o recém-chegado possuía um disco achatado preso ao pulso por uma tira de couro delgada. Não fosse a ideia ridícula, juraria tratar-se de um relógio...

Aproximando-se a passos largos, o segundo piloto era um homem alto e corpulento. O castanho da barba espessa encaracolada fulgiu com nuances grisalhas ao sol da tarde. Quando removeu os óculos escuros e o capuz de couro, os estadunidenses constataram que ele deveria ter cerca de cinquenta anos.

— Não pode ser... — Wilbur apontou para o piloto mais velho. — Ou muito me engano, ou aquele lá é Herr Otto Lilienthal, o pioneiro da aviação com o qual nos correspondemos há anos...

— Mas o que faz um prussiano... — Orville abriu a boca de surpresa, corroborando a impressão de Wilbur através do binóculo.

— É de fato Lilienthal. — Bonaparte confirmou com seu sorriso de garoto levado. — Não há motivo para espanto. Decerto não ignoram que a Prússia foi a segunda nação signatária da carta da Hegemonia, logo após o Império de França.

Os outros dois pilotos pareciam tão jovens quanto o baixote. Um dos recém-chegados era rechonchudo, de bochechas rosadas. O outro possuía um ar aristocrático, com olhos claros e vasto bigode, cujas pontas compridas arqueavam-se ligeiramente para cima.

Quando os outros três pilotos se reuniram ao primeiro, os quatro marcharam lado a lado, em passos confiantes, cruzando pistas e gramado até o palanque.

Pararam ante o napoleão e seus convidados. – Saudaram o hegemon com o tradicional punho direito cerrado junto ao lado esquerdo do peito e a inclinação ligeira da cabeça para frente à guisa de reconhecimento.

– Monsieur Napoléon. – O rapaz mais baixo, que aparentava ser o líder, cumprimentou Bonaparte com uma vênia cerimoniosa. Lançou um olhar breve aos estadunidenses, antes de saudá-los. – Mr. Wilbur e Mr. Orville Wright, é um prazer e uma honra conhecê-los pessoalmente. Espero que estejam passando uma temporada agradável em França. Monsieur Jules Verne falou-me da demonstração de seu protótipo.

– Monsieur Dumont? – Os dois irmãos indagaram ao mesmo tempo.

– Um seu criado. – O franco-brasileiro confirmou com uma vênia pronunciada.

– Além de grande amigo de Monsieur Verne, nosso jovem Alberto é um apreciador dos romances científicos escritos nas... ahn... horas vagas pelo Sub-Ministro das Invenções. – O hegemon desceu do palanque, instigando os aeronautas estadunidenses a fazerem o mesmo. Cumprimentou Santos-Dumont com um abraço caloroso.

– É fato. – O jovem aeronauta reconheceu, lançando o olhar sonhador ao azul impecável do céu vespertino de la Bagatelle. – Aprecio sobretudo *Robur-le-Conquérant*.

– O prazer é todo nosso. – Os estadunidenses responderam ao aperto de mão efusivo do franco-brasileiro.

– Esse é o famoso Otto Lilienthal, que os senhores já conhecem de longos anos de correspondência. – Bonaparte apresentou, apontando para o homem mais velho, de barba grisalha.

– Como vão, Wilbur e Orville? – Lilienthal saudou os estadunidenses com voz trovejante, sacudindo vigorosamente as mãos deles ao cumprimentá-los. – Ouvi dizer que trouxeram consigo o protótipo...

– Ora, homem, por que não nos contou que está construindo aeroplanos para o governo hegemônico? – Wilbur reclamou num tom que soou genuinamente magoado. – Aeronaves com dinâmica segura e eficiente. E nós que pensávamos que você ainda acalentava seus projetos heterodoxos de aparelhos de asas móveis...

– Não lhes escrevi sobre as *Demoiselles*? Ora, o projeto dessas belezinhas é quase todo de autoria do *Petit Alberte*, com alguma ajuda do Karl, aqui do lado. – O prussiano expressou suas desculpas com um encolher de ombros, mas piscou o olho, dando a entender, talvez, que se vira impedido de relatar o assunto em suas missivas.

– Esse é Karl Jatho, inventor e pioneiro hanoveriano, tão jovem e inventivo quanto Alberto. – Bonaparte retomou as apresentações, indicando o jovem gorducho de faces coradas. Em seguida, apontou para o outro rapaz e concluiu. – E esse, com bigode refinado de príncipe austríaco, é Louis Blériot, pioneiro da aviação francês, apenas um ano mais velho que Alberto e Karl.

– Três jovens promissores! – Lilienthal trovejou uma gargalhada.

– Quem sabe, nossos três gênios não viverão o bastante para concretizar alguns dos sonhos tresloucados de Monsieur Verne?

Findas as apresentações e amenidades, Pierre Bonaparte voltou-se para os irmãos estadunidenses e propôs.

– Muito bem, Messieurs Wright. Como me declararam há pouco mais de uma hora, julgam a decolagem autopropulsada um feito impossível no estágio atual da tecnologia aeronáutica. Portanto, pedi que os melhores aviadores da Hegemonia Europeia lhes preparassem uma pequena demonstração, a qual, acredito, os convencerá do contrário.

Wilbur e Orville Wright se entreolharam espantados.

O hegemon assentiu aos pilotos uniformizados.

Santos Dumont brindou o napoleão com uma piscadela e um sorriso maroto.

Sem mais delongas, os quatro ases recolocaram capuzes e óculos. Então começaram a calçar as luvas, com gestos calmos e precisos.

– Cavalheiros, creio ser chegada a hora. – Bonaparte trocou um olhar divertido com o franco-brasileiro. – Bom voo de regresso ao aeródromo.

Os pilotos hegemônicos se despediram dos estadunidenses e apresentaram ao hegemon a mesma saudação da chegada. O napoleão reconduziu os irmãos intrigados de volta à sombra do toldo do palanque, de onde observaram o regresso dos aviadores às aeronaves.

– Não conseguirão decolar nesta pista plana, sem o apoio de um sistema de lançamento. – A julgar pelo jeito nervoso que enxugava a calva empapada de suor, Wilbur não parecia tão convicto quanto pretendia se mostrar.

– É justo esta demonstração que estão prestes a presenciar. Não esperamos qualquer dificuldade. Afinal, não será a primeira vez que esses pilotos decolarão de la Bagatelle.

– Ora, Monsieur Bonaparte! – O sorriso de Wilbur denotava sarcasmo sincero, revestido por um verniz finíssimo de boa educação.

– Um aeroplano capaz de decolar por seus próprios meios em terreno plano teria constituído destaque nas manchetes dos principais jornais europeus e americanos. Nós decerto já o saberíamos.

– Temos procurado evitar publicidade a respeito. Ao menos, por enquanto. Não que tenha sido fácil conter os relatos e as indiscrições nessas últimas semanas. Sabem como é, embora mantenhamos o parque sob vigilância, as pessoas têm olhos... – Bonaparte sorriu com ar inocente. – Não que as decolagens tenham sido testemunhadas por mais do que um punhado de autoridades, mas... Entendam, a questão não chega a constituir exatamente um segredo de Estado. É apenas uma... ahn... uma imposição, por assim dizer, de nosso Alto-Comando.

– Oh, eu entendo. E, no entanto, segundo Vossa Excelência, não há o mínimo interesse em desenvolver o potencial militar do aeroplano. – Orville cruzou os braços, com ar de pouco-caso. – De qualquer modo, monsieur, com o devido respeito, na América costumamos dizer que afirmações extraordinárias, sobre essas aeronaves esbeltas ou qualquer outro assunto, exigem provas irrefutáveis a fim de que sejam aceitas.

– Perfeitamente. Nada como uma dose salutar de cepticismo yankee. Aliás, é justo para apresentar as provas exigidas que estamos aqui hoje.

Os pilotos se instalaram nas carlingas das *Demoiselles* e recolheram as escadas. Santos-Dumont girou o indicador e apontou para o alto. Os demais gesticularam suas concordâncias.

Os motores roncaram no tom baixo e nervoso de leopardos irritados. As aeronaves esguias começaram a se movimentar, suas rodas delgadas giraram cada vez mais rápido, até que suas asas e caudas começaram a trepidar num ritmo frenético, fazendo com que os pilotos parecessem sacolejar perigosamente no interior das carlingas frágeis.

Então, o ronco dos motores transformou-se num rugido forte; os leopardos viraram leões furiosos, disparando em carreira alucinada pelas quatro pistas paralelas que cortavam o gramado do parque. Enfim, como felinos que eram, as *Demoiselles* saltaram para o ar.

O que se viu, contudo, não foi o bote seco de um leopardo, mas antes o salto alto e elegante da gazela.

Eis que, por malabarismo incrível, as aeronaves-gazelas se mantiveram suspensas. Não apenas suspensas, pois que se elevaram, ágeis e vigorosas, a vários metros do solo. Então, já não eram mais gazelas saltadoras, mas albatrozes. De asas abertas, orgulhosos de suas envergaduras e vasta capacidade de manobra.

– Eles conseguiram! – Wilbur não acreditava em seus próprios olhos. – Estão no ar!

– Pois que estão, não é mesmo? – Bonaparte esfregou as mãos, radiante de contentamento. – Realizaram a façanha que os *messieurs* afirmaram impossível menos de duas horas atrás.

Um desânimo sepulcral desmoronou sobre os estadunidenses. Era simplesmente inacreditável.

A façanha que pretendiam empreender dentro em alguns anos já se tornara ato corriqueiro, conquanto secreto, no seio da Hegemonia Europeia.

O pior era que nem sequer atinavam com o motivo de tamanho sigilo.

– Não entendo, Monsieur Bonaparte. – Baixando os binóculos, Orville Wright rompeu afinal o silêncio que já durava alguns minutos. Sem jeito, cofiou o bigode, fitando os bicos dos sapatos. – Se estou compreendendo bem, Vossa Excelência já sabia que a Hegemonia possuía aeroplanos capazes de levantar voo em terreno plano, sem o auxílio de sistemas de lançamento.

– É fato, *messieurs*. Não há mais razão para negar.

– Se assim é, por que essa encenação toda? – Wilbur cerrou os punhos, indignado. – Qual o propósito de nos receber, mandar Monsieur Jules Verne avaliar nosso projeto? Como se o protótipo que trouxemos conosco constituísse alguma novidade... Todo esse teatro de nos arrancar uma declaração ingênua e então nos humilhar com uma decolagem pública, só para comprovar o quão errados estivemos...

– Calma, cavalheiros. Em primeiro lugar, asseguro que Monsieur Verne não está, em absoluto, a par dos avanços hegemônicos conquistados nos últimos meses no campo da aeronáutica. Afinal, ao menos por ora, não desejamos que a existência das *Demoiselles* venha a público. Tampouco pretendemos que se torne tema de mais um romance científico de sucesso... – O napoleão sorriu e abriu os braços, num gestual mais italiano que gaulês. – Quanto à exibição que acabaram de assistir, perguntem a si próprios se vocês acaso teriam acreditado em mim, se eu houvesse me limitado a lhes afirmar que possuímos aeronaves como as que acabaram de conhecer.

Ante o mutismo acabrunhado dos anglo-saxões, Bonaparte prosseguiu com o ataque:

– Não, meus amigos. Em se tratando do voo de máquinas mais pesadas do que o ar, façanha ainda assumida pela maioria como impossibilidade física. Ouso afirmar-lhes que não bastam voos em segredo e declarações a posteriori. Em absoluto. A título de demonstração, uma pequena decolagem vale mais do que mil preleções teóricas. Desculpem-me se os ofendi. Não foi, de forma alguma, minha intenção.

– *Monsieur Napoléon* conseguiu provar seu ponto. – Wilbur reconheceu. – Nós estávamos errados. Só não entendo por que se deu ao trabalho de esfregar a verdade em nossas caras! Bastava nos ter dispensado e pronto. Não vejo o menor sentido em nos revelar esse segredo.

– Chegamos enfim à questão crucial. – Pierre Bonaparte esfregou as mãos com ar satisfeito. – Compartilhei tal conhecimento com vocês, porque desejo que trabalhem conosco. Estamos reunindo os maiores projetistas aeronáuticos e os melhores aviadores, tanto da Europa, quanto das Américas. Pretendemos que vocês se integrem à equipe de Monsieur Dumont. Só que para isto, primeiro foi necessário colocá-los a par do estado presente da técnica aeronáutica.

– Vocês hegemônicos possuem métodos estranhos de convencer as pessoas. – Orville coçou a cabeça, desarrazoado. A mão a tremer de emoção contida. – E um jeito esquisito de tratar os amigos.

– Trabalhar com a equipe de Santos Dumont? – Wilbur indagou.
– Sob as ordens de um rapazinho?
– Quantos anos você tem, Wilbur? Vinte e sete?
– Vinte e oito. – O Wright mais velho jactou-se de peito inflado.
– E Orville tem 24, não é? Alberto é apenas seis anos mais jovem que você e dois anos mais jovem que seu irmão. Lilienthal está hoje com 47. Imaginem, ele já projetava aeroplanos antes de nosso amigo franco-brasileiro nascer. No entanto, ao que parece, o prussiano não se importa em absoluto de receber ordens de *le Petit Santos*...
– Sempre respeitamos as opiniões de Herr Lilienthal... – Com um suspiro pesaroso, Wilbur expirou o ar preso nos pulmões. Sacudiu a cabeça, desconsolado. Manteve-se em silêncio durante uns instantes. Depois murmurou: – Creio que enfim compreendemos suas intenções, Monsieur Bonaparte. Se Vossa Excelência não se importar, apreciaríamos muitíssimo que nos concedesse algum tempo para pensar nesta proposta.
– Sintam-se à vontade. Pensem pelo tempo que quiserem. Eu diria que, ao menos por ora, não há pressa.

O napoleão sentiu-se tranquilo. Sabia de antemão qual seria a resposta dos Wright.
Sabia, também, que a colaboração proveitosa dos estadunidenses só duraria enquanto as relações diplomáticas entre a Hegemonia e o país deles permanecessem amistosas.
Contudo, era provável que essas relações não se perdurassem amistosas por muito tempo.
Pois, ao contrário do que os Irmãos Wright pensavam, o Império Russo estava longe de constituir a maior preocupação da Hegemonia.
Era provável que os generais prussianos do Alto-Comando tivessem razão: a Rússia Europeia poderia ser conquistada com relativa facilidade. Há mais de meio século, no ano XLVIII, a Guerra da Crimeia fora prova cabal desse argumento. As tropas do tsar foram trucidadas pelo poder de fogo e mobilidade superiores da artilharia e da infantaria motorizada da Hegemonia. Só que agora já não havia mais otomanos a cooptar e, portanto, motivo algum para a guerra de conquista.

A Rússia possuía muito pouco que os hegemônicos de fato necessitassem ou desejassem. E esse pouco seria obtido através do comércio e das boas relações diplomáticas.

A mesma situação não se aplicava aos Estados Unidos da América. Pouco menos de um século atrás, quando o Império Francês conseguiu enfim pacificar a Península Ibérica, um ou dois anos após a Conquista da Inglaterra, Napoleão I autorizou a partida de forças expedicionárias espanholas e portuguesas rumo às Américas, para debelar os movimentos separatistas que surgiram por lá no período caótico que se seguiu à invasão da Espanha e de Portugal pelo Grand Armée.

Com a supervisão das tropas francesas e da todo-poderosa Armada Imperial, as forças expedicionárias conseguiram cumprir boa parte da tarefa que lhes fora delegada. De fato, a América Central, o Brasil e a América do Sul a leste da Cordilheira dos Andes, foram mantidos pelos ibéricos e acabaram herdados pela Hegemonia Europeia, junto com o Canadá, o Caribe e as Guianas.

Contudo, os Estados Unidos se aproveitaram da diluição excessiva das forças franco-ibéricas Américas adentro para abocanhar o México.

Uma geração mais tarde, num período em que a Hegemonia estava mais preocupada em consolidar as conquistas militares e sociais europeias, os estadunidenses estenderam sua influência política aos territórios ainda independentes que correspondem, grosso modo, ao antigo Vice-Reinado do Peru e à Capitania Geral do Chile.

Nas Américas, ao contrário do que ocorria na Rússia Europeia, os interesses da Hegemonia foram e continuavam sendo lesados.

Por isto, Pierre Bonaparte intuiu, era na América do Sul, nas fraldas dos Andes e nas águas do Pacífico, e não nas estepes russas, que a próxima guerra da Hegemonia eclodiria mais cedo ou mais tarde.

### Força expedicionária brasileira
Cuzco, 28 Frimaire CXXXVI[1]

— *Monsieur Colonel*, permissão para disparar morteiros contra o inimigo. — O Capitão Macedo arfou, sem fôlego, após o curto acelerado

---
[1] 20 de dezembro de 1927.

de uns míseros quinze metros, por dentro do sistema de trincheiras escavado às pressas em torno da fortaleza pré-colombiana.

O oficial-comandante franziu o cenho ante o francês carregado de sotaque do capitão brasileiro, mas não se dignou a lhe dirigir o olhar.

Da fortaleza em frente, o inimigo despejava rajadas intermitentes de metralha contra os soldados hegemônicos entrincheirados, ação ripostada de vez em quando por tiros de fuzil Bismarck Mk. 15.

– Permissão negada. – O coronel continuou o exame da muralha megalítica através do binóculo. Limitou-se a bufar, irritado: – Já me bastam os estragos que vocês me provocaram no Coricancha...

Antônio de Macedo cerrou as pálpebras. Semblante crispado, suor frio, respiração aos haustos.

Era capitão do regimento de artilharia da Divisão de Combate na Selva do Exército Nacional Brasileiro, normalmente aquartelado na Amazônia Ocidental e rebatizado há pouco mais de um mês pelo Alto-Comando Sul-Americano como "VIII Corpo do Exército Hegemônico da América".

Ninguém mais nesse VIII Corpo duvidava em sã consciência que o Coronel Jean-Baptiste du Motier fosse um apaixonado pela arqueologia.

Tampouco que o oficial-comandante dava mais valor às ruínas incas do entorno de Cuzco do que às vidas de seus homens.

Arqueólogo amador de certo renome em alguns círculos da *intelligentsia* europeia, du Motier recebera com alegria inaudita a missão principal de conquistar Cuzco e a secundária de preservar a todo custo os tesouros do passado incaico e colonial da cidade.

Compreensivelmente, mal desembarcou na antiga capital do Tahuantisuyu, os objetivos principal e secundário se inverteram em seu espírito.

Todavia, que culpa tivera aquele grupo entusiasmado de irregulares hegemônicos – constituído em sua maioria por índios Aimará, comandados por um tenente brasileiro – se os remanescentes do batalhão peruano que estivera estacionado em Cuzco cometera a imprudência de se abrigar no Coricancha?

Além disso, Macedo não entendia o porquê de tamanha indignação.

Pelo que ouvira à boca pequena de um major, escocês do Corpo de Engenheiros, a estrutura de pedras perfeitamente justapostas, erigida pelos incas há mais de quatro séculos, não fora abalada pela explosão da granada, não obstante o desabamento de uma parede levantada pelos conquistadores espanhóis sobre a construção inca original...
"*Sacré Bleu*! Não o Coricancha!" – O escocês teria ouvido o Coronel du Motier bradar, quase aos prantos, ao tenente satisfeito que comunicara a obliteração de um dos últimos focos de resistência à ocupação hegemônica. – "Seu pedaço-de-asno! Acaso imagina a importância do Coricancha no estudo das civilizações andinas? É como se houvéssemos detonado um petardo dentro da Capela Sistina. Pois é isto que o Coricancha representa: vocês quase destruíram o Vaticano do Império Inca!"

Portanto, o infeliz tenente que comandara o assalto ao Coricancha, ao invés da condecoração merecida, recebera uma reprimenda severa, ditada por um du Motier acometido por tremores coléricos. De nada adiantou as testemunhas do inquérito sumário asseverarem que o tenente havia cumprido à risca as determinações do coronel, ao detalhar que não se devia empregar explosivos e tampouco armamento pesado no ataque.

Quanto ao irregular Aimará empolgado que ousara arremessar a granada sem ordens para tanto, Macedo ouviu dizer que o coitado fugira apavorado, ao saber do estado de nervos do oficial-comandante.

– Mas, *Colonel*, ao que sabemos... esses soldados aquartelados em Sacsayhuaman constituem... com toda a probabilidade... o último baluarte do Exército Peruano. – Macedo sugou ar para os pulmões com esforço audível. Suava frio e sentia-se tonto, com a falta de oxigênio. Não devia ter corrido... – O último foco de resistência... Não apenas em Cuzco. Mas... em toda a Cordilheira dos Andes...

Jean-Baptiste afastou os olhos do binóculo, fitando o capitão brasileiro pela primeira vez.

Os disparos das metralhas inimigas haviam cessado quase por completo.

– Problemas com a altitude, Capitão? Há quanto tempo chegou a Cuzco?

– Cheguei ontem à tarde, *Monsieur Colonel*.

O oficial-comandante sacudiu a cabeça, desalentado. Segundo lhe constava, antes da eclosão do conflito, a D.C.S. estivera sediada em Manaus.

Passado um mês do início das hostilidades, sob forte pressão de Paris por avanços concretos, o Alto-Comando Regional da Hegemonia afinal concluiu que dessa vez não se tratava de mais uma escaramuça fronteiriça com a *República del Gran Perú*.

Ante as ordens ríspidas do Alto-Comando Global, irradiadas direto de Versailles, determinando que o Exército Hegemônico da América "escalasse a cordilheira e prosseguisse rumo ao Pacífico", os generais sul-americanos – quase todos brasileiros ou argentinos, mas com boa dose de suporte estratégico e logístico europeu – decidiram avançar o recém-criado VIII Corpo para Santa Cruz de la Sierra.

Somente há coisa de três dias, com o controle de praticamente toda a região andina assegurado, o Alto-Comando Regional determinara que o VIII Corpo, já então cognominado "Força Expedicionária Brasileira" – tal era o número dos nacionais daquele país – fosse deslocado para Cuzco a bordo dos grandes aviões de transporte da Força Aérea Hegemônica. De lá desceriam pelas encostas ocidentais dos Andes, varrendo tudo à sua frente, até avistarem o azul do Pacífico.

Antônio de Macedo sentiu um arrepio ao se lembrar daquelas que haviam sido definitivamente as seis piores horas de sua vida. Preso com duas centenas de companheiros a bordo daquela lata voadora; daquele esquife penumbral barulhento, com suas quatro turboélices parrudas a urrar sobre as neves eternas dos desolados picos andinos.

Não obstante o sobretudo do uniforme de inverno, mandado vir às pressas da Argentina, em plena madrugada andina, Macedo tremia de frio e cansaço. Ainda assim, concluiu que era seu dever insistir:

– Não conseguiremos desalojar o inimigo... da fortaleza apenas com fuzis e metralhadoras.

– Não é preciso comprometer Sacsayhuaman para derrotá-los. Os peruanos estão cercados. Não tem para onde fugir. Basta um pouco de paciência, e a fome fará o resto.

— Mas, monsieur, não sabemos o quanto de milho e batata o inimigo logrou... armazenar nos paióis da fortaleza. Por que não me deixa disparar alguns... morteiros sobre as cabeças deles? Asseguro que a muralha resistirá às explosões... e o inimigo não tardará a erguer a bandeira branca.

— Negativo. Não pretendo assumir riscos de perturbar a estabilidade da estrutura.

Extenuado, o brasileiro teve uma ideia espúria. Pura loucura, é lógico. Teve certeza absoluta de que o coronel descartaria a sugestão com um de seus risinhos sarcásticos. Macedo nem esperava outra coisa. Contudo, quem sabe não conseguiria demover o superior da inação através dessa aplicação canhestra da técnica da redução ao absurdo?

Ademais, mesmo que a tentativa malograsse, o desespero e o torpor fizeram-no expelir o desatino de qualquer modo:

— E se empregássemos as novas granadas de fosgênio?

Jean-Baptiste du Motier fitou o subalterno de soslaio. Franziu a testa em silêncio concentrado, cofiou o cavanhaque e então, finalmente, declarou:

— Sua ideia encerra certo mérito, Capitão Macedo. Decerto as granadas de gás não irão arruinar a fortaleza inca. Pois muito bem. Autorizo o emprego da nova arma.

Incrédulo, o brasileiro fitou seu oficial-comandante, abrindo a boca, sem conseguir externar o espanto em palavras. Jamais julgara que o francês fosse de fato aceitar a sugestão. No fundo, só proferiu tal asneira na esperança vã de demonstrar ao outro o ridículo de não empregarem morteiros e canhões.

Atordoado e sem alternativa, prestou continência.

— Sim, senhor. Granadas de fosgênio... Cuidarei disso pessoalmente.

Contrariado, fez meia-volta e se dirigiu às baterias de artilharia que comandava.

As granadas de gás foram lançadas.

Du Motier sentiu-se exultante. O inimigo fora vencido e a fortaleza permaneceu incólume.

Não houve, é lógico, necessidade de qualquer cerimônia de rendição formal.

Porque todos os 158 soldados peruanos que guarneciam Sacsayhuaman jaziam mortos no interior das muralhas, caídos entre as mesmas colunas e degraus megalíticos, entre os quais seus antepassados haviam tentado resistir inutilmente às forças invasoras de Pizarro.

Seis dias mais tarde, a Força Expedicionária Brasileira iniciava a descida dos contrafortes andinos, rumo ao Oceano Pacífico.

Uma semana depois do Massacre de Sacsayhuaman, as notícias do emprego do fosgênio atingiram as metrópoles europeias e estadunidenses, causando pesar e indignação em ambos os lados do Atlântico.

### PACÍFICO, COSTA PERUANA, 24 NIVÔSE CXXXVI[1]

Por vezes Louis Bonaparte ainda se espantava com o tamanho do *Villeneuve*.

Recordou-se do que costumava repetir para si mesmo, a cada visita ao arsenal de Brest, na época em que fiscalizara a construção do colosso:

– Um navio para abrigar aviões!

O primeiro protótipo. Não apenas uma nova classe de vaso de guerra, mas um tipo de navio inteiramente novo, o conceito revolucionário de um aeródromo flutuante!

Dentro de seu casco volumoso, esta vasta caverna de aço naval recoberta por uma pista com pouco mais de 200 metros de comprimento, o navio abrigava em seu bojo 50 aeronaves de asa fixa, dentre caças ágeis e versáteis, como os Blériots; e bombardeiros de longo alcance, os temíveis Lilienthals; além das vinte aeronaves de asa móvel, os elegantes *hélicoptères* da classe Cayley, fabricados na Inglaterra. Armas letais, todas elas. Armas que o único *porte-avions* do mundo era capaz de conduzir em segurança até o teatro de operações onde atuariam contra alvos inimigos.

Louis não nutria ilusões. O fato de ter sido o melhor aluno de sua turma na Academia Naval de Le Havre, bem como o de possuir

---
[1] 15 de janeiro de 1928.

uma folha de serviço impecável na Armada Hegemônica, não pesaram quase nada para a conquista do posto cobiçado de gerente do projeto de construção do *Villeneuve*.

A escolha de seu nome deveu-se a uma *coincidência*. A coincidência de ser primo de primeiro grau do napoleão Jean-François Bonaparte e sobrinho do grande Pierre Bonaparte.

Nada mais natural que o *Amiralat* escolhesse por decisão unânime o ex-gerente do projeto como primeiro comandante da belonave, assim que ela concluiu suas provas-de-mar e foi incorporada à Armada com flâmula de capitânia.

Logo após a alvorada, a Força-Tarefa recebera um comunicado via rádio com a boa nova de que o Chile capitulara ante o avanço irresistível das forças do IX Corpo do Exército.

Sem o apoio das tropas estadunidenses, impedidas de desembarcar graças ao efetivo bloqueio naval hegemônico implementado ao longo de frimaire, os chilenos não tiveram como evitar a invasão maciça da Força Expedicionária Argentina, que desabou sobre eles com o ímpeto de uma avalanche nos contrafortes ocidentais dos Andes. O país caíra na terceira semana de uma intensa *blitzkrieg*.

Apesar de esperada, a notícia foi comemorada com um brinde especial de *champagne* no desjejum das tripulações da maioria dos navios.

Agora chegara a vez do Gran Perú. Informes do Comando do VIII Corpo asseveraram que todo o país já se encontrava sob controle da autoridade militar hegemônica, exceto por dois últimos bolsões de resistência em Lima e Quito.

Embora as duas cidades estivessem sitiadas por terra, as forças expedicionárias não fizeram progressos notáveis na última semana. Cabia à Armada, portanto, resolver o impasse.

Não que a Força-Tarefa do Pacífico houvesse permanecido inativa até então.

Muito ao contrário.

Além do bloqueio naval ao Chile e ao Gran Perú, ocorreram vários entrechoques com a frota estadunidense enviada para proteger os transportes, a bordo dos quais vieram as tropas yankees que deveriam reforçar as posições defensivas do inimigo.

O maior desses engajamentos navais se dera na Batalha das Galápagos.

Submarinos hegemônicos destacados na F.T.P. torpedearam o encouraçado *Invincible*, cujo naufrágio constituiu sério golpe no orgulho naval estadunidense. Três contratorpedeiros mandados à caça dos submarinos foram postos fora de combate por ataques aéreos dos mortíferos Blériots, lançados a partir do *Villeneuve*. A fragata *Thomas Jefferson* fora seriamente avariada no confronto com o cruzador *Jean Jacques Rousseau* e o contratorpedeiro *Talleyrand*, ambos pertencentes à escolta da capitânia. Os canhões Krupp 13,5" do *Rousseau* e os Vickers 15" do encouraçado *Révolution* puseram a pique um transporte de tropas, duas outras fragatas e um contratorpedeiro estadunidenses, além de três corvetas da Marinha Peruana. Tais vitórias navais, mais do que qualquer êxito auferido em terra, abateram o ânimo da Coalizão do Pacífico.

Desprovida de reconhecimento aéreo e ignorante das técnicas de deteção por radar e sonar, a Primeira Frota Ocidental tornara-se presa fácil da F.T.P. Exatamente como os estrategos hegemônicos haviam planejado.

Galápagos constituiu a última tentativa séria dos estadunidenses de romper o bloqueio imposto pela Hegemonia, a fim de desembarcar os reforços tão ansiados por seus aliados peruanos e chilenos.

Dado o impasse em Lima, chegara a hora de empregar a aviação naval da Esquadra. Desta feita, contra as posições da artilharia costeira e as estações de comando situadas na capital peruana.

— Os Lilienthals estão prontos no hangar, *Monsieur Amiral*. — O imediato do *Villeneuve* comunicou, após pousar o auscultador do interfone no gancho preso à antepara da *ilha*, estrutura algo semelhante a uma torre de controle de aeródromo, sítio que, no *porte-avions*, fazia as vezes de passadiço, pois era o posto de combate guarnecido pelo comandante.

— Excelente, Monsieur Dönitz. Prossiga com a elevação das aeronaves.

— Afirmativo, *mon Amiral*.

Quinze dos dezoito bombardeiros subiram dois a dois, um pelo elevador de vante, outro pelo instalado à ré da embarcação. Seguindo a diretiva do almirante, o imediato prussiano manteve três aeronaves de reserva.

Com quatro potentes motores turboélices, o Lilienthal era o maior avião embarcado da Hegemonia. A experiência já demonstrara que não valia a pena apinhar mais de seis unidades no convés de voo. Afinal, não havia propósito em ocupar parcela demasiada do precioso espaço necessário às manobras de decolagem. Porque, de uma hora para outra, podia tornar-se necessário lançar Blériots para fustigar belonaves da frota estadunidense avistadas pelos voos de reconhecimento dos Cayleys.

Portanto, os quinze bombardeiros foram divididos em três pequenas esquadrilhas de cinco unidades.

Com o entusiasmo de um *enseigne*, o Almirante Bonaparte assistiu a decolagem das aeronaves da primeira esquadrilha não do topo da ilha, mas do próprio convés de voo.

Munido de óculos escuros espelhados e protetores auditivos, extasiado com o ronco estrondoso dos motores dos Lilienthals, Bonaparte não percebeu de pronto a aproximação do chefe de comunicações.

Intimidado, o capitão-tenente inglês aguardou quase um minuto antes de ousar atrair a atenção do comandante-em-chefe da F.T.P. Enfim, tocou timidamente o cotovelo do almirante.

– Excelência, a estação-rádio acabou de receber uma mensagem telegráfica cifrada.

– Prossiga.

– A mensagem proveio do Alto-Comando Global, sendo retransmitida direto para o ComemCh, por ordem do Alto-Comando Regional.

– Procedeu à decifração pessoalmente?

– Afirmativo, Excelência. Permaneci os últimos vinte minutos trancado sozinho no camarim de cifras.

– Deixe-me ver isto.

**DATA:**     **24 NIV CXXXVI**

**DE:**     MARECHAL-DO-AR MARCEL LEÓN BONAPARTE
          CENTRAL DE INFORMAÇÕES DO ESTADO-MAIOR DA DEFESA HEGEMÔNICA

QUARTEL-GENERAL GLOBAL
VERSAILLES, DEPARTAMENTO DA FRANÇA

PARA: CONTRA-ALMIRANTE LOUIS BONAPARTE
COMEMCH DA FORÇA-TAREFA DO PACÍFICO
N.A.H.E. *VILLENEUVE*, COSTA DO PACÍFICO SUL.

CÓPIA: VICE-ALMIRANTE WINSTON L.S. CHURCHILL
COMANDANTE DA ARMADA HEGEMÔNICA
COMANDO GERAL DA ARMADA
ROTTERDAM, DEPARTAMENTO DA HOLANDA

ASSUNTO: FALECIMENTO DE HERÓI DA AVIAÇÃO.

FALECEU ONTEM, 23 NIV CXXXVI, AOS 54 ANOS, ACOMETIDO POR ATAQUE CARDÍACO FULMINANTE, O PIONEIRO DA AVIAÇÃO HEGEMÔNICA ALBERTO SANTOS DUMONT.

O ÓBITO DEU-SE NO SOLAR DUMONT, EM CHAMPS-ELYSÉES, APÓS O DESJEJUM, QUANDO MONSIEUR DUMONT RECEBEU A NOTÍCIA DO ÊXITO ESTRONDOSO DO BOMBARDEIO AÉREO EMPREENDIDO PELA HEGEMONIA CONTRA ALVOS ESTRATÉGICOS ESPECÍFICOS NA CIDADE GRAN-PERUANA DE QUITO.

ARREBATADO POR SÚBITA EUFORIA ANTE A NOTÍCIA DA CAPITULAÇÃO IMINENTE DE QUITO, EM VIRTUDE DO SUCESSO DAS MISSÕES DE BOMBARDEIO, COM A SAÚDE HÁ MUITO FRAGILIZADA, O INVENTOR NÃO RESISTIU À EMOÇÃO E SUCUMBIU, DEIXANDO INCONSOLÁVEIS SEUS AMIGOS MAIS CHEGADOS E O PRIMO PEDRO DUMONT, QUE RESIDIA CONSIGO EM CHAMPS-ELYSÉES.

RECOMENDA-SE MÁXIMA CAUTELA NA DIVULGAÇÃO DO FALECIMENTO DO PATRONO DA AVIAÇÃO HEGEMÔNICA, A FIM DE SE EVITAR ABALO CONSIDERÁVEL AO MORAL DOS TRIPULANTES A BORDO DA F.T.P. E, SOBRETUDO, DOS PILOTOS E EQUIPES TÉCNICAS DE NOSSA AVIAÇÃO EMBARCADA.

Post scriptium (código pessoal do Almirante Bonaparte):
CARO SOBRINHO:
O TEXTO ACIMA EXPRESSA EM SUA INTEIREZA A VERSÃO OFICIAL

do passamento de Monsieur Dumont, a ser divulgada pelos jornais e pelas rádios a partir de amanhã.

Em verdade, "Apenas para seus olhos", Dumont cometeu suicídio ao tomar conhecimento do elevado número de vítimas civis nos bombardeios de Quito, iniciados na semana passada. A tragédia não causou espanto a posteriori, tendo em vista que Dumont vinha sofrendo de forte depressão nos últimos tempos e se revelou, desde o começo, um crítico severo do emprego de aeronaves para bombardeios a alvos civis.

Em reunião fechada do Alto-Comando Global, com a presença do ministro da Defesa, Douglas Haig, e do próprio Hegemon, decidiu-se pela manutenção de sigilo absoluto quanto à causa mortis de le Petit Santos.

Ao final da reunião, Jean-François declarou que a questão deve receber o tratamento de segredo de Estado, ao menos até o fim da presente conflagração.

O humor do ComemCh deteriorava-se a olhos vistos, à medida que lia a mensagem.

Se para a pátria, Santos Dumont era o patrono idolatrado da aeronáutica hegemônica, para Louis Bonaparte o franco-brasileiro fora sempre um bom amigo e grande incentivador, desde o advento da aviação naval.

Seu desânimo não amainou sequer ao fim da tarde, quando receberam a notícia da capitulação do governo gran-peruano.

Ninguém soube explicar ao certo como o boato nefando se espalhou pela capital peruana.

O fato é que, poucas horas após o início do bombardeio aéreo, propalou-se o rumor de que os aviões da Esquadra estariam prestes a encetar ataques com cápsulas de fosgênio.

Atemorizada, a população civil correu para as ruas e clamou aos dirigentes pela rendição incondicional, exigida pelo Alto-Comando inimigo. Em pânico ante a maré humana de pais de semblantes esgazeados com filhos nos braços e mães a bradar em desespero, os governantes remanescentes não tardaram a ceder ao apelo popular.

Por volta de CXXXVI, a Hegemonia Europeia conseguiu consolidar definitivamente as conquistas militares a oeste dos Andes. Em represália, os Estados Unidos invadiram o Canadá em CXXXVII.

Mais populosas e mais próximas da Europa, as províncias de Terra Nova, Québec, Nova Escócia e Ontário conseguiram resistir à invasão com o auxílio de forças expedicionárias enviadas às pressas de França, da Inglaterra, da Prússia e de Espanha. Em Toronto e Montréal, canadenses e expedicionários infligiram graves derrotas aos exércitos invasores.

Por outro lado, os estadunidenses lograram conquistar as províncias do oeste e do norte do Canadá, inclusive a próspera Colúmbia Hegemônica, que corresponde hoje ao estado norte-americano de Colúmbia.

Para a posteridade histórica, a Primeira Guerra Transamericana foi um conflito sem vencedores. Se por um lado, a Hegemonia Europeia tornou-se senhora absoluta da América do Sul, por outro, os Estados Unidos conquistaram territórios importantes no oeste do Canadá e obtiveram a almejada ligação por terra com o Alaska, incorporando milhões de quilômetros quadrados ao longo de suas fronteiras setentrionais.

As divergências políticas, contudo, persistiram por toda a primeira metade do século XX.

Na ausência de um vencedor claro, ambas as potências engajaram-se numa corrida armamentista sem precedentes que, em última análise, levaria à eclosão da Guerra Mundial de CLVIII.

# AO PERDEDOR, AS BARATAS
Antonio Luiz M. C. Costa

## Pauliceia desvairada

UM DIA DE MANAUS sufocante, uma noite desconfortável de voo. Piratininga. Menos mal. Robbert Rip saiu do hidroaeroporto de Guarapiranga e subiu à estação por uma rampa curva de concreto, arrastando parte de uma arma secreta na mala e carregando uma enxaqueca e um plano desesperado por trás dos óculos escuros. O monotrilho estava menos cheio que o costume. Sentou-se à janela, pôs a cartola sobre as pernas e a mala preciosa no assento ao lado. Não precisou exercitar sua paciência ante a invasão de sua privacidade por algum nativo de pele escura e gestos largos, disposto a puxar conversa quando ele menos desejava.

Ouviu o sinal da partida e logo o rio Jurubatuba, navegado por um barco de turismo impulsionado a rotores de vento, brilhava dourado à luz do nascente e incomodava seus olhos, piorando o mal-estar. Olhou para o outro lado: sobre a Serra do Mar, giravam enormes pás metálicas de moinhos de vento da estatal de energia elétrica e se viam reflexos de painéis solares.

O monotrilho ganhou velocidade, zunindo suave em direção ao centro. Menos mal. O novo ângulo o poupou de mais reflexos. Agora se alternavam fábricas, conjuntos residenciais, escolas, formas curvas que lembravam ocas indígenas de concreto e vidro em meio a bosques, várzeas e córregos. Pessoas iam e vinham a pé, de bicicletas ou esperavam nos pontos dos coletivos. A cada poucos minutos soava uma campainha e o maquinista recitava o nome da próxima estação, interrompendo o maxixe transmitido aos alto-falantes pela

"Rádio Tupiniquim, a voz de Piratininga para todo o Brasil", ou "Tupinakyîa Nhe'embebé, Piratininga nhe'enga Byrasira gûetependûara supé.", pois nessa, como na maioria das rádios, o locutor seguia o costume desconcertante de alternar português e tupi.

Mesmo com a cabeça latejando, o segundo-secretário da embaixada da Colômbia do Norte no Brasil sentia falta da língua holandesa, do ronco dos motores, do rumor intenso e constante, do som do progresso e da pujança de Nova Amsterdã. Em Piratininga, os veículos elétricos e as máquinas de funcionamento suave lhe davam nos nervos. Sentia-se num filme mudo cuja tela gostaria de rasgar, num mundo paralelo que não devia existir.

Ainda assim, usar o transporte público era escolha sua. Poderia ter convocado a limusine e a segurança do consulado, mas preferira evitar chamar a atenção, tanto na partida quanto na chegada. Sempre poderia surgir um jornalista curioso para fazer perguntas incômodas. Ademais, o monotrilho era muito mais rápido. Fazia o caminho em pontuais trinta e cinco minutos, metade do que um automóvel precisaria para abrir caminho nas ruas estreitas, tortuosas e atulhadas de veículos lentos daqueles bairros industriais dos trópicos. Bem ao contrário das avenidas largas e retas de sua terra.

## Metrópolis

O locutor da rádio interrompeu a programação musical e lembrou às senhoras e senhores ouvintes que o debate entre os candidatos presidenciais Lima e Silva e Cosme Bento estava marcado para domingo à noite na mesma frequência, a inigualável Tupiniquim 600.

Lembrou-se de quando Stephanus Stijn o convocou à sala, num dos mais altos dos 102 andares do recém-inaugurado Keizerrijk Provincie Gebouw. Como sempre, recebeu-o com aquela expressão que fazia qualquer empregado perguntar se seria demitido e sair muito grato por receber outra missão suja, perigosa e mal paga. Surpresa: era uma espécie de promoção.

Sem desfazer a careta, o velho S.S. coçou as suíças brancas, ajeitou o pincenê e pigarreou.

— Antes de mais nada, Rip, isto é absolutamente secreto, mesmo para a diretoria. É sobre a próxima eleição no Brasil. Há alguns anos, eu mesmo não teria me importado com qual ala dos socialistas venceria lá. Pior para eles se elegessem os radicais. Suas tolices desorganizariam a economia, fariam fugir os homens de negócios e diminuiriam sua concorrência internacional. Mas você viu como cresceu a agitação sindical por aqui desde que o Partido Quilombola quase ganhou – olhou o chefe regional, à espera de algum comentário.

– Não foi tão ruim – arriscou Robbert. – Proporcionou-nos muitas oportunidades de negócios. Fomos contratados para esmagar a greve dos ferroviários da Noordwest, colocar agentes dentro da sociedade secreta do sindicato dos mineiros da Sylvania...

– Sim! Nossos lucros têm sido... – S.S. conteve o sorriso. – ... satisfatórios. Mas é preciso ter um pouco mais de visão, rapaz, ver além do próximo balancete. Lucros nunca são demais, mas há um ponto ótimo para essa movimentação, um ponto de equilíbrio além do qual ela pode significar prejuízo. Imagine se isso cresce a ponto de nossos clientes exigirem a intervenção do Exército? Nós e todo o ramo de segurança privada sofreríamos com isso. Ou, pior ainda, se os Estados-Gerais cedessem às exigências eleitorais e trabalhistas dos sindicatos, hem?

– É impossível! – Exclamou o mais jovem.

– Não esteja tão certo, rapaz, eu vivi o suficiente para ver como as coisas podem virar de pernas para o ar, da noite para o dia. Quando tinha sua idade, vi cair o Império Luso-Brasileiro, onde o sol nunca se punha. Vi uma malta de indígenas e negros escorraçarem o soberano mais poderoso de todos os tempos, vi cabeças coroadas rolarem em Paris e Moscou, vi negros da África e Índia desmantelarem séculos de empreendimentos coloniais. A Comunidade Holandesa, graças a Deus, sobreviveu, mas não foi nada bom para os negócios. Outra rodada de revoluções é um risco muito alto. O Grande Pensionário concorda. – Fez outra pausa, esperando a reação do empregado.

– Van Buren? Esteve com ele?

– Ele me convidou e ontem jantamos e conversamos, junto com alguns outros conselheiros. Marten acredita que os quilombolas caminham para uma vitória e nesse caso ficará muito difícil conter os nossos radicais. A menos que se possa fazer algo para impedi-los. Claro que ofereci ao Conselho de Estado os serviços da Agência de Detetives Internacionais S.S. van Duinen. Nosso preço será bem alto, mas estão dispostos a pagar. Penso que você tem o perfil mais adequado para coordenar essa operação. A missão é sua, se a aceitar.

— Estou muito honrado...

— Então, assine o pedido de demissão — Tirou o papel da gaveta.

— Como assim? — Quase caiu da cadeira, atordoado.

— Pura formalidade. Na prática, continuará nosso, recebendo o dobro, mais um bônus especial de sucesso, tudo depositado em uma conta secreta, da qual só você terá o código. Van Buren o nomeará para algum cargo discreto no corpo diplomático, do qual dirigirá nossas operações pelos próximos anos. E sim, receberá também vencimentos do governo, mas verá como são menos generosos que nós. Há um incômodo, será preciso se divorciar. Não há como confiar em uma esposa numa situação destas, vai atrapalhá-lo e fará perguntas indiscretas. Nossos advogados cuidarão disso e a Agência pagará a pensão, assim como todas as outras despesas... se depois de terminar a missão, decidir voltar para ela, isso é com você. Mas terá dinheiro para conseguir uma mulher da alta sociedade, muito mais jovem e bonita, se preferir.

Hesitou entre a família e o futuro da pátria e da civilização. O valor do bônus de sucesso foi o fiel da balança. Era irrecusável, uma oportunidade dessas que só aparecem uma vez na vida e completaria sua ascensão vitoriosa da miséria caipira das montanhas Kaatskil a alguma mansão bem elegante em Nieuw Haarlem.

## Os instintos e suas vicissitudes

O cargo dava a Robbert liberdade de movimento e imunidade diplomática sem chamar a atenção. Podia dedicar-se à inteligência em tempo integral. Sua experiência o ajudou a construir logo uma rede de agentes e informantes. Era preciso voar por todo o Brasil para ouvi-los e instruí-los, mas não tinha de participar pessoalmente das investigações. Nem convinha, pois a estatura imponente e a aparência estrangeira o tornavam muito fácil de identificar.

Melhor assim: não acreditava em disfarces complicados e se sentiria ainda mais fora de lugar com as túnicas indígenas, abadás africanos, ou as camisas e calças largas na moda por ali. Preferia apresentar-se como um circunspecto diplomata do Norte. Mesmo que o traje fosse desconfortável nos dias quentes e as cartolas tivessem uma irritante propensão a voar ao vento a cada uma das inúmeras rampas, passarelas e viadutos daquela cidade desvairada que, por suas facilidades de transportes e comunicações e pelas numerosas colônias de estrangeiros, era uma base mais adequada para os seus fins que Brasília.

Ouviu o anúncio da estação Museu de Arte de Piratininga. Levantou-se, puxou a mala com seu temível conteúdo e saiu. Ao lado da estação, o museu e araucárias de até cinquenta metros brotavam da selva espessa e úmida que ainda cobria parte do espigão central do Caaguaçu. Há quarenta anos, a grande avenida em seu topo era a mais elegante do Império, ladeada só por palacetes de barões, viscondes, condes e marqueses. Eram do jeito da mansão que Robbert planejava comprar quando terminasse a missão, com belíssimos jardins.

Alguns herdeiros dos proprietários originais, os que aderiram à República a tempo, ainda moravam por lá, mas como meros cidadãos com risco de terem desapropriadas suas últimas grandes propriedades. Os que lutaram contra a Revolução Republicana fugiram e foram expropriados. Outros empobreceram e venderam os casarões. Alguns derrubados para abrir espaço a museus, escolas, centros comerciais, cinemas, escritórios e apartamentos, outros adaptados. Era o caso do antigo palacete do Marquês de Itu, agora Consulado Geral das Províncias Unidas da Colômbia do Norte, a uma quadra da estação.

Robbert desceu a rampa, exposta ao ar livre e ao sol quente. Ao parar e enxugar o suor da testa, a cartola o traiu com um pé-de-vento maroto. Olhou-a, desanimado, voar e se prender aos galhos mais altos de uma árvore, enquanto um grupo de crianças de uniforme apontava e ria. Deu de ombros e prosseguiu. Quando já ia chegar, um negrinho o alcançou:

— Tio, seu chapéu! Subi na árvore e peguei para o senhor!
— Hum... obrigado – aborreceu-se com a familiaridade, mas aceitou

a cartola amassada. Procurou no bolso uma moeda, mas o moleque deu-lhe as costas e correu para os colegas.

O porteiro o cumprimentou, Robbert entrou. A secretária pagava o rapaz das traduções, que pela aparência – pele morena, longos cabelos negros e revoltos, bigode, barba incipiente que custava a crescer – ele apelidava *De Moor*, "o Mouro", embora fosse filho de um casal holandês. Nascido naquela cidade, podia passar por brasileiro sem dificuldades, mas falava tão bem o holandês quanto o português e o tupi. Ele e a namorada reforçavam a mesada com serviços de tradução a consulados.

Valia a pena conversar com ele que, sem saber, era um informante barato e valioso. Calouro de filosofia na Universidade de Piratininga e presidente de grêmio apaixonado por política, era um ótimo sismógrafo para acompanhar as repercussões dos acontecimentos na juventude.

– *Goedemorgen, Meneer! Hoe gaat het?* – saudou o Mouro, entusiasmado – Soube que o Marechal decidiu apoiar Cosme Bento?

Sabia. A notícia correra o país na noite anterior. Na escala em Brasília, ouviu comentários dos passageiros que embarcavam e mal dormiu o resto da viagem. Complicava ainda mais a missão. Em sua opinião, o Marechal Xavier estava gagá e há muito devia estar internado num asilo, mas o prestígio do fundador da República pesava na balança, mesmo com a presidenta Maria Quitéria e os ex-presidentes José Artigas e Cipriano Barata ao lado de Lima e Silva. Era o tipo de coisa sobre a qual valia a pena conversar com o rapaz, mas não agora. Cansado, queria um banho e esticar-se numa cama para um cochilo antes de voltar à luta.

– *Hoi, Moor!* Desculpe-me, mas acabo de passar uma noite inteira num hidravião e não dormi bem. Preciso descansar, mas podemos virar algumas cervejas sobre o assunto à noite.

– Hoje não, vou sair com a Nana. Mas teremos tempo amanhã. E pode se preparar, quando chegar o dia, vou cobrar a aposta! – Piscou e saiu, com o dinheiro da última tradução no bolso.

Robbert suspirou. O rapaz apostara com ele um cruzeiro na vitória de Cosme Bento. Cinco *daalders*. Se fizesse ideia de quanto mais estava em jogo para o segundo-secretário...

Sono agitado, com a mala pesada e seu segredo debaixo da cama.

Por alguma razão, Robbert sonhou com o Mouro e a Nana, filha de um *von* qualquer coisa, um professor alemão que fugira para o Brasil quando a revolução desandou na Prússia. Mas de repente os cabelos curtos e negros de Nana alouraram, criaram tranças e ela virou Jenny, a ex-esposa abandonada em Nova Amsterdã com dois filhos pequenos. Estava jovem e nua, linda e virgem como em sua noite de núpcias e beijava com paixão o Mouro, que ria do marido traído enquanto acariciava as partes íntimas da esposa nua. Robbert sofria como no quarto círculo de Dante e nada ousava dizer, de alguma maneira sabia que se protestasse, S.S. não lhe daria seus *daalders*.

O chão se desfez em um mar de baratas asquerosas no qual se afundava e afogava, que entravam por sua boca, orelhas e ânus enquanto ele berrava em desespero. E então ele era devorado por dentro e por fora e não era mais que um mar de baratas a se agitar na baba pegajosa que escorria da malcheirosa putrefação de um mundo corrompido.

Acordou suado, com o coração disparado.

## Paranoia ou mistificação

Trancou a mala no armário com um cuidado especial e foi à inauguração da sala de projeções da Nhe'embebé Taba, a Cidade do Rádio uma vasta casa de espetáculos entre as sedes das rádios Calunga e Tupiniquim e suas respectivas antenas. Ficava a menos de sete quadras do consulado, mas Robbert acompanhou o cônsul Eduard van Rolmops, que ansiava por qualquer oportunidade de exibir a prosperidade e o progresso da Colômbia do Norte sob forma da tonitruante limusine a diesel do consulado, uma Spijker V8, com motorista de luvas, quepe e uniforme. Ao chegarem, o grande saguão de espera ainda estava quase vazio. O cônsul e a esposa encontraram seus pares dos Países Baixos e puseram-se a falar de filhos e parentes. O olhar entediado do segundo-secretário vagueou distraído pelo ambiente até se chocar contra o mural de vinte metros, enquadrado por uma arquitetura de concreto, vidro e alumínio.

Em fortes pinceladas de cores vivas, uma estilização selvagem aludia às revoluções da virada do século. Ou mais que isso? De um lado, mais brilhante, gente, na maioria de pele escura, rompia correntes, marchava, festejava, conversava entre estátuas decapitadas de reis e deuses. Entre eles, reconhecia próceres revolucionários: o marechal Xavier, a icamiaba Guataçara, o almirante Sandokan, o indiano Chinnamalai, a guineense Asantehama. Do outro, mais sombrio, uma estátua intacta de um deus ainda brandia seus relâmpagos. Operários trabalhavam e burgueses se divertiam sob a vigilância de políticos, exércitos, padres e policiais. Algumas dessas figuras arriscavam uma olhada para o outro lado, com esperança ou com preocupação. No meio, um homem e uma mulher jovens, de raça indefinida, apertavam botões e moviam alavancas de uma máquina estranha. No que poderiam ser suas hélices ou as órbitas de um átomo, piscavam astros e palpitavam células vivas. Era como se o casal comandasse o universo e a história. Dois sábios, interessados, examinavam a operação. Um parecia Galileu, o outro, Zambi de Deus, o pai da teoria da evolução.

Um acinte. Insultava seu sentido moral e estético e tudo em que acreditava. Rilhava os dentes quando o abordou um conhecido: Machado Carlindoga, editor do caderno de cultura da *Folha de Piratininga* que sabia ser um admirador da Colômbia do Norte. Menos mal.

— Boa noite, *Meneer*! Digo, *goedenavond*! – Sorriu.

— Igualmente, senhor Carlindoga. Parece que outra vez chego cedo demais.

— Ah, a invejável pontualidade holandesa! – Sorriu. – Para vocês, tempo é dinheiro, o tempo tem o domínio que lhe cabe. Nós presunçosamente o tratamos como um humilde criado, sempre às nossas ordens. O meu, desperdicei-o ao vir cedo entrevistar o Diogo Ribeira. Nosso grosso público leitor quer dignos esclarecimentos sobre seus rumorosos casos de amor e ele, nada! Só quis discorrer sobre seus estudos entre os mexicas de Bonampak e Tenochtitlan que resultaram nesse quadro vivo de nossa máquina social. Que tal lhe parece sua... arte?

— Arte? – Explodiu o diplomata. – Isso é o produto de um cérebro transtornado pela psicose, sem noção de beleza ou proporção! Disso não entendiam os gregos há dois mil e duzentos anos. Quem quer ver arte, que vá a Atenas admirar o friso do Partenon!

— Tem toda a razão, *Meneer*, tirou suas sábias palavras de minha boca! – O rompante animou o jornalista, que sacou a caderneta de taquigrafia e tomou notas. Também chamou a atenção de uma figura conhecida que Robbert não esperava encontrar ali.

– Se bem me lembro, no Partenon se representa a batalha dos deuses contra os gigantes. – O Mouro alegre, gandola branca da moda, braço dado com Nana. – É o que também vemos aqui, só que os titãs estão ganhando... Se quiser apostar em Zeus, ponho um cruzeiro em Prometeu!

Robbert balançou a cabeça, desapontado.

– Ah, caro Mouro, isto não é para se brincar. É o produto do cansaço e do sadismo de um período de decadência, são bárbaros que se divertem a quebrar estátuas e incendiar as ruínas do grande império que conquistaram.

– Isto lhe parece decadência, *Mein Herr?* – O gesto de Nana englobou tudo em volta. – É a maior sala de espetáculos do mundo, tem mais de seis mil assentos. Precisa ver o palco e o auditório, é uma viagem ao futuro! A última palavra em arte e tecnologia...

O entusiasmo juvenil por ideias radicais o divertia no Mouro, mas o irritava nela. Num rapaz se desculpava, era coisa da idade, mas naquela moça era indecente. Culpa de um pai irresponsável. Se fosse digno de seu sangue azul, teria ficado do lado certo, não teria precisado fugir para aquela terra de bárbaros e já a teria casado com um homem de verdade, maduro, rijo, forte, capaz de fazer todas as coisas assustadoras, feias e sujas que as mulheres não conseguem, não podem, não precisam, não devem fazer. Um homem como... como ele.

Nana resumia tudo que lhe parecia impróprio e escandaloso naquele país. Arrastava de vez em quando um sotaque alemão, tinha um nobre *von* no nome, mas cortava o cabelo como rapaz e exibia a curva dos seios e os joelhos com uma túnica curta. Como se fizesse de propósito para chocá-lo tanto quanto possível, ela pintava o rosto com padrões geométricos indígenas que combinavam com os do vestido e sugeriam uma serpente a se enroscar sobre o seu corpo e cabeça. Uma mistura grotesca, obscena, de civilização europeia e selvageria amazônica.

– A tecnologia a serviço dos instintos primitivos. Teatro panfletário, filmes depravados...

– Esta é outra cultura, *Meneer*, outra política e moral – interrompeu o Mouro, enquanto Carlindoga rabiscava, feliz como abelha no mel.
– Nunca quis seguir Calvino...
– É uma pena, pois teriam aprendido a valorizar o trabalho. Com tantas leis trabalhistas e invenções cômodas para fazer a vida mais macia e agradável, ficaram moles. Há quarenta anos, a renda per capita do Brasil era maior que a nossa, hoje é menor...
– Menor quanto? – Perguntou Nana. – Cinco, dez por cento? Mas na Colômbia do Norte se trabalha setenta a oitenta horas por semana e aqui, no máximo quarenta, com salários maiores...
– Ora, *Mevrouw*, é preciso compreender a economia política...
– Estou a par, *Mein Herr*. Minha dissertação de mestrado será uma crítica da economia política de David Ricardo baseada na teoria da troca desigual do professor Clemente Anvérsio, meu orientador. A teoria das vantagens comparativas de Ricardo alega que todos ganham se países de vocação agropecuária como a Inglaterra se especializarem em exportar produtos primários para países industriais como o Brasil, mas...

Robbert não queria discutir aquele tema, até porque pressentia que as frases feitas dos colunistas do *De Tijden van Nieuw-Amsterdam* nos quais consistia toda a sua sabedoria sobre o assunto não a impressionariam tanto quanto ao Carlindoga. Manobrou para fora do assunto.

– Sei, sei... desculpe, foi uma inconveniência minha levantar temas tão áridos em uma ocasião como esta. Que pensam fazer no fim-de-semana? Algum baile em vista?

O Mouro o olhou, intrigado.

– Não. Passamos o último numa pousada de Santos, nadamos, dançamos à beça e tudo o mais, mas neste vamos ouvir o debate e escrever para o jornal do núcleo quilombola da faculdade.

– Ah, sei, o debate.

O "tudo o mais" ficou atravessado no ouvido. Concebeu o inconcebível. O casalzinho de estudantes sequer comprometidos descendo a serra de monotrilho para pularem nus nas ondas, alugar uma cama a uma alcoviteira e fazerem sabe-se lá mais o quê com a anuência dos pais, se é que se davam ao trabalho de pedi-la. No vilarejo onde crescera, o pastor da Igreja Reformada o condenaria às chamas eternas por muito menos. Ou às baratas.

# Memórias sentimentais

O casal, em busca de companhia mais agradável, pediu licença e afastou-se. Robbert voltou a dirigir-se a Carlindoga.

– Se o pintor quisesse impor seu mau gosto à sua casa, seria problema seu. Mas este é um prédio público! Muito me surpreende que os proprietários não mandem cobrir ou retirar esse insulto às forças do comércio que erigiram este complexo e aos visitantes que as representem!

– Ah, *Meneer*, este não é seu país ordeiro e operoso. Este complexo titânico não é obra de uma sociedade comercial sóbria e refinada, mas do plebeísmo das cooperativas associadas das rádios Tupiniquim e Calunga, como o Mutirão Agrícola de Cotia e o Quilombo de Zanzalá. São as massas bárbaras adulando a si mesmas, a sua própria incultura.

– Estou vendo, Carlindoga, estou vendo. Desculpe-me, lembrei-me de que preciso falar com o Serafim, ele está por aqui?

– Sim, entrevistou o diretor do filme e deve estar à espera da sessão de estreia para escrever uma de suas críticas mordazes, a menos que esteja cortejando outra dama.

Teria confirmado a segunda hipótese, se fosse capaz de chamar uma indígena de dama. Mas a moça, semidespida e pintada de maneira ainda mais atrevida que Nana, não correspondia ao interesse de Serafim Miramar. Robbert o chamou e ele o atendeu desconsolado.

– É outra atriz? – Perguntou. – Cuidado, lembre-se da Rolah e da Piaçaguera Filmes... custou-lhe a fortuna, um divórcio e a fazenda da Pindoba.

– Nem fale! – Suspirou Serafim. – Não, Roquira é cineasta e sobrinha do Piqueroby que cacica esta Taba do Rádio. Se fosse mais esperta, daria atenção aos duzentos por cento que seguramente renderia a ideia de roteiro sobre o qual propus conversar depois da sessão. Não vê a viabilidade necessária da proposta! Adorou *O Encouraçado Bornéu* e quer seguir os passos do mestre Itaetê e cinegrafar engajamentos revolucionários.

–Essas mulheres... bem, que diz dessa estreia? Valerá a pena?

– Humor subversivo ao gosto popular.

– Não ficarei para vê-lo, então. Mas lembre-se do nosso trato. Uma boa gravação vale cem.

Deixou Serafim às voltas com *Tempos Modernos* e foi ao bordel da Rua Maranhão, atrás do cemitério. Naqueles momentos, desprezava a si mesmo, mas se não desafogasse os instintos excitados por aquelas selvagens, sua dedicação e raciocínio seriam afetados. Era para melhor cumprir o dever. Escolheu uma morena alta pintada como uma selvagem e lambuzou-se a noite inteira, que se danassem as fogueiras do inferno. Menos mal.

## Inibições, sintomas e angústia

Outrora, Abelardo Aporelli tinha sido o Rei da Vela, um financista temível, mas a eletrificação rural e o crescimento dos bancos estatais tinham reduzido seu império a um feudo periclitante. Devia até as calças ao Stadbank van Nieuw Amsterdam e não foi difícil convencê-lo a colaborar em troca de um amigável respaldo do consulado à reforma de suas promissórias.

Como fizera noutra ocasião com sua ainda apetecível Heloísa, Abelardo entregou a Robbert, com um sorriso amarelo, as chaves do vasto terraço do edifício Aporelli, que já tinha abrigado as noitadas mais suntuosas da cidade, mas há anos estava fechado, por medida de economia. Incluía um palacete de cinco andares com dois anexos, que tinham servido como dependências de empregados e salão de festas.

Com ajuda de Serafim e de um especialista da S. S., Robbert carregou para o terraço no alto do antigo salão a mala pesada que lhe tinha sido levada em Manaus por outro agente da Van Duinen. Eram os componentes críticos, a serem montados com os outros mais simples que trouxera por diferentes vias para compor o equipamento que usaria se tudo o mais desse errado. Parecia ser o caso. O tempo escasseava e os ventos continuavam desfavoráveis.

A primeira coisa que Robbert fez ao voltar foi providenciar para que o engenheiro retornasse imediatamente à Colômbia do Norte. Não tanto pelo risco de que deixasse vazar algo sobre aqueles preparativos quanto por ter visto seu ataque histérico.

No meio do caminho tinha uma barata. Tinha uma barata no meio do caminho. Uma não, mil. Na noite em que chegou ao salão abandonado e acendeu a luz, um mundo de baratas que roíam tapetes e cortinas voaram e correram em todas as direções, em busca de seus refúgios nos guarda-louças e aparadores abandonados. Robbert gritou como um mariquinhas, Serafim e Piet gargalharam. Não havia mais ninguém, *goddank!*, mas não se lembrava de ter passado tanta vergonha desde que se tinha por gente. Nem sempre tinha sido assim. Baratas sempre lhe inspiraram asco, mas nunca uma reação como aquela. Tinham sido um fato desagradável mas inevitável da vida na casa de aldeia onde crescera, nas pensões pobres de Nova Amsterdã onde morara ao chegar à cidade grande e na mansarda que dividira com Jenny ao se casar. Só se livrou delas ao subir a um cargo de chefia na S. S. van Duinen e poder pagar um apartamento amplo, arejado e limpo, com duas empregadas. Tinha se desacostumado da pobreza, talvez.

## A Pedra do reino

Voltou ao consulado, a tempo de receber os cilindros gravados por Serafim e colocá-los em seu superditafone. Tecnicamente, tinha de dar os parabéns aos inventores da S.S. O equipamento de infravermelho registrava à distância as vibrações de uma janela de vidro correspondentes aos sons do interior e na relativa tranquilidade de Piratininga funcionava ainda melhor que em Nova Amsterdã. Mas pouco conseguia tirar dali de útil. Ouvia perfeitamente a voz grossa, inconfundível, de Cosme Bento conversando com amigos e assessores, mas nenhum segredo que pudesse usar contra eles. Podia ouvi-lo, é verdade, sussurrar coisas indecentes à mulher e roncarem como um casal de onças quando estavam a sós e faziam amor.

Passou-lhe pela cabeça enviar aquilo a uma rádio, mas se os ouvintes acreditassem, conseguiria prejudicá-lo? Na Colômbia do Norte funcionaria, mas lá, para começar, um negro jamais se atreveria a entrar na política. Aqui, essa gente era imprevisível, talvez isso o tornasse ainda mais popular. Decidiu encarregar a secretária de transcrever as conversas mais políticas e repassá-la à assessoria de Lima e Silva, talvez os ajudasse a formular uma estratégia para o debate, se tivessem tempo para isso.

Convidou ao consulado seu melhor contato na equipe de Lima e

Silva, Samuel Vandernes – antiga adaptação para o português de um sobrenome batavíssimo. Apesar do nome, da pele branca e sardenta, dos olhos azuis por trás dos óculos escuros e do cabelo castanho claro cortado à escovinha, a família tinha sido fiel à casa imperial de Avis desde que Sigmund van der Nes tinha acompanhado Dom Sebastião em sua fuga para o Brasil. Seu holandês se resumia a umas poucas frases mal lembradas do colégio. Monarquista ferrenho, era o tipo de agente em que Robbert preferia confiar para assuntos delicados, um idealista. Ao contrário de Serafim, cujos fumos de liberal republicano mal disfarçavam sua falta de convicções.

Pretendente aos títulos de barão do Guarupá e barão do Riacho do Jacu, Samuel era amante de Maria Teresa de Bragança, irmã mais velha de dom Pedro, chefe da União Monarquista e ex-candidato à presidência. Com sua ajuda, Robbert mexeu os pauzinhos necessários para convencer o pretenso duque de Bragança a retirar a candidatura e apoiar Lima e Silva, do Partido Popular Democrático. Foi um dos primeiros sucessos de que pôde se orgulhar, mas não tinha sido tão boa ideia. Ao contrário da adesão do candidato liberal, o grande empresário Jorge Otoni, que certamente trouxera votos, se bem que custasse caro: para convencê-lo a trocar sua terceira derrota consecutiva pela vice-presidência na chapa de Lima e Silva, foi preciso um contrato para construir uma ferrovia na Colômbia do Norte.

O apoio dos monarquistas tinha incomodado nomes identificados com o passado revolucionário e republicano do PPD, inclusive o do próprio Marechal Xavier. Provocou uma migração de votos para Cosme Bento provavelmente maior que os dois ou três por cento de saudosos da coroa. Mas agora era tarde para voltar atrás. Pelo menos, a manobra tinha lhe rendido um aliado confiável e bom companheiro de copo. Conversar sobre o material e a situação política enquanto viravam uma garrafa da melhor genebra de Schiedam.

– *Proost!* –brindou Robbert. – Pela restauração da aliança de lusos e batavos!

– Saúde! Pelos bons tempos de Dom Sebastião I e Maurício de Nassau! Quando Dom Sebastião II sentar-se no trono, há de corrigir o erro do avô.

– Romper a aliança com a Comunidade Holandesa e a Colômbia do

Norte por causa dos mexicas foi mais que um erro, foi uma traição à raça branca, uma covardia imperdoável! – Exaltou-se Robbert.

– Alto lá! – Objetou Samuel, leal à casa de Avis acima de tudo.

– Dom Pedro II tomou uma decisão equivocada, mas não por covardia. Todos acreditavam que a Velha e a Nova Amsterdã derrotariam facilmente Tenochtitlan, teria sido cômodo apoiá-los. O Imperador deu ouvidos ao Marquês de Pombal e ficou neutro porque vocês atacaram os mexicas sem nos consultar...

– A guerra era justa, eles davam guarida aos nossos escravos fugidos, roubavam nossa propriedade! E as terras ao norte do Rio Grande e do Rio Gila nos estavam designadas, são parte de nosso Destino Manifesto!

– Assim como o Quinto Império é o nosso! Mas até na defesa da raça há que respeitar a hierarquia. O Grande Pensionário era um plebeu e o regente Guilherme de Nassau um mero príncipe. Não tinha cabimento que impusessem suas demandas a um imperador da sagrada casa de Avis sem mais nem menos. E não era fácil defender sua causa. Nem nossa nobreza de sangue se dispunha a lutar para os senhores recuperarem seus escravos quando tinha sido obrigada a abrir mão deles há gerações.

– Ora, a sagrada casa de Avis! Se tiver oportunidade, esse Dom Pedro tomará a coroa antes que outro aventureiro o faça e mandará Dom Sebastiãozinho enxugar gelo no Cariri até o sertão virar mar! Se é que o deixará voltar do exílio!

– Pela nossa amizade, retire o que disse! – Zangou-se Samuel. – Os Bragança são leais ao legítimo Imperador, como todos nós!

– Seja, desculpe-me, não falei a sério – contemporizou Robbert. Samuel era um aliado útil, não valia a pena contrariá-lo por causa de velhas histórias, muito menos provocar um duelo.

## Manifesto quilombola

No debate, Robbert conseguiu um dos disputados assentos do auditório da Rádio Tupiniquim. Era a primeira vez que via de perto os candidatos e talvez fosse a última. Era claro como a sala fora dividida meio a meio: à esquerda, roupas leves e coloridas, muitos rostos negros e morenos. À direita, trajes sóbrios, caras mais pálidas, expressões mais tensas.

Cosme ria muito. Parecia trocar piadas com a icamiaba Razymi, sua vice, com o professor Clemente Anvérsio e com o marechal Xavier, que se divertia mais que todos. O professor – cafuzo alto e magro de feições retas, cabelo corredio, branco dos olhos bem branco e íris amarelas que lhe davam um ar de pantera negra – estava cotado para ministro. Mas Robbert sabia, pelo Mouro, que o filósofo do Brejo do Cruz não cogitava afastar-se agora de sua carreira acadêmica, que estava no auge. Sua recém-publicada *Filosofia do Penetral* era a obra do gênero mais vendida e debatida desde o *Catecismo Humanitista* de Quincas Borba.

Lima e Silva sussurrava algo para o filho Luiz Alves, um jovem major do Exército ainda mais empertigado que o pai, enquanto o restante de seu séquito aguardava em silêncio, incluindo o Otoni, o Feijó, o velho Andrada e Silva, o Pereira de Vasconcelos e o Samuel Vandernes. Ao lado de Robbert estava Serafim, oficialmente a serviço do jornal.

O mediador deu o sinal de que ia entrar no ar, fez as apresentações e começou a encaminhar a discussão. Robbert ficou inquieto. Lima e Silva discursava com clareza, sensatez e voz firme, mas provocava apenas reações mornas, enquanto as tiradas inesperadas e apaixonadas de Cosme Bento eletrizavam seus partidários.

Cearense de Sobral, Cosme Bento era um negro forte e jovem, talvez até demais. O Partido Liberal Republicano, da aliança governista, tentara impugnar-lhe a candidatura alegando que seu registro de nascimento tinha sido falsificado e ele tinha menos que os 35 anos exigidos de um candidato presidencial, mas só ofereceu testemunhos duvidosos e o caso foi arquivado. Migrara para trabalhar no cultivo de maconha do Maranhão, onde mostrou sua capacidade de articulação já no tempo do presidente Cipriano Barata, conquistando vitórias para seu pessoal em disputas de terras e de canais de comercialização. Depois de ter sido presidente da poderosa federação de quilombos, sindicatos e cooperativas industriais do Maranhão, era agora o candidato presidencial da coalizão do seu Partido Cooperativista Libertário, apelidado Quilombola, com o Te'yîa Ybymarane'yma resendûara ou Sociedade pela Terra-semmales, também chamado Partido Tapuia, e o Partido Socialista Popular, dissidência de esquerda do PPD à qual o Marechal acabava de aderir, tornando-se seu presidente de honra.

O carioca Francisco de Lima e Silva tinha toda a seriedade que Robbert esperava de um chefe político, mas nada do jogo de cintura que os brasileiros apreciavam e Cosme tinha de sobra. Ex-brigadeiro, branco de meia-idade de testa alta, aspecto severo e porte militar, tinha trocado a farda pela política ao se tornar ministro de Maria Quitéria e portava as esperanças da aliança do Partido Popular Democrático com o Partido Liberal Republicano e a União Monarquista.

– O candidato da oposição, – perorou o ex-brigadeiro, – claramente não se preocupa com nossa segurança. Já fomos mais poderosos do que todo o restante do mundo somado. Hoje, somos apenas uma entre outras potências. O programa quilombola reduz ainda mais o orçamento militar e prega reformas perniciosas para a disciplina e a hierarquia. Que faremos se nossa soberania for desafiada, digamos, pela Comunidade Holandesa?

A alusão não agradou Robbert, embora não fosse inesperada. Por muito que Samuel sonhasse com uma reaproximação com os holandeses, o PPD era nacionalista, tinha um forte componente militar e via a Comunidade como principal rival geopolítico. Mas Nova Amsterdã sabia perfeitamente disso, julgava um mal menor e o agente sabia que não lhe cabia discutir a estratégia de seus chefes. Devia cumprir o papel de soldado.

– Não tenha medo, meu caro brigadeiro, para que tanto desespero? Somos vinte aliados na União das Nações, entre eles nossos amigos de Tenochtitlan, que no passado puseram para correr esses seus bichos-papões de tamancos! Devemos confiar em nossos parceiros para que também confiem em nós e não nos armarmos como se quiséssemos o mundo só para nós!

Cosme passou à ofensiva contra aumento do desemprego e da concentração de renda, a formação de monopólios e as pressões para desarticular cooperativas e quilombos e para descaracterizá-los e transformá-los em sociedades anônimas capitalistas. Reafirmou as chaves do seu programa: expropriação da propriedade fundiária e emprego da renda da terra em proveito da sociedade, imposto progressivo, abolição do direito de herança, socialização do crédito e dos transportes, cooperativização gradual das empresas capitalistas...

— Isso é fazer de nossa nação uma réplica do império socialista dos incas! —Protestou Lima e Silva. — Será a arregimentação de todos a serviço do Estado, o fim da individualidade e da liberdade! Criticamme por buscar o apoio de Dom Pedro de Bragança, a mim que tanto servi à República? Pois meu adversário, sem jamais ter exercido um verdadeiro cargo público ou ter qualquer traço de sangue nobre, quer ser o próprio Sapa Inca, o próprio Imperador!

— Ora, ora, meu querido Chico Regência — brincou Cosme com o apelido dado a Lima e Silva por um humorista depois que agradara os monarquistas sugerindo uma emenda para trocar o título de presidente pelo de regente. — Faz tanta questão de me chamar de Imperador? Tá bom! Mas recite o título completo, Dom Cosme Bento das Chagas, Tutor e Imperador da Liberdade Bem-te-vi Pela Graça das suas Piadas, faz favor!

A tirada foi tão inesperada que até Robbert riu, junto com a maior parte da plateia, incluindo o lado direito. Cosme espertamente esperou o momento de completar a réplica.

— Agora, falando sério, nossos bons vizinhos do Tauantinsuio estão acostumados a pôr tudo nas mãos do Estado. Para eles a revolução está sendo pôr o Estado e suas riquezas nas mãos do povo. Depois vão pensar na liberdade de viajar, de escolher a profissão, de ser diferente, de discutir se ainda precisam de um Sapa Inca. Nosso carreiro para o socialismo será outro, será de todas as alegrias e de todas as cores, todas as iniciativas e não só da livre iniciativa de quem tem dinheiro para mandar em quem não tem. Asas para todos, não só pros ricos!

O debate se encerrou com euforia à esquerda. O professor Clemente festejou agitando a bandeira vermelha e negra com o bem-te-vi dos quilombolas e bradando, com voz forte e profunda de barítono:

— Pelo Brasil negro-tapuia e socialista, e pela Revolução Sertaneja do Povo Brasileiro! — e centenas ecoaram o grito e estenderam outras bandeiras quilombolas, bem como a bandeira verde com a cabeça de onça dos tapuias e a bandeira branca com triângulo vermelho do socialismo popular.

Samuel, mais pálido que de costume, hesitou por um ligeiro instante e gritou também, com sua voz de tenor:

— Pelo Brasil católico, fidalgo, Cruzado, e por Nossa Senhora da Conceição!

Poucos o ouviram e ninguém o repetiu. Robbert e Serafim se encararam, pensativos.

## O chamado de Cthulhu

O cenário do Anhangabaú impressionava. Ao apreciá-lo do alto do Edifício Aporelli, encarapitado no terraço em cima do velho salão de festas, Robbert não teve mais dúvidas de que os maus ventos tinham se tornado furacões.

No dia anterior, o comício de Lima e Silva, com a presença da presidenta Quitéria, atraíra uns cento e cinquenta mil à Praça da Sé e tinha sido um "sucesso incontrastável" segundo a *Folha de Piratininga* e *O Estado de Pindoretama*, para os quais o radicalismo e falta de seriedade da oposição desanimavam seus partidários e encorajavam os governistas.

Para o comício da oposição, já se reunia no vale dez vezes aquele número de pessoas, calculando por baixo. Aquela gente escura e de roupas exóticas, apinhando-se aos milhões, lhe dava engulhos. Era como um mar de baratas, *kakkerlakken*, devorando o tapete da civilização.

Enquanto o *Rompe-Nuvem*, o dirigível prateado da prefeitura, sobrevoava o vale para que jornalistas fotografassem e a polícia observasse o movimento, massas de gente continuavam a ser despejadas pelo monotrilho e pelo subterrâneo nas ruas próximas. Numa daquelas imprevisíveis viradas do tempo de Piratininga, um céu encoberto e uma garoa fina e intermitente tinham substituído o sol quente da véspera, sem conseguir esfriar o entusiasmo dos partidários de Cosme Bento. A vibração era de outra qualidade, podia-se sentir pelo agitar das faixas, bandeiras, confetes e serpentinas. Dissessem o que dissessem os jornais, Robbert não tinha dúvidas sobre quem venceria em outubro. A menos que o detivesse, e já.

Por uma semana, Robbert, Samuel e Serafim o tinham ajudado a testar a arma secreta da S. S., o *Doodsstraal*, o "raio da morte". Um poderoso gerador Van de Graaff criava uma tensão de cem milhões de volts, excitava a guia de ondas ópticas a gás carbônico e projetava um feixe coerente de raios infravermelhos com um alcance de quilômetros. Nada o desviava, nem vento, nem gravidade. A única limitação era precisar de alguns minutos para acumular energia para o disparo, mesmo com ajuda do gerador a diesel instalado na cobertura. Com o alvo focado na mira telescópica, era impossível errar. Menos mal.

Mesmo com armas tradicionais, Robbert era um excelente atirador. A primeira entre várias façanhas do gênero, a que lhe proporcionou sua primeira promoção na S. S., tinha sido abater o líder dos mineiros da Sylvania, Sean O'Kennedy, a oitenta metros de distância, quando se preparava para discursar a uma multidão de grevistas. Agora, seriam mais de trezentos metros, mas com aquele equipamento seria moleza.

No primeiro teste, numa madrugada silenciosa, Robbert tinha mirado um gato que passou por acaso perto de um poste de luz, perto de onde seria armado o palanque. Virou um churrasco instantâneo. Depois, durante o dia, abateu um urubu, que despencou do céu a uns dois quilômetros. Serafim entusiasmou-se e quis testar o canhão de raios contra seu chefe Carlindoga, cuja casa no Bom Retiro estava à vista, mas nada de Robbert o ensinar a usar a arma. Nem mesmo ao Samuel, ansioso por fulminar o professor Clemente, cujo apartamento também estava ao alcance do canhão. A arma recém-inventada pela empresa do patrão era secreta e preciosa demais para que se corresse o risco de chamar a atenção para sua existência. A patente nem sequer havia sido registrada.

Por via das dúvidas, para maior discrição, Robbert, Samuel e Serafim tinham se vestido como operários de manutenção, mas dificilmente ocorreria a alguém procurar um culpado no alto daquele prédio. Ninguém saberia o que atingiu o negro Cosme e diriam que foi o dedo de Deus, profetizava o Samuel esfregando as mãos.

O clamor da multidão avisou Robbert da chegada de Cosme Bento e comitiva. Conferiu os mostradores, apontou o foco para a posição exata na qual o candidato deveria se colocar, em frente ao microfone, calibrou a pressão do gás, travou a mira e destravou o gatilho. A garoinha fina turvava um pouco a visão sem prejudicar o disparo, o gerador estava em ordem e as partes críticas do equipamento estavam bem protegidas das intempéries. Era só esperar. Samuel e Serafim, depois de ajudá-lo no necessário, estavam na espera ansiosa do grande momento.

A comitiva apareceu e começou a se movimentar pelo palanque. Viu Cosme Bento, mas não se afobou. Paciência e coragem são as virtudes de um atirador de primeira classe. Esperaria assumirem seus lugares e ficarem quietos, então faria um último ajuste se necessário.

Uma barata voadora e cascuda e preta, cheia de asas e patas, bateu na mira e lhe caiu no rosto. Horror! Robbert gritou e estapeou a própria cara antes de dar-se conta de ter ouvido o estalo característico da arma. Durante seu momento de pânico, tinha apertado o gatilho sem querer. Samuel e Serafim o olharam, perplexos.

Olhou pela mira telescópica para ver o que tinha acontecido. Atingira alguém: várias pessoas no palanque se curvavam sobre um corpo caído. Mas não era Cosme Bento. Este sacudia o punho cerrado, bradava algo e apontava... em sua direção?

– O raio, *Meneer*! – Gritou Serafim. – Rebrilhou feito um relâmpago alisado com chapinha!

– Durou uns dois segundos – balbuciou Samuel. – Mas antes não se via nada!

A garoa! Algum efeito inesperado do raio da morte sobre as gotículas suspensas no ar. Agora milhares gritavam e apontavam para o alto do Edifício Aporelli. O *Rompe-Nuvem* manobrava, ameaçador, na mesma direção. Tinham de fugir, rápido. A ordem era inutilizar o *Doodsstraal* se não pudesse removê-lo, mas não tinha tempo nem para isso. O elevador estava fora de cogitação... Sem dizer palavra, correu para as escadarias e os dois o seguiram.

Enquanto os três desciam as escadas a galope, ele avaliou a situação e suas opções. Do dirigível ou do vale, ninguém poderia ter visto o suficiente para reconhecê-los, imaginou. E o prédio era bem grande, tinha mais de mil dependências, inclusive hotel, cinema, restaurantes... Milhares de pessoas ali moravam, trabalhavam ou passavam todos os dias. Poderia misturar-se a elas e escapar discretamente. Na pior das hipóteses, encontraria um lugar para se esconder até que fosse seguro sair. Então, seria só pegar o primeiro monotrilho para Santos.

A S. S. tinha uma sólida reputação de não abandonar agentes em apuros e mantinha no porto um pequeno cargueiro de fretes de bandeira aragonesa, *El Durazno*, para recolhê-lo numa emergência. Já seu governo merecia menos confiança. Robbert tinha certeza de que, caso fosse identificado como o autor da tentativa de assassinato do candidato, Nova Amsterdã alegaria que ele tinha agido por conta própria e suspenderia sua imunidade diplomática, para não se comprometer com o que poderia ser tomado pelo Brasil como um ato de guerra.

Deu de repente com dois jovens ofegantes, que subiam correndo a escada e o reconheceram.

– Você! – Apontou o Mouro, tremendo de raiva. – Devíamos ter suspeitado, filisteu miserável!

– Assassinos! – Acusou Nana, indignada. – Vocês mataram o Marechal Xavier!

Surpreso, Robbert puxou a automática do bolso, mas o Mouro se jogou sobre ele antes que decidisse o que fazer. Maior e mais forte, Robbert lhe deu-lhe um murro no queixo e o atirou escada abaixo, deixando-o desacordado.

– Carlos! – Gritou Nana, virando-se para socorrê-lo.

Robbert ia baleá-la pelas costas, mas nesse momento outros estudantes despontaram na escadaria. Disparou contra o que vinha na frente, um negro que caiu nos braços dos colegas.

Nana ergueu-se, assustada. Robbert a agarrou com uma chave de pescoço e apontou a pistola para sua cabeça. Menos mal.

– Parem onde estão! – gritou nele. – Senão ela morre!

– Robbert Rip, seu *klootzak,* calhorda, *Hosenscheisser, muru anhangamembyra*! – Ela o insultava em todas as línguas que lhe vinham à cabeça e tentava mordê-lo, sem sucesso. – Atirou no meu amigo! Abdala, Abdala! – gritou para o ferido.

– Maldita Jenny, você dá pra qualquer um! – Bradou Robbert, fora de si.

– Jenny é a sua mãe, seu rato sarnento! Para gente da sua laia, sou Johanna von Westphalen!

– Cala a boca e vem! – Apertou-lhe a garganta, ameaçando estrangulá-la. – Vocês aí em baixo, não se atrevam a subir! Avisem que temos uma refém e queremos um salvo-conduto para sair do país, queremos ir a Santos! Façam o *Rompe-Nuvem* nos pegar no terraço, vamos esperar no palacete do Aporelli! Têm duas horas, se não a matamos!

Assim dizendo, recuou sem dar as costas e sem largar a moça. Alguns jovens desceram as escadas, enquanto outros acudiam os feridos ou o encaravam, mas sem dar sinais de ter intenção de persegui-lo. Deu a arma ao perplexo Serafim.

– Tome isso e atire se eles nos seguirem! Preciso segurar esta puta!

– Nana continuava a resistir. – Ande logo, senão faço uma loucura aqui mesmo!

Conseguiram voltar ao terraço sem incidentes. O dirigível prateado flutuava bem perto, à distância de um grito, mas não se via o interior da cabine. Robbert disse que entrassem no palacete. Com paredes grossas e janelas menores, parecia um pouco mais defensável que o salão de festas, se a polícia decidisse ignorar a refém e atacá-los de qualquer maneira. Estava disposto a cair atirando, se não tivesse outro jeito. Seus parceiros, se é que percebiam que o chefe estava à beira da loucura, ou mesmo com um pé no outro lado, nada se atreviam a dizer, talvez sequer a pensar.

Pegou a chave para abrir a entrada do palacete, mas para sua surpresa, estava destrancada. Entraram. Viu um telefone sobre uma mesinha e pegou-o. Tinha linha. Discou o número de emergência da polícia, repetiu nervosamente suas exigências e bateu o aparelho, ignorando a oficial que lhe pedia que se rendesse.

Olhou em volta. Um saguão mal cuidado e encardido, mas não era o escuro mofado e abandonado do salão de festas. Estava menos empoeirado e alguns móveis davam a impressão de terem sido usados há pouco. Havia roupas penduradas num varal. Robbert arrancou a corda e sentou Nana numa cadeira, de maneira brusca.

– Samuel, amarre essa assanhada com a corda de varal e cuide que não escape. Se preciso, dê-lhe com força na cabeça com esse vaso. Serafim, fique de olho e dê um berro se alguém aparecer, ou melhor, dê logo um tiro nessa safada! Preciso ver se tem gente encafuada aqui!

Empunhou sua segunda pistola. Investigou primeiro o térreo, se assim se podia chamar a base do palacete, erguida sobre um terraço a mais de cem metros de altura. Depois subiu a escada, para onde deviam estar os quartos. Examinou a balaustrada e o corredor. De encontro a uma parede, três maletas velhas empilhavam-se em tal perfeita ordem que sua presença lhe passara despercebida à primeira vista. No couro, as iniciais G. H.

Encostou a orelha à porta mais próxima e julgou ouvir algo muito vago, um chamado quase mental. Empunhando a pistola, abriu lentamente o trinco e então irrompeu dentro.

— Mãos ao alto! — Era uma sala sem ninguém à vista, mas julgou ouvir uma respiração atrás do sofá grande, que estava de costas para ele. — Sei que está escondido atrás do sofá, levante-se já para que eu o veja, ou atiro para matar!

Uma forma levantou-se por trás do móvel. Primeiro, o que parecia um par de varas de pescar, depois uma cabeça e um tórax. Uma coisa orgânica, mas que não poderia por qualquer rasgo de imaginação ser chamada humana. Uma obscuridade monstruosa e incompreensível com uma asquerosa aparência de inseto, moldada com a mesma gosma fedorenta e viscosa da corrupção da terra. Pernas, antenas e mandíbulas pareciam se mexer ao acaso, como se nada mais fossem que uma infestação de vermes ou coisas abissais inomináveis. A Coisa disse algo ininteligível com uma voz inumana, abafada por um guincho horrível e persistente.

Robbert berrou, molhou as calças e desembestou escada abaixo, escorregando no mármore liso e levantando-se de novo, segurando a arma por puro reflexo. Sob os olhos esbugalhados de Serafim e Samuel, correu porta afora e levou uma valente cacetada nas costas. Atordoado, deixou cair a arma. Uma moça de pele escura e bata colorida a agarrou e a deu ao Mouro que, com a cabeça ainda ensanguentada da queda nos degraus, passou a um indígena a barra de ferro que tinha nas mãos e comandou o grupo porta adentro. Dois ficaram para segurar o diplomata assassino no chão.

Voltando a si do desvario, Robbert rolou o corpo, afastou a repelões e pontapés os inexperientes captores e invadiu o saguão. O idiota do Serafim tinha se rendido sem disparar um tiro. Estava de mãos ao alto sob a mira do Mouro, enquanto a indiana libertava Nana e o tapuia rendia Samuel com a barra de ferro. Robbert caiu de surpresa sobre o Mouro, derrubou-o no chão e ia arrancar-lhe a arma, mas ele a jogou para fora de seu alcance.

Algo estourou perto de sua cabeça, uma garrafa. Olhou para cima, a amaldiçoada de uma mulher desconhecida, que devia ter estado escondida em cima, a tinha atirado da balaustrada e o errou por pouco. Ignorou-a e voltou-se para Serafim, enquanto lutava com o Mouro.

– Pegue logo a arma! Mate o desgraçado!

Então, ouviu aquele chilreio asqueroso e sentiu o sangue gelar. Não podia ser verdade. Viu Serafim, Samuel e o bugre olharem para cima, boquiabertos, sem ação. Evitou imitá-los, se o fizesse estaria perdido. Tentou agarrar ele mesmo a pistola, sem largar o Mouro, mas Nana, livre naquele instante das cordas, foi mais rápida, saltou sobre a arma e a apontou para ele, ajoelhada no chão e indiferente ao que quer que estivesse acontecendo no andar de cima.

– Largue o Carlos e mãos ao alto, já! Ou eu atiro!

– *Kutwijf* idiota! Você nem sabe usar essa arma! – Quebrou o braço do Mouro, ouviu o grito e levantou-se para arrancar a pistola da mão da moça. Viu um clarão e então, só a escuridão. Feita de baratas.

**Novíssimo testamento**

– O Rip acordou! Chamem o doutor Nino! – Ouviu uma voz feminina gritar enquanto emergia de um interminável pesadelo de patas, asas, mandíbulas e antenas escuras.

Agitaram-se em torno dele homens e mulheres vestidos de branco e ele compreendeu que estava num leito de hospital. Tentou falar, mas só conseguiu gemer. Sentia-se muito fraco, mal podia com o peso do lençol. Quando por fim conseguiu retirar a mão, levou um susto que o fez perder de novo os sentidos.

A mão estava encarquilhada, manchada, magra como a de uma múmia.

Despertou de novo, com um médico negro examinando-lhe o olho com uma luz forte. Ao perceber que estava consciente, chamou-o pelo nome. Robbert tentou responder e só saiu um ronco. O médico disse algo para uma mulher que lhe aplicou no braço uma injeção. Mal sentiu a picada, como se o braço estivesse meio morto, reduzido a pergaminho ressecado. Sua cabeça clareou um pouco e guinchou algo vagamente inteligível:

— Water!

— Ele pede água, companheira — traduziu o negro para a assistente.

— Dê-lhe uma gaze úmida, senão vai se engasgar...

Nos dois ou três dias seguintes, a consciência foi e voltou várias vezes, mas acabou por se estabilizar sob os olhos admirados da equipe médica, que o submeteu a vários testes. O médico cutucou-lhe várias partes do corpo e perguntou se sentia. Sim e conseguia, mais ou menos, mexer-se, embora a aparência esquelética e envelhecida do corpo o horrorizasse. Quando começou a falar com clareza, passou a lhe fazer perguntas mais complexas.

— Quantos dedos estou mostrando?

— Três.

— Bom, muito bom! Seu nome completo, o senhor se lembra?

— Robbert Rip van Winkel.

— Excelente! Está indo muito bem!

Mais alguns dias e conseguia recostar-se no leito, ingerir líquidos e admirar os estranhos aparelhos que piscavam e desenhavam gráficos ao lado de sua cabeceira. Conformou-se, mais ou menos, com seu aspecto, alguma coisa que lhe aplicavam pelos tubos enfiados no seu corpo lhe dava um pouco de ânimo. Começaram também a lhe aplicar sessões suaves de fisioterapia para tentar lhe devolver um pouco de tônus muscular. O progresso era lento, mas a visão da bela paramédica que lhe designaram ajudava a encorajá-lo.

Tinha lembranças claras de grande parte de sua vida, mas também algumas curiosas lacunas. Por exemplo, recordava-se de ter tentado matar Cosme Bento e fracassado, mas não se lembrava da razão de ter falhado, nem o que acontecera na tentativa de fuga. O doutor o testava sem pressioná-lo, nem lhe dar detalhes do que tinha aparentemente esquecido. Conversava com ele em horários regulares.

— Será que o senhor se lembra de mim? — Um dia perguntou o negro com suavidade.

— Claro, eu o vi ontem!

— Não, quero dizer, de antes do... acidente que o senhor sofreu.

— Francamente não, me desculpe, eu deveria me lembrar?

— Seria difícil, é verdade... mas o senhor me viu. Quando eu era menino, lhe devolvi um chapéu que caiu numa sapopemba do Parque Caaguaçu. Nunca me saiu da cabeça, porque quando sua história deu nos jornais, me lembrei do caso e fiquei impressionado. Meus pais não acreditaram, mas sei que foi verdade. Quando me especializei em neurologia e vim trabalhar aqui, me recordava disso sempre que o via. Será que o senhor também se lembra?

Robbert pensou no moleque que lhe trouxe a cartola e sentiu-se cair num abismo.

– Sim! Isso significa... quanto tempo?

O médico hesitou antes de responder:

– Vinte anos de coma. E alguns dias.

– *O, mijn God!*

Tinha um lado... menos mau, compreendeu depois. O doutor não permitiria a visita de estranhos antes que seu paciente estivesse em melhores condições, mas assegurou-lhe que não precisava se preocupar com interrogatórios de policiais, apenas de historiadores. Os cúmplices tinham cumprido longas penas de prisão e reeducação, mas seu processo foi arquivado por razões humanitárias e o crime estava prescrito, de todo jeito. Mais: há meses, tinha sido lançado nos cinemas um documentário sobre sua história, que fizera muito sucesso.

– E há dois anos, seu filho mais velho veio de Nova Amsterdã e filmaram a visita. Quer ver?

– Não, por favor. Mas conte-me, que aconteceu depois? Cosme Bento foi eleito?

– Por maioria esmagadora, quase oitenta por cento dos votos. Quando se soube que o Pai da República fora assassinado por um agente estrangeiro cujo alvo era Cosme Bento, foi tamanha a indignação popular que Lima e Silva quase desistiu da candidatura. A coalizão socialista conquistou mais de três quartos do Congresso e votou uma nova Constituição sem que ninguém ousasse contestá-la. A arma que o senhor tentou usar caiu nas mãos do Exército Brasileiro e permitiu o desenvolvimento de uma série de tecnologias que permitiram à Revolução de Outubro prevenir invasões sem precisar mobilizar demasiados soldados e recursos em sua defesa. A tese do documentário era que a morte do Marechal Joaquim José da Silva Xavier precisava acontecer naquele momento para que o socialismo fosse implantado tão pacificamente, sem violência e que o senhor foi um agente inconsciente da história.

— Bah! E que tal lhe parece esse tal de socialismo, hem? É o paraíso que lhes prometeram?

— Nem tanto ao mar, nem tanto à terra, mas não tenho queixas. Meus filhos têm uma boa escola e saúde de graça, minha mulher e eu trabalhamos e vivemos bem com morada e emprego garantidos. E quarenta dias de férias por ano, este ano passamos em Moçambique...

— Quantas horas você trabalha por semana? — lembrou-se da discussão com Nana.

— Bem, teoricamente trinta... acaba sendo mais, se contar as reuniões das cooperativas do hospital e da faculdade. Trinta e quatro, digamos.

— Eh, moleza! No meu tempo... por falar nisso, como vai a Colômbia do Norte?

— Bem, lá ainda existe o capitalismo...

— Claro! Meu povo jamais aceitaria o socialismo! A livre iniciativa está no nosso sangue!

— Mais ou menos... houve uma crise terrível por lá e uma revolução que fracassou. Muita gente foi morta, outros fugiram para cá ou para outros países da União das Nações, os sindicatos e partidos socialistas foram proibidos. Mas o povo continuou a se rebelar e os capitalistas tiveram de fazer concessões, emendar a constituição, promulgar a jornada de quarenta e oito horas, estatizar vários setores... inclusive a S. S. van Duinen, que foi incorporada pelo governo como o FBO, *Federaal Bureau voor Onderzoek*. Chamam isso de *Nieuwe Overeenkomst* e acho que pode ser visto como uma espécie de cruzamento de socialismo e capitalismo.

— E quem é o Grande Pensionário, agora?

— Agora tem um Presidente, como aqui. Desde as reformas, há doze anos, tem sido um tal de Isaäc van Rosenvelt...

— Sim, me lembro da família Rosenvelt, fiz um serviço para eles, quem diria... — Lembrou-se subitamente dos *daalders* ganhos a serviço da S. S. Quanto teriam rendido nestes vinte anos? — Diga-me, será que eu teria como entrar em contato com o Stadbank?

— Hum, sinto muito, tenho más notícias... seu filho me falou a respeito. Sua família tentou resgatar sua conta e o banco recusou, alegando que o senhor não estava legalmente morto. Foram à justiça e o caso se arrastou por anos, até que veio a Grande Depressão e o banco quebrou.

Lágrimas lhe escorreram pelo rosto. O abatimento de Robbert preocupou o doutor Saturnino Soares de Meireles que, para tentar animá-lo, requisitou um aparelho novo para o quarto.

– Que diabos é isso? Um tipo de rádio?

– Chamamos de ta'angabebé, em holandês é *televisie*, se não me engano.

– Um rádio com imagens?

– Exatamente. O senhor pode ligá-lo, desligá-lo e trocar de canais com este aparelhinho aqui, vou lhe mostrar...

A primeira coisa que viu, ao vivo e em cores, foi um foguete enorme decolando de uma plataforma no Maranhão. Segundo o locutor, era o lançamento do Îasyrana 3 que, segundo entendeu, era uma máquina inventada pelos brasileiros que girava em torno da Terra como uma pequena Lua, para explorar a alta atmosfera e o espaço. *Mijn God!* Isso queria dizer que, se quisessem, podiam jogar uma bomba sobre Nova Amsterdã?

Trocou de canal. Num desenho animado, um negrinho perneta de barrete vermelho discutia em tupi com uma mulher com cara de jacaré. Um drama histórico em torno da construção de uma hidrelétrica no Zaire. Um seriado sobre as aventuras amorosas de alunos e professores de uma universidade em Salvador, que o fez arregalar os olhos com cenas tórridas que jamais imaginara que alguém se atreveria a filmar, quanto mais exibir em público. O presidente Apolinário Maparajuba assinava um acordo comercial com o Império Sino-japonês. Documentário sobre uma festa religiosa na Índia do Sul.

Uma comédia incompreensível misturando português e tupi, com situações absurdas em torno de um conselho de cooperativa que administrava uma fábrica de transistores (que diabos seria aquilo?), tomava decisões absurdas e derrubava um presidente e elegia outro a cada poucos minutos, nenhum deles capaz de resolver o problema que ele nem sequer conseguia entender qual era. Outro filme, sobre tripulantes de uma espaçonave que desembarcavam em um planeta de outro sistema solar e tentavam explicar suas intenções pacíficas a nativos peludos de quatro braços, primitivos e hostis. Era tão convincente que teria imaginado ser um documentário, se a cobertura do lançamento do Ybyirum não tivesse explicado que a Agência Espacial Brasileira previa o lançamento do primeiro homem ao espaço para dali a dois anos, de acordo com o projeto conjunto com a agência espacial do Tauantinsuio.

Era uma janela para aquele terrível mundo novo que de certa maneira tinha criado. Lembrou-se de ter lido que, segundo certos hereges da Antiguidade e Idade Média, o mundo não tinha sido criado pelo verdadeiro Deus e sim por um imitador chamado Javé, que era na verdade o Diabo. Devia ser verdade. Com um velho Javé tão perplexo e impotente ante os rumos de sua criação quanto Robbert Rip, o Antigo Testamento faria muito mais sentido.

## O 18 brumário de Richard Wagner

Ah, uma reportagem especial sobre política internacional. Agora teria uma ideia mais clara do quadro geral. Então, o mundo estava dividido em três blocos: a Organização do Tratado do Norte, a União das Nações e o Império Sino-japonês. E as relações entre os blocos estavam piorando.

A União das Nações reunia numa confederação socialista o Brasil, o Tauantinsuio, as províncias do antigo Império Mexica unidas na Federação do Anahuac e as ex-colônias africanas e asiáticas do desaparecido Império Luso-brasileiro. Era dirigida por quatro órgãos, o Conselho de Solidariedade Política, o Conselho de Ajuda Econômica Mútua, o Conselho de Amizade e Segurança Comum e o Conselho de Cooperação Científica e Cultural. A se acreditar no que diziam, a organização era pacifista e só estava interessada em progresso científico e social.

No Império Sino-japonês, o multissecular xogunato tinha sido abolido. A restauração Komei tinha criado um moderno capitalismo de Estado sob o patrocínio simbólico do imperador em Quioto e o comando de uma junta cívico-militar com sede em Pequim, que procurava arregimentar o apoio das massas por meio de um partido único, o Komeitô.

O Tratado do Norte reunia numa aliança militar a antiga Comunidade Holandesa a vários países asiáticos e europeus, inclusive o poderoso Estado Romano das Nações Arianas, sucessor do velho Sacro Império Romano-Germânico, cuja radicalização era a principal preocupação do negro que representava o Partido Quilombola na mesa redonda. No comando do arianismo, o regente Richard Wagner e o ministro da propaganda Arthur de Gobineau pregavam o direito inato da raça branca a governar o planeta e seu dever de promover sua própria pureza proibindo as misturas raciais e selecionando os mais belos e aptos segundo regras de eugenia inspiradas pelos antigos espartanos. Colômbia do Norte, Rússia, Suécia, Nova Holanda e Índia do Norte tinham movimentos similares, alguns deles próximos de tomar o poder.

Uma mulher branca do Partido Socialista contra-argumentou que Wagner não conseguiria enganar seu povo com aquela baboseira para sempre e o resto do Tratado do Norte não o apoiaria numa guerra mundial. Já não estava Van Rosenvelt ameaçando retirar a Colômbia do Norte do Tratado, em protesto contra o apoio de Wagner aos arianistas de lá? A concorrência entre as elites capitalistas nacionais tornava a aliança do Norte insustentável a longo prazo. Na opinião dela, mais preocupantes eram as tendências militaristas do novo império sino-japonês.

Outra mulher, indígena do Partido Tapuia, entrou na discussão para defender a política de aproximação com os sino-japoneses do presidente Maparajuba, obviamente seu correligionário. Ao ver a discussão se afastar do tema principal, Robbert começou a divagar.

Os trechos de filmes arianistas de atualidades e propaganda mostrados no programa como exemplo da pregação de Gobineau o tinham fascinado. As manifestações de massa gigantescas e perfeitamente disciplinadas tendo a colossal arquitetura de Haussmann como pano de fundo e os hinos do próprio Wagner como trilha sonora o entusiasmaram. Todos aqueles jovens uniformizados esticando os braços e saudando, "Ave Wagner"... Ah, se não estivesse reduzido a um velho entrevado e ranzinza! Como Van Rosenvelt não via que ali estava o futuro? O tempo do individualismo liberal tinha passado, agora tinham de ser massas contra massas...

Então, foi despertado do devaneio, por um comentário sobre o

gosto de Wagner por símbolos imperiais romanos e mitos nórdicos que o surpreendeu com uma voz familiar.
– A tradição das gerações mortas oprime como um pesadelo o cérebro dos vivos. Justamente quando parecem empenhados em revolucionar a si mesmos e às coisas, em criar algo que jamais existiu, precisamente nesses períodos de crise revolucionária, os seres humanos conjuram ansiosamente em seu auxílio os espíritos do passado e tomam-lhes emprestado os nomes, os gritos de guerra e as roupagens para apresentar-se nessa linguagem emprestada.
O quarto debatedor... era o Mouro! Não tinha ligado o nome à pessoa quando o apresentaram como Carlos Henrique Marx, do Partido Comunista Internacional – coisa nova, não era do seu tempo – mas era o garoto que tinha conhecido, agora com uma barba espessa! Agora respondia a uma pergunta sobre a ascensão de Wagner ao poder:
– Evidentemente a burguesia não tinha agora outro jeito senão eleger Wagner. Quando os puritanos, no Concilio de Constança, queixavam-se da vida dissoluta a que se entregavam os papas e se afligiam sobre a necessidade de uma reforma moral, o cardeal Pierre d'Ailly bradou-lhes com veemência "Quando só o próprio demônio pode ainda salvar a Igreja Católica, vós apelais para os anjos!" Da mesma forma, depois do golpe de Estado, a burguesia romana gritava: "Só o chefe da Sociedade Espartana pode salvar a sociedade burguesa!" Rebelou-se contra o domínio do proletariado trabalhador e levou ao poder o lúmpen-proletariado...
A voz do passado desatou uma torrente de momentos esquecidos. *"Soube que o Marechal decidiu apoiar Cosme Bento?... os titãs estão ganhando... filisteu miserável!"*. Sem conseguir reprimir as memórias que o sufocavam, Robbert viu-se afogado em cenas de terror e gritou em desespero. Luzes nos aparelhos de seu quarto piscaram e gráficos enlouqueceram.

## Metamorfose

Um enfermeiro o atendeu, correndo e mandou chamar o neurologista. O doutor Saturnino chegou em breve e encontrou o paciente com o pulso disparado, febril, transpirado, gritando em holandês: *"kakker-lakken... kakkerlakken..."*

— O que aconteceu, companheiro?

— Ele estava vendo ta'angabebé e começou a gritar.

— Hum, vamos aplicar-lhe o calmante, então.

Minutos depois, o médico estava em condições de conversar com um Robbert assustado, mas lúcido.

— Então, quer conversar sobre o que aconteceu?

— Hum... hum... eu estava vendo o programa sobre Richard Wagner e o arianismo...

— Ah, sim, eu estava assistindo em casa quando me chamaram, também achei apavorante.

— Não, não foi por isso, é que eu vi o Mouro, do tal do Partido Comunista...

— Quer dizer, o Marx? Ah, sim, agora me lembro, o senhor atacou ele e a mulher no dia do atentado. Não sei se o senhor chegou a perceber isso, mas eles estavam desconfiados e o observavam de longe há algum tempo, a pedido dos quilombolas, por causa de um documento que ele traduziu e sugeria interesse excessivo por Cosme Bento.

— Tradutor, traidor...

— Aliás, o porta-voz quilombola do programa, Abdala el-Kratif, levou um tiro do senhor na mesma ocasião, mas sobreviveu, felizmente.

— Ah, rapaz, não é que também me lembro de ter atirado num negro? Mas o Mouro e a Nana não eram também quilombolas, ou estou fazendo confusão?

— Eles romperam com os quilombolas e lançaram o manifesto do novo partido há sete anos. Não fez má figura na última eleição, apesar de me parecer visionário demais. Propõe a abolição do dinheiro e do Estado, o trabalho como livre desenvolvimento dos indivíduos. De cada qual segundo sua capacidade e a cada qual segundo suas necessidades. Mas por que o assustou? Receia que ele e a esposa queiram vingar-se, ou coisa assim?

— Não, é que ele me fez lembrar... de coisas que me aconteceram naquele dia.

— Certo... do tiro que o pôs em coma, por exemplo?

— Ela atirou mesmo, então? Não pensei que tivesse coragem.

— Teve. E lhe arrancou um pedaço de crânio e do cérebro. Foi implantada uma prótese e aplicados os cuidados possíveis na época, mas receamos que o senhor nunca despertasse.

— Antes tivesse morrido, este mundo terrível não é o meu. Mas não foi isso que me perturbou, foi uma coisa que vi... e ouvi... um pouco antes disso. Diga-me, tinha um monstro escondido naquele palacete do alto do Edifício Aporelli, ou eu fiquei louco?

— Ah. — O doutor fez silêncio. — Sim, compreendo seu trauma. Deve ter sido uma experiência terrível, com toda aquela tensão! Ver Samsa, naquele momento, estando desprevenido... O senhor tem medo de insetos?

— *Kakkerlakken*! Baratas! Odeio! Asquerosas... Mas o que era Samsa?

— Ele é, continua vivo. Neste mesmo hospital, na pesquisa avançada. Deixe-me ver se sei explicar...

Tinha sido a parte mais estranha, incongruente e inesperada dos eventos inusitados que cercaram o assassinato do Marechal Xavier. Samsa era um caixeiro-viajante de tecidos da Tecelagem Aporelli, hoje absorvida pela Cooperativa Têxtil da Mooca, Ao tomar um atalho pelo mato para uma estação ferroviária do interior, topou com um casulo preto do tamanho de um cupuaçu, enterrado no meio de ferragens. Curioso, chutou-o e levou uma forte ferroada no pé, que atravessou o couro do sapato. Envergonhado da própria estupidez, não teve coragem de incomodar um médico com um problema tão ridículo. Seguiu seu caminho mancando, tomou o trem e voltou para Piratininga como se nada tivesse acontecido.

Na manhã seguinte, Gregório Samsa, após um sono inquieto, encontrou-se em sua cama metamorfoseado num inseto monstruoso. Morava com os pais e a irmã, que ficaram horrorizados e não tiveram coragem de encará-lo, nem de contar a ninguém o que tinha acontecido. Tratavam-no como se ele tivesse cometido um crime. Constrangido, fugiu durante a noite e andou a esmo pelas ruas do centro de Piratininga, comendo lixo, aterrorizando passantes casuais e escondendo-se nos esgotos durante o dia.

Então, ele foi encontrado por uma escultora que vagava pela noite em busca de inspiração. Depois do susto inicial, sentiu-se estranhamente encantada por ele. Aproximou-se. Acariciou suas costas duras como couraça, seu ventre abaulado, marrom, dividido por nervuras arqueadas, prestou atenção nos estranhos chilreios com os quais ele tentava se desculpar e começou a compreender suas palavras aflitas.

Ela morava em um apartamento do Edifício Aporelli e pensou em levá-lo para lá, mas e a empregada? E as visitas? E os vizinhos, não chamariam a polícia, o zoológico ou o circo? Ela, que conhecia todos os segredos do prédio, pensou num plano para mantê-lo com segurança até ter clareza do que fazer. Sabendo do hábito do porteiro de cochilar durante a madrugada, fez Samsa entrar pelos porões e subir pelo elevador, em segredo, até a mansão abandonada no terraço, que muitas vezes tinha invadido como uma gatuna, aplicando seu talento com a gazua na busca de novos arrepios.

Galina Haber escreveu, mais tarde, que aquela foi a experiência mais proibida e excitante que já tinha vivido. Sentiu-a como uma profunda comoção de corpo e alma, mais forte que um orgasmo. Sentiu vontade de abraçar e beijar Samsa, assim o fez e só então se transformou numa verdadeira artista. Até então, tinha sido apenas uma diletante.

Passaram-se ali semanas. Samsa vivia na mansão abandonada e Galina o via todos os dias, para levar comida, conversar e entender o que sentia por ele. Um dia, viajou ao Rio de Janeiro para participar de uma exposição e de uma série de palestras, precisamente nos dias nos quais os conspiradores subiram ao mesmo terraço e montaram o *Doodsstraal*. Quando voltou, no dia do grande comício do Anhangabaú, encontrou a coisa armada e estava conversando com Gregório sobre o que fazer quando Robbert invadiu o velho palacete.

Armada a confusão, ficou impossível continuar a esconder a presença de Samsa. Assim como os feridos, ele foi trazido aqui, para o Hospital das Clínicas, para ser examinado. Galina foi atrás, levou um advogado, explicou a situação e lutou para evitar que lhe fizessem qualquer mal. E aqui continua, suportando a curiosidade dos cientistas e recebendo nossos cuidados. Bem como as visitas de Galina, que nunca o abandonou. Grande parte das esculturas dela são agora construções metálicas inspiradas em insetos.

— Mas o que lhe aconteceu? Como ele pôde se transformar em uma... um inseto gigante?

— Bem, o lugar onde ele encontrou o casulo foi vasculhado e encontraram restos de ligas metálicas impossíveis de reproduzir e fragmentos de um casulo orgânico seco, que não se parece com nada conhecido. Segundo a especulação que me parece mais razoável, são destroços de uma espaçonave caída há milênios, desenterrados pelo deslizamento de um barranco. Aquela era uma forma de vida extraterrestre que, de alguma forma, consegue fundir sua estrutura celular à de seres humanos como uma espécie de megavírus. Ou melhor, de simbionte. Estética à parte, o arranjo não é tão desvantajoso para o hospedeiro. Tem sentidos aguçados, força e resistência extraordinárias, digere praticamente qualquer coisa, caminha pelo teto e paredes e não dá sinais de envelhecer. Estamos aprendendo muito com ele, um dia talvez possamos aplicar essas descobertas na medicina.

O interesse pelo caso sobrepujou o horror e o asco e logo se tornou uma obsessão de Robbert. Esqueceu-se do momentâneo flerte com o arianismo, deixou de ver ta'angabebé, pediu para ler sobre o assunto e o doutor Saturnino lhe trouxe o depoimento *Metamorfoses* de Haber, uma coletânea de artigos especializados e uma obra de popularização científica. Devorou o material como uma traça, sem digeri-lo tão bem quando diziam que Samsa faria. Boa parte dele estava além de sua compreensão. As fotografias detalhadas o hipnotizavam, porém.

Um dia, disse ao doutor Nino que queria conhecer Samsa.

— Não sei se devo consentir, senhor Rip, receio que o perturbe demais. Se teve uma reação tão violenta quando mais jovem e saudável, como será agora, que o senhor está mais frágil?

— Ora, companheiro, como vocês dizem agora, não vê a que estou reduzido? Se não puder me deixar correr alguns riscos para que a vida me aconteça, mais vale me matar logo, que não quero existir como uma múmia de museu. Ele e eu somos as aberrações mais famosas deste circo, não somos? Acho que merecemos nos conhecer!

Por fim, o médico concordou. Robbert já estava suficientemente forte para se sentar e ser conduzido numa cadeira de rodas pelo enfermeiro, enquanto o doutor Nino o acompanhava para o caso de uma emergência. Pela primeira vez em vinte anos, deixou o Instituto Central do hospital para sair ao ar fresco, num fim de tarde tranquilo. Sentindo a brisa no rosto, ouvindo o canto de um bem-te-vi, deixou-se passear pelas alamedas entre os jardins e edifícios do imenso hospital. Sentiu-se curiosamente livre, mais do que quando era um homem poderoso e caminhava com pernas fortes, mas se vergava sob o peso das missões e do medo do fracasso e da pobreza.

Sua única obrigação, agora, era aproveitar o que lhe restava da vida. Passou pela seta que indicava os Laboratórios de Investigação e então viu a Coisa. Samsa. Tinha imaginado que ele vivia trancado num laboratório, mas não, aproveitava a tarde à sombra de uma vasta figueira, contemplando placidamente as crianças que brincavam nos balanços, gangorras e escorregadores de um parquinho infantil. Algumas delas corriam para arriscar uma olhada mais de perto. As mais atrevidas chegavam a tocá-lo e depois saíam correndo e rindo. Ele parecia não se importar.

Sentada no chão a seu lado, estava uma mulher de meia-idade de verdes olhos amendoados, maçãs do rosto bem salientes e um ar de loba, que sorriu ao vê-los chegarem. Nino apresentou Galina, que veio a seu encontro e lhe estendeu a mão. Trêmulo, Robbert esforçou-se para segurá-la e foi recompensado com um sorriso e um toque carinhoso.

Voltou-se para a criatura, que parecia olhá-lo com benévola curiosidade. Aquilo lhe deu arrepios, mas não eram mais de horror, eram de excitação. À luz do sol poente, os reflexos dourados da carapaça e prateados de seus olhos facetados lhe davam um ar majestoso, mais nobre que o regente romano ao desfilar em carro aberto ao som da *Cavalgada das Valquírias*. Não entendeu os sons que ele emitiu, para isso era preciso prática.

— Ele diz que tem prazer em conhecê-lo — traduziu Galina — e que pede desculpas por tê-lo assustado tanto. Gostaria de tê-lo como amigo. Pode falar à vontade com ele, que nos entende perfeitamente. Seus ouvidos são melhores que os nossos.

— Deixe-me tocá-lo — pediu.

Samsa estendeu uma pata. Robbert a tocou e deslizou os dedos sobre a textura lisa, dura e flexível como a de um bambu. Terminava em garras finas que, segundo tinha lido, podiam se cravar em tijolo, pedra e concreto. Uma criatura poderosa e terna, que abria possibilidades nunca imaginadas, para uma vida capaz de transcender o meramente humano e abarcar todo o Universo. Admirável mundo novo que teria tais habitantes, quando todos seriam pagos por existir e ninguém precisaria pagar por seus pecados!

Podia jurar que ele, como aquelas crianças, nunca mais sentiria medo de baratas.

# AUTO DO EXTERMÍNIO[1]
Cirilo S. Lemos

---
[1] 1936 (ao som das big bands).

## O matador e seu menino

JERÔNIMO TROVÃO ENROLOU o *Magazine de Aventuras* feito um canudo e esmagou a mosca que patinhava pelo bolo sobre a mesa. Após uma noite inteira estudando rotas de fuga, plantas de prédios e o complexo esquema de montagem de um Enfield, estava cansado demais para fazer qualquer coisa além de se deixar cair sobre a poltrona. Não ia gastar mais energia tentando entender o que diabos era uma fenda temporal.

A cidade estava em movimento lá fora, uma cacofonia que misturava o apito das fábricas, o ronco dos automóveis, o zumbido leve dos dirigíveis atravessando as nuvens de fumaça em direção a Estação Central do Brasil, o burburinho rude e ininteligível dos trabalhadores portuários do outro lado da rua. Ruídos familiares, autêntica música de fundo ao qual cada um tinha de se habituar se quisesse viver numa metrópole como o Rio de Janeiro. Muitos não conseguiam. Quando suas pálpebras se fecharam, ele estava pensando na história do mineiro que, vindo com a família de uma comunidadezinha no interior, não suportara o barulho interminável e a correria da cidade grande. Deu um tiro no próprio coração e deixou um bilhete pedindo para ser enterrado em sua terra. Isso foi há muito tempo. Seis ou sete anos atrás. Mas ficou na memória de Jerônimo como um exemplo de como um homem podia ser devorado naquela selva de concreto armado e lagos de gasolina. Pensava com seus botões que mesmo os que se acostumavam com aquele tipo de vida tinham lá suas cotas de loucura.

Como ele mesmo. Jerônimo Trovão vez ou outra era visitado por uma Santa.

Ele ficava impressionado demais para fazer qualquer coisa além de respirar e sentir o coração doer, mas isso jamais confessava, nunca, nem mesmo para a Santa, quando ela chegava claudicando pelo chão esturricado, a cabeça coberta por um manto muito azul e pedaços da barriga vergonhosamente à mostra, vinda – como ela mesmo dizia – do hiperespaço, onde viviam os Santos. Não sabia o que isso significava, mas não tinha alternativa senão aceitar sua santidade. O cheiro das coisas do Senhor emanava dela através de um coração cheio de espinhos, um perfume forte e ferruginoso que limpava o ar da fumaça dos motores. Pois nem para ela, que era Santa e, portanto, dispunha de sua alma, confessaria o pavor que o tomava ao se ver naquela terra cheia de gente, assim como nunca diria o quanto adorava vê-la aparecer ao longe como uma miragem.

Ela surgiu pouco depois do *Magazine de Aventuras* ser arremessado num canto qualquer. Carregava seu halo debaixo do braço, o sagrado coração pingando sangue. Não tinha nenhum sorriso quando parou diante da poltrona, a pele ligeiramente acinzentada pela luz mortiça que entrava pela janela. Estendeu-lhe a mão, encarando-o com os olhos pintados de Nancy Carroll. Ele a beijou respeitosamente, mas sem cerimônia.

*Você é apenas o sonho de Antão do Deserto*, ela disse. A voz era um farfalhar rouco. *Ele agora dorme para ter forças para resistir aos demônios por mais um dia.*

– Não sou um sonho. Sou um homem. – Não havia firmeza na resposta de Jerônimo.

*Ele está lá fora neste momento, dormindo. Refugiado neste sonho para descansar antes da batalha contra a próxima horda. Você não pode deixar o Deserto chegar.*

– Não sou um sonho. – Ele repetiu. Sentiu a mão pequena erguer seu rosto e se viu inundado por seus olhos dourados.

*Você é um assassino, homem-sonho.*

Estremeceu. Suas palavras soaram como sentença, a constatação de um fado lavrado em pedra, inalterável. Ouviu explosões secas vindas de algum lugar. No mesmo instante, percebeu que não estava mais dormindo.

Alguém batia na janela do quarto.

Jerônimo foi até o criado-mudo. Embaixo de um exemplar do dia anterior de *O Monitor Integralista* havia uma Mauser 96 carregada. Apanhou-a e se dirigiu devagar até a janela. Apoiou-se de costas contra a parede, tentou enxergar alguma coisa pelas frestas da persiana. Não viu nada. Virou-se para a janela ao lado. Também não viu nada além do sol esmaecido que começava a desenhar tiras sobre o tapete sujo do quarto. Tinha certeza de ter ouvido algo. Talvez sua cabeça estivesse misturando pedaços de sonho com realidade. Ergueu o cano da pistola até quase a altura do queixo. Com um movimento rápido, abriu a persiana. O dia cinza tomou de assalto metade do quarto, um pombo sujo de óleo fugiu assustado. Debruçou-se sobre o parapeito para observar o beco três andares abaixo. Só o que havia ali era estivadores encardidos cortando caminho até a Avenida Rodrigues Alves e uma teia de varais secando roupas na fumaça quente que subia das bocas de lobo. Acima, no trecho entre os prédios onde era possível ver o céu, um dirigível penetrava numa coluna de nuvens. Ia voltar para a poltrona quando a porta do banheiro abriu ruidosamente. A figura diminuta que saiu de lá deu de cara com a Mauser 96 apontada para sua cabeça.

– Por que não usou a porta? – Jerônimo reconheceu o filho mal este cruzou o limiar da porta. Ainda assim, a arma permaneceu apontada. – Estou tendo um dia muito estranho. Poderia ter espalhado seus miolos na parede atrás de você.

Deuteronômio Trovão (encurtado para Nômio pelo próprio) mal passava dos quatorze anos. Usava uma camiseta manchada de fuligem, calças feitas de um tecido grosso e óculos de solda presos no alto da cabeça. Queria se parecer com um aviador dos reides de uma década ou duas antes, mas isso era o melhor que podia fazer com os trocados que ganhava do pai.

– Pensei que estava sendo seguido – gaguejou ele, indeciso entre baixar os braços ou deixá-los erguidos como um pateta.

– Fez como combinamos?

– Sim, senhor. Dois táxis em direções diferentes, depois o bonde.

Jerônimo baixou a pistola.

– Da próxima vez, use a porta.

Assassino. Lavrado em pedra. Fado inalterável.

Pousou a arma sobre o braço da poltrona. Fez um gesto vago para o menino.
— Comeu alguma coisa?
— Não.
— Tem café e bolo na mesa. O café está fervido e o bolo meio solado.

Nômio encheu uma xícara, tomou um gole e fez uma careta.
— Está horrível.
— Eu avisei.

O garoto comeu três pedaços grandes de bolo de milho enquanto tentava não olhar para o pai. Conhecia a gravidade daquelas linhas se desenhando em sua testa. Algo o perturbava, e não era o fato dele ter entrado pela janela do banheiro. O melhor a fazer nessas ocasiões era deixá-lo em paz e fingir que não havia percebido nada. Talvez seu pai estivesse se tornando um moleirão. Sabia muito bem o que acontecia com moleirões naquele ramo. Acabavam com um balaço entre os olhos num manguezal qualquer, apodrecendo entre os caranguejos. Limpou os farelos do canto da boca e rasgou o papel que embrulhava um fraque amarrotado.

— Preciso devolver até sexta-feira. Tem uma mancha marrom nos fundilhos, mas foi o único que encontrei do meu tamanho. Consegui um bom desconto.
— Vai servir.
— E o carro?
— Lá fora — foi só que disse Jerônimo Trovão, antes de virar as costas. O sorriso de Nômio não poderia ser maior.

**Licença para Gemer**

O General Protásio Vargas sempre soube que seu lugar era entre os grandes homens. Cercado por bustos e telas que retratavam a linhagem dos reis portugueses, sentia-se à vontade. Mais que à vontade, aliás: sentia-se maior. Um homem forte, com vontade e pulso para salvar a nação das forças centrífugas que começavam a minar a ordem do Império.

Isso era mais do que se podia dizer da ruína humana que carregava a coroa sobre a cabeça. O velho dormitava numa das cadeiras, um filete prateado de saliva escorrendo pelo canto da boca. Mesmo com o calor, vestia um pijama forrado com veludo e tinha a cabeça coberta por um tipo de touca. De vez em quando, a cabeça ia caindo até o queixo tocar o peito. Ele se assustava, roncava e se aprumava, só para começar tudo outra vez. Um homem sentado à sua frente se divertia com a cena, bebericando um cálice de licor.

Sua Majestade, Dom Pedro Augusto de Saxe e Coburgo, terceiro soberano do Império do Brasil, e seu principal ministro e advogado, Artur Bernardes, Barão de Viçosa.

Para Protásio Vargas, a cena era uma ilustração do panorama político nacional: um velho debilitado que babava na própria barba e almofadinhas bajuladores afoitos por abocanhar mais uma pasta num gabinete qualquer.

Os aposentos do Imperador em Petrópolis eram mais austeros do que os da Quinta da Boa Vista. Havia uma cama grande de mogno, uma escrivaninha, algumas cadeiras perto da janela que dava para o jardim e uma lareira que o calor excessivo dos últimos tempos – até mesmo ali, no alto da serra – tornara apenas parte da decoração. No console, um rádio tocava uma melodia da orquestra de Gray Noble, bem ao lado de um desses serviçais mecânicos que andavam na moda entre gente rica. Um berço completava o mobiliário do quarto, o que causou ao general um tipo de surpresa que foi difícil dissimular.

– Exatamente o homem que queríamos ver – disse Artur Bernardes, levantando-se.

Vargas se inclinou diante do Imperador e beijou-lhe a mão. O monarca acordou num sobressalto, resmungou alguma coisa e limpou as costas das mãos no pijama.

– São os remédios. – Bernardes sorriu ante o constrangimento de Vargas. – Sua Majestade teve outra de suas crises de humor.

– Entendo – respondeu Vargas, cumprimentando-o.

Crise de humor, pensou. Um grande eufemismo para os surtos de esquizofrenia que atingiam Dom Pedro III com frequência cada vez maior. O Imperador era flagrado em acaloradas discussões com a Imperatriz, defunta já há mais de quinze anos, ou então discutindo com interlocutores invisíveis os avanços da astronáutica nazista.

Na maioria das vezes os casos eram abafados, mas burburinhos começavam a se espalhar para além da Corte. Jornais de oposição soltavam notas irônicas por entre os artigos histriônicos que propagavam a ideia de que não haveria um quarto reinado. Vargas ouvia algumas histórias contadas no Clube Militar, como a de que as viagens constantes do monarca para a Europa em sua juventude eram na verdade para se tratar com certo médico chamado Freud. Mas ver com os próprios olhos seu estado frágil era, de certa maneira, uma decepção.

– Tenho um assunto importante para tratar com Sua Majestade.

O Imperador ergueu com esforço os olhos baços. Quis dizer alguma coisa, mas Bernardes se adiantou:

– É bom que tenha vindo, General. Também temos um assunto importante para tratar com o senhor. Poupou-nos o trabalho de enviar um mensageiro até sua casa.

– E o mensageiro seria um recruta da Guarda Nacional, é claro.

O ministro fez um gesto para que Vargas se acomodasse numa das cadeiras.

– Vocês, militares, são incapazes de transcender essas picuinhas institucionais? Não é cortês falar com o Imperador e seu ministro principal olhando-os de cima, General. Sente-se conosco. Estamos apreciando um ótimo licor de jenipapo. – Encheu somente dois cálices, um para si e outro para o Vargas. – À sua saúde, Majestade.

– No Exército não costumamos esquecer as "picuinhas institucionais", Senhor Ministro-Presidente. Não enquanto vemos a Guarda Nacional e seus coronéis-fazendeiros recebendo dinheiro para seus projetos mirabolantes enquanto nós mal temos como alimentar nossos soldados.

– Esses coronéis-fazendeiros, como o senhor faz questão de colocar, são o que mantém o Império coeso desde 1870, General. Foi a força e o apoio desses homens que permitiram uma passagem de século tranquila para as instituições deste país.

– Sem dúvida. Nós que morremos no Gran Chaco paraguaio e que fomos envenenados por gases na Grande Guerra não temos nada a ver com isso. Os legítimos guardiões deste país são os heroicos latifundiários interessados em proteger sua fonte inesgotável de financiamento.

— Sua família foi uma das primeiras a usufruir dessas vantagens, não se esqueça — atacou Bernardes, olhando de soslaio para Dom Pedro III. — Os Vargas ficaram muito satisfeitos em receber da Corte todo aquele maquinário pesado para as suas fazendas.

— Meus avós apenas cumpriam a lei. Os britânicos forçaram os antigos regentes a tomar nossos escravos em troca de máquinas importadas de Manchester para executar o trabalho pesado das lavouras. Os céus da terra em que nasci se tornaram uma grande mancha de óleo, os industriais ingleses ficaram ainda mais ricos e o Império ganhou uma quantidade absurda de negros andando soltos por aí.

— Está falando como um comunista.

— Não. Estou falando como um entusiasta dos estudos históricos. Sou um soldado, e minha preocupação é com minha pátria.

O Imperador teve um acesso de tosse tão violento que precisou ser amparado por Vargas e Bernardes.

— Nem aqui se escapa desse cheiro insuportável de fumaça — disse o ministro. — Devo chamar o Dr. Pena?

O Imperador não respondeu. Pediu para ver o menino. Bernardes tocou uma sineta. Uma mulher negra entrou com um bebê no colo.

— Venha ver, Vargas. Seu futuro soberano — sussurrou o Imperador, o peito chiando.

Para a surpresa do general, a criança era absolutamente normal. Nenhum traço das deformidades genéticas das quais fora alertado por seus informantes no laboratório de Belisário Pena. Olhou para o rosto de Dom Pedro, depois novamente para o bebê. Os traços do velho eram facilmente reconhecíveis no menino. Por mais improvável que pudesse parecer, o Imperador gerara o príncipe que fora incapaz de produzir nos últimos cinquenta anos.

— Onde está a mãe? — balbuciou Vargas, notadamente perturbado. Tinha visto a mulher grávida algumas vezes nos jornais. Depois ela desapareceu completamente.

Dom Pedro afagava o bebê.

— Uma boa mulher. Fiel à sua pátria. Está na Europa, agora — respondeu o velho.

— Está insultando seu Imperador com esse tipo de pergunta — censurou Bernardes. Limpava a lente dos óculos com um lenço. — Aliás, como vem se tornando comum entre seus iguais.

Vargas percebeu que algum tipo de tensão começava se formar ali. Já esperava por isso.

— Então voltamos às picuinhas institucionais?

— Isso é mais que uma mera picuinha, General. Vou' direito ao ponto. Não vamos mais tolerar as insubordinações do Exército. Seus garotos precisam de uma mordaça.

— Do que está falando?

— Estou falando do tenentezinho de meia pataca publicando artigos pagos em jornal. Tudo o que não precisamos neste momento é de oficiais de nossas próprias Forças Armadas criticando o Gabinete e desrespeitando Sua Majestade em público. Não é um momento oportuno para isso, General.

— E quando vai ser o momento, Senhor Ministro-Presidente? Quando formos vítimas de um levante armado de grupos revolucionários daqui? Pois é exatamente disso que vim tratar. Há indícios de que a AIB está recebendo armamento alemão pelo Prata. E de que grupos anarco-luditas e socialistas estão se articulando em torno da Aliança Nacional Libertadora. Estão preparando alguma coisa grande para breve. Quando isso acontecer, estou certo de que o senhor não gostará de ter um Exército de farrapos mendigando munição por aí.

Bernardes disparou a gesticular. Fazia isso quando ficava nervoso.

— A Guarda Nacional está preparada para nos defender, caso o Exército se mostre ineficaz.

— Essa revolta pode assumir proporções catastróficas — insistiu Vargas, tentando ignorar a provocação. Lançou um olhar discreto para Dom Pedro, que ressonava outra vez na cadeira. — O Brasil pode acabar nas mãos de um aventureiro fascista. Ou pior, dos comunistas de ocasião.

— Pois para mim o Exército anda se revelando bem mais problemático que os comunistas, General. Saiba que o artigo desse tenente, ou de quem quer que esteja por trás dele, não passará impune.

— Não ameace um homem de armas, Senhor Presidente. — Vargas ripostou num tom gélido. Seu polegar roçou de leve no coldre de couro.

Bernardes acompanhou o gesto.

— Também sei usar um revólver, General — disse ele. Jogou o paletó para trás. Um trinta-e-oito niquelado apareceu em seu cinto. Os

dois ficaram ali, parados, cada qual consciente de que tudo não passava de um jogo de vontade e que jamais chegariam às vias de fato.
Um novo acesso de tosse do Imperador pôs fim à cena constrangedora.

— A ordem natural voltará quando o príncipe herdeiro for oficialmente apresentado ao Brasil, como pede a Lei de Sucessão. — D. Pedro III espichou os olhos para o general. — Não se preocupe, Vargas. Conspiração alguma derrubará o Império.

## Peão na Casa da Torre

Nômio ajeitou a gola do fraque. Detestava aquele tipo de roupa, apertada demais, desconfortável demais. Há vinte minutos circulava pelo hall do elevador entre um mar de gente, tentando se passar por mensageiro, garçom, qualquer coisa do gênero. Os tais integralistas lhe pareciam muito mal-humorados, quando riam eram com os dentes à mostra e as sobrancelhas arqueadas como os facínoras que Democrata, seu herói favorito, enfrentava. Pareciam estar tramando alguma coisa.

Ficou de olho na porta. Concluiu que não seria difícil bloqueá-la quando chegasse a hora. Bastava passar a corrente e o cadeado entre os puxadores em forma de alça e ninguém sairia de lá até seu pai concluir o serviço.

Puxava outra vez a gola do fraque quando viu passar, de braços dados com um homem de grandes olheiras, a mulher mais bonita que já vira. Usava um vestido cinza e um chapéu branco, que só deixava à mostra partes de um cabelo ruivo. Lembrou-se de sua mãe. Ela nunca usara maquiagem, não que ele soubesse, mas isso não diminuiu a intensidade da sensação. Ficou ali, imóvel, olhando para a mulher e sentindo a maior saudade do mundo.

— O que foi, garoto? — perguntou o homem das olheiras. — Quer pedir a moça em casamento?

Nômio enrubesceu.

— Que maldade, Cassiano — riu a mulher, dando um tapinha na braçadeira do companheiro. — E você, menino, me achou bonita?

— A senhora se parece com a minha mãe. — Nômio fazia força para as palavras lhe saltarem boca afora.

– Que gracinha. E onde ela está?
– Ela morreu.
A mulher corou, sem saber o que dizer. Acabou se deixando conduzir pelo homem das olheiras para o salão. Nômio deu de ombros e se embrenhou entre os vasos de plantas ali perto, onde a mochila com o rádio estava escondida. Ligou o aparelho.
– Quando ele entrar, vou trancar as portas. – Disse, sem esquecer o rosto desenhado feito o de sua mãe.

## Futilidades Falsas e Verdadeiras

Para os terminais subterrâneos da Central do Brasil convergiam trens oriundos dos quatro cantos do Império. Seu topo em forma de hexágono recebia dirigíveis de cruzeiro do mundo inteiro. Joana Brás já estivera em outras ocasiões no alto da maior estação da América do Sul, mas essa era a primeira que se permitia aproveitar a visão que ela proporcionava.

Não gostou do que viu. O Rio de Janeiro era feio visto de cima. Chaminés velhas de tijolos expostos vomitavam colunas de fumaça densa que iam, quase imóveis para quem observava, se misturar à grande e perene nuvem cinza que cobria a cidade como um cobertor de veludo. Tubulações de todas as formas e feitios percorriam as ruas de cima a baixo, transportando gás, óleo e toda sorte de fluidos químicos necessários para azeitar o bom desempenho das centenas de fornos, foles, caldeiras, exaustores, rodas dentadas, válvulas, empilhadeiras, parafusadores, esteiras, siderúrgicas, prensas, roldanas, faróis, impressoras, dínamos, vaporizadores, serras de fita, macacos hidráulicos, esteiras rolantes, linhas de montagem, estações de tratamento, oficinas. Os tubos furavam o asfalto, se alongavam acima e abaixo da terra, emparelhavam com prédios e monumentos. Nos muitos morros da cidade porejavam barracos que, de tempos em tempos, grandes tratores punham abaixo. Mas era impossível remover as centenas de habitações que surgiam a cada dia. Favelas imensas cresciam e se espalhavam em ondas ao redor dos bairros, os casebres feitos do que era possível encontrar, papelão, telhas, madeira, chapas de zinco.

Joana se surpreendeu pensando que o progresso cobrava um preço alto dos mais pobres, e achou que o tempo que passara com os comunistas infiltrou esse tipo de ideia em sua cabeça. Mas era difícil pensar diferente. Às cinco da manhã, sirenes soavam nos conjuntos habitacionais fabris, apitos estridentes e trêmulos que iam se somando até se tornar um único som, que avisava a todos os operários do início de um novo turno de trabalho. Uma a uma, as luzes das casas, cubículos idênticos construídos em forma e aperto, se acendiam. Os trabalhadores, repetindo movimentos já automáticos pela rotina, se levantavam, arrumavam as camas, tomavam café. Os que moravam longe abarrotavam os ônibus, os trens, as ruas. Passavam os cartões perfurados nas máquinas de ponto, vestiam os macacões, executavam suas funções. Ao meio dia, almoçavam, tomavam cafezinho, fumavam um cigarro e começavam tudo de novo. Tempos modernos.

Ao redor do prédio da Central do Brasil não era permitido haver construções muito altas devido ao tráfego de dirigíveis. Da janela panorâmica do centro de convenções, bem acima do relógio, Joana podia ver ao longe os grandes arranha-céus de aço e vidro, símbolos da arquitetura modernista que vinha se imiscuindo ao gosto de seus proprietários, em geral empresas estrangeiras. Dentro deles, ela pensou, magnatas, operadores financeiros, secretárias executivas e diretores observavam com olhos cheios de cupidez a capital do Império, gerenciando cada detalhe da planilha de produção, zelando através de uma hierarquia bem amarrada pelo andamento do trabalho em todos os setores. Quando as coisas corriam como o planejado, os sorrisos eram brancos como nada na cidade conseguia ser. Quando não, esbravejavam furiosos com subordinados encolhidos de medo. Para compensar tudo isso, havia o mar borrado de laranja pelo pôr do sol. Isso era algo que ainda era capaz de fazê-la sorrir.

Pelo reflexo da vidraça viu atrás de si um homem sair da rodinha de intelectuais, apanhar da bandeja de um garçom duas taças de champanhe e deslizar até ela. Joana respirou fundo e se preparou para ser fútil.

— Um conto de réis para saber o motivo desse sorriso tão meigo — disse Cassiano Ricardo.

— Estava pensando que Marx até tinha lá sua cota de razão.

Cassiano Ricardo pareceu levemente desconcertado com a resposta inesperada, mas se recompôs quando Joana deu uma risadinha.

— É perigoso falar esse tipo de coisa numa reunião integralista, minha querida.

Joana aceitou a taça de champanhe que ele oferecia.

— Artistas não devem ter medo de se expressar, Cassiano. Um poeta feito você deveria saber disso melhor do que ninguém.

— As preocupações com a política quase me fazem esquecer das letras.

— Pois não devia. — Joana deu-lhe o braço. — Vamos, quero ouvir as histórias engraçadas de Menotti e Lúcia.

Joana achava entediante as reuniões da Ação Integralista Brasileira, cheias de bravatas ultranacionalistas, demonstrações de autoridade e arte duvidosa. Para ser justa, a poesia de Cassiano Ricardo não era de todo ruim. *Canções da Minha Ternura* até se mostrara uma leitura bastante agradável. Mas assistir Plínio Salgado declamar versos estéreis enquanto era ovacionado por homens vestidos com camisas verdes não se enquadrava em absoluto na sua ideia de diversão.

Ela não estava ali para se divertir, porém. O anel em seu dedo, ligeiramente apertado, não a deixava se esquecer disso. Desempenhava um papel importante, infiltrada no grupo cada vez mais radical capitaneado por Salgado. Mas era uma mulher de ação e não havia nada pior para alguém como ela do que ficar entre aquelas pessoas, fingindo se preocupar com vestidos da moda ou o corte de cabelos das estrelas de cinema. Para tentar reduzir um pouco o aborrecimento dos discursos inflamados, repetitivos em cada vírgula, e das conversas mortas, procurava a companhia do grupo Verde e Amarelo, composto por pintores futuristas, escritores dadaístas e poetas modernistas (ou quaisquer destas combinações). Homens e mulheres como Menotti del Picchia, admirador secreto do lixo literário de um editor americano chamado Gernsback; Lúcia Amado, com seus quadros que, segundo a própria, eram um grito contra o vazio da mente feminina moderna; e o próprio Cassiano Ricardo, que previa para si uma cadeira na Academia Brasileira de Letras. Eram artistas. Um tanto engessados pelas ideias integralistas, mas ainda assim artistas.

Quando se reunia com eles, Joana apenas fingia beber. Quando o álcool começava a elevar as cabeças e soltar as línguas, ela encaixava perguntas aparentemente inocentes para tentar arrancar alguma informação relevante. Andara ouvindo boatos que precisavam ser confirmados, como o de que a LATI era usada pelos fascistas italianos para enviar dinheiro e armas alemãs para a AIB; ou de que um levante estava sendo preparado para breve, uma vez que o Imperador estava com o pé na cova e não havia quem o sucedesse diretamente, segundo a emenda constitucional de 1893. O grupo Verde e Amarelo, porém, não sabia de muitas coisas. Provavelmente pelo fato de serem demasiado dados a bebedeiras. Plínio Salgado, apesar de poeta medíocre, era inteligente o suficiente para saber que nem todos os que bradavam o *anauê* eram dignos de confiança.

Enquanto ria com os outros dos gracejos de Menotti, Joana estudava discretamente as rodas de conversa que se espalhavam pela sala de convenções. O próprio espaço escolhido para a reunião, um salão com janelas panorâmicas acima do relógio da Central do Brasil, era um indício claro de que a AIB dispunha agora de uma grande quantidade de dinheiro. O aluguel do lugar era caríssimo, assim como devia ter sido o bufê com direito a garçons de fraque e uma imensa bandeira com o sigma negro dentro de um círculo branco que tomava a parede atrás do púlpito, do chão ao teto. Muito dinheiro parecia estar fluindo para o caixa dos integralistas. Se isso fosse verdade, então havia grandes chances do resto também ser. Mas isso o grupo Verde e Amarelo não saberia. Ela precisava se aproximar das pessoas certas.

Plínio Salgado chegou à sala de convenções e foi saudado com um *anauê* tonitruante pelos presentes. Ele acenou para todos, apertou as mãos de alguns, bebeu água de uma jarra de cristal. Joana sempre pensou na figura dele como uma contradição. Um homem magro, o rosto ossudo enfeitado por um bigodinho quadrado, o cabelo meticulosamente penteado de lado, enfiado no uniforme integralista excessivamente engomado. Um tipo não muito impressionante, mas de tremendo carisma ao falar com seus partidários. Joana ainda estudava seus movimentos quando ele deitou o olhar sobre ela por alguns segundos, antes de declarar aberta a reunião extraordinária da Ação Integralista Brasileira e dar o sinal para o projecionista exibir o filme.

Cortinas negras cobriram o sigma. As lâmpadas se apagaram. Um facho de luz projetou o 3, 2, 1. Joana não conhecia cinema o suficiente para saber se Leni Riefenstahl era expressionista ou não, mas compreendeu a razão do êxtase cívico que o filme causou entre os integralistas presentes. Era basicamente composto por closes em rostos arianos perfeitos, marchas colossais de batalhões e imagens de um Führer imponente, filmadas de baixo para cima, a saudar o bravo povo alemão, tendo o estandarte da águia ao fundo. A música de Wagner emprestava um tom quase bíblico à película e cada vez que a suástica aparecia havia quem respondesse com um *anauê* carregado de orgulho.

Quando as luzes foram acesas, uma salva de palmas explodiu no salão. Plínio Salgado subiu ao púlpito e começou a falar. Riu divertido ao ser informado de que o microfone estava desligado. Um breve agudo de microfonia, e o problema foi resolvido. Ele tomou outro copo d'água e abriu a boca para despejar o que seria seu discurso mais feroz.

O microfone amplificou um chiado agudo seguido por um estalar molhado. Um segundo depois, o cérebro de Plínio Salgado se espalhou pelo sigma na bandeira.

## Para Tirar o Inferno de si

A grande vantagem de se trabalhar para clientes importantes era evitar os detalhes complicados do negócio. Como por exemplo, chegar ao topo de um edifício levando uma mala grande cheia de equipamento pesado. Jerônimo Trovão não teve problemas em passar pelo porteiro do edifício Solemar, cruzar o pequeno saguão e subir vinte andares de elevador com um rifle-metralhadora Enfield de três canos, a Mauser 96 e munição suficiente para declarar guerra à Bolívia outra vez.

O prédio não era alto, principalmente se comparado aos arranha-céus dos quarteirões mais afastados, mas era um dos únicos a atingir a altura máxima permitida na zona de tráfego dos dirigíveis de cruzeiro que rumava para a estação. Isso significava uma possibilidade bem menor de espectadores curiosos. Restavam apenas os próprios dirigíveis e a Central do Brasil como pontos de observação mais elevados. Não precisaria se preocupar com os primeiros, em geral cheios de turistas endinheirados interessados demais uns nos outros para preferirem viajar dias num superbalão do que horas num DC-13; nem com a segunda, do outro lado da Avenida Pedro II, distante uns bons cinquenta metros, mais que suficientes para um abelhudo ser incapaz de enxergá-lo como mais que um ponto escuro.

Por via das dúvidas, começou a montar o equipamento debaixo da estrutura comida de ferrugem que sustentava uma antena. Levou pouco mais de vinte minutos para aprontar todas as peças do rifle-metralhadora, lubrificar o cano triplo, alinhar a mira. Levara consigo cinco mil e seiscentos cartuchos de munição em quatro cilindros supressores de ruídos. O Contratante queria causar bastante estrago. Deitou-se sob a antena, colou o olho na luneta da arma. Viu o relógio da estação Central do Brasil. Girou uma série de botões para ajustar o foco, ergueu um pouco a mira. A janela panorâmica da sala de convenções apareceu. Havia muita gente diante do que Jerônimo pensou ser um grande E na parede. O púlpito estava lá, exatamente como lhe disseram. Inseriu um cartão perfurado numa pequena caixa ligada por cabos à mira. Puxou uma pequena alavanca. O Enfield vibrou devagar quando a caixa começou a ajustar automaticamente a distância e a converter os mostradores americanos para o padrão de medidas brasileiro. Acoplou os cilindros de munição aos tubos de gás, destravou o gatilho e esperou.

Meia hora depois, as luzes se apagaram na sala de conferência. Um filme estava sendo projetado, conforme o esperado. Como também era esperado, Jerônimo ouviu a voz de Deuteronômio no rádio:

– Quando ele entrar, vou trancar as portas.

– Saia do prédio assim que terminar e me encontre no lugar combinado.

As sombras já começavam a se alongar pela cidade. A noite cairia completamente em duas horas ou menos. Não precisou se preocupar muito, porém: em quarenta minutos, as cortinas se abriram e as luzes se acenderam. O barulho caótico do trânsito na Avenida Pedro II não lhe permitiu ouvir a salva de palmas que eclodiu entre os integralistas.

No rádio, Deuteronômio:

— Ele está entrando, pai.

Jerônimo viu a figura esguia de Plínio Salgado cruzar o salão como César em pessoa e subir ao púlpito. A interseção das linhas verticais e horizontais da mira estava no espaço ínfimo entre o lábio superior e o nariz.

O dedo já estava no gatilho.

*Você é um assassino, homem-sonho*, disse a Santa.

Ele apertou os olhos. Ela estava sentada acima dele, nas ferragens da antena.

— Agora, não.

*Vai matar um homem.*

— Um homem mau.

*Tirar uma vida.*

— As coisas não são simples assim.

*Vai se transformar num pesadelo para Antão, enfraquecê-lo em sua luta contra os demônios.*

— Fique calada.

*Assassino.*

— Por favor.

*Se matar esse homem, vai unir sua senda destrutiva à do Menino.*

— Por favor.

*As três almas serão condenadas.*

— Cale-se!

Pressionou o gatilho.

A cabeça de Plínio Salgado estourou.

Olhou para cima. A Santa não estava mais lá. O suor começou a cair sobre seus olhos. Mudou o Enfield para o modo metralhadora. O cano triplo começou a girar, as cápsulas voaram feito abelhas. E assim Jerônimo Trovão levou o inferno aos integralistas. Só para tirá-lo de si.

## Inferno na Torre

Os dez segundos após a cabeça de Plínio Salgado desaparecer numa mancha vermelha foram eternos. Joana Brás via pessoas gritando, mas não ouvia suas vozes. Não ouvia nada.

No décimo primeiro segundo, os sons voltaram. A reunião extraordinária da AIB se transformou num pandemônio. A janela panorâmica explodiu numa nuvem de fragmentos afiados. Uma chuva de balas varreu o salão, estilhaçou taças, destruiu o bufê, esburacou as cortinas e a bandeira, perfurou as paredes, estourou lâmpadas, arrebentou o projetor, uma barulheira interminável, gente caindo, gritando, chorando, não acreditando, morrendo.

O sangue de Cassiano Ricardo espirrou no chapéu branco de Joana. Ela sentiu o braço do poeta amolecer e escorregar. Antes que o corpo do amigo tocasse o chão, seu disfarce de dondoca fútil já havia evaporado e o instinto de sobrevivência, aflorado. Ela saltou por cima de uma mesa e dali para trás de uma pilastra. Os tiros passaram zunindo perto de sua cabeça, e então cessaram.

Quando se permitiu respirar, olhou ao seu redor. Só o que havia ali era pessoas mortas ou expirando umas sobre as outras, braços arrancados, peitos esburacados, olhos rolando para fora das órbitas, pernas jogadas para longe de seus donos. Uma poça rubra se formava no piso quadriculado cheio de cacos de vidro, comida e pedaços de reboco. Joana esperou mais um minuto antes de se erguer, as costas apoiadas na pilastra, as mãos trêmulas por saber que era a única naquele lugar que ainda vivia. A porta dupla estava trancada, como deviam ter descoberto dolorosamente os homens e mulheres amontoados ali. Joana tentou conter o pânico. A sala de convenções da Estação Central do Brasil havia se tornado um matadouro.

---

*Essas pessoas acordaram hoje, se vestiram e foram morrer,* disse a Santa.
Jerônimo Trovão fingiu não ouvir. Os cilindros de munição haviam se esvaziado. Esperou que o Enfield esfriasse e começou a desmontá-lo apressadamente. Enfiou as peças na mala grande. Foi em direção à porta do terraço.
A Santa foi atrás.
*Sobrou alguém, homem-sonho.*
Ele desceu dois lances de escadas, entrou no primeiro corredor que viu. Jogou a bolsa num compartimento de lixo que havia ali e ficou ouvindo-a cair pelo duto de zinco. Era isso. Como o Contratante queria. Algum factótum dele se encarregaria de sumir com ela.

*Uma mulher.*
— Eu sei. — Já não conseguia mais ignorá-la, embora estivesse tentando bastante nos últimos tempos. — Vou atrás dela agora.

*Não, não vai.*

— Vou.

*Você não deve fazer isso agora, homem-sonho.*

— E por quê?

*Porque ela vai matá-lo se for lá.*

Jerônimo Trovão tinha lá seus motivos para acreditar quando ela dizia essas coisas.

━━━▆▆━━━

— Isso não é história — disse Ronaldo Aroeira. — É um boato, meu caro. Uma lorota para boi dormir.

O homem parado diante dele parecia menor que o paletó que vestia. De vez em quando olhava de esguelha para a garrafa de vermute sobre a mesa e sentia a boca salivar. Chamava-se Antônio Gomes. Era um dos principais repórteres dos Diários Associados, considerado por muita gente o maior conglomerado de jornais da América Latina.

— Pode haver um fundo de verdade.

— Vimos a mulher que o velho andou comendo, não vimos?

— Vimos, mas...

— Se estivesse me dizendo que o filho não é dele, eu até entenderia. Mas essa história do Imperador produzir um filho dentro de tubo de ensaio, como se fosse o Dr. Frankenstein... Nem Pedro Augusto pode brincar de Deus.

— Isso não tem nada a ver com Deus — retrucou Gomes. — É Ciência. Ela está criando um mundo novo e admirável.

— Nem tão novo, nem tão admirável. — Aroeira encheu um copo de vermute e ofereceu a Gomes. Este apertou as pálpebras e balançou as mãos abertas. Aroeira deu de ombros, impaciente.

— Como explicar que o Imperador, um octogenário à beira da morte, tenha um filho de repente? Logo ele que a vida inteira foi incapaz de engravidar alguém.

Para Aroeira, a resposta era óbvia:

— Uma cortesã de seios fartos, se tiver habilidade, pode fazer milagres. Ou então o filho não é mesmo dele. Seja como for, não há um herdeiro enquanto ele não for apresentado oficialmente ao país. Quando isso acontecer, e somente aí, falaremos disso.

Gomes balançou a cabeça, contrariado.

— Então não temos uma história que não seja requentada e... O telefone tocou, interrompendo-o. Aroeira atendeu. Gomes viu a boca do homem se abrir de espanto conforme ouvia. Um minuto depois, ele desligou o aparelho.

— Era o senhor Chateaubriand. Você tem sua manchete. Anote aí: aliancistas promovem chacina em convenção integralista.

## Boatos Destrutivos

O país foi inundado por dezenas de jornais cujas manchetes garrafais insinuavam — quando não declaravam abertamente — que comunistas apoiados por Moscou promoveram um atentado que era, na verdade, o primeiro passo de um levante. A relação entre a ANL e a AIB, que já era tensa o suficiente sem que se precisasse de acréscimos, tornou-se um barril de pólvora de pavio curtíssimo. Antes que o sol raiasse, estudantes e intelectuais boêmios de inclinações socialistas já sofriam agressões nas ruas. A palavra *anauê* apareceu pintada em monumentos e muros. Uma turba apedrejou o pequeno prédio da embaixada soviética, onde Luís Carlos Prestes supostamente se reunia com os russos para orquestrar uma série de ataques que iniciariam a revolução vermelha. A onda de boatos transformou a capital do Império numa cidade ainda mais assustada, que esperava o pior acontecer a qualquer momento.

Ao meio-dia, um estudante de Direito recitou sua Ode ao Espírito de Lênin e acabou linchado por integralistas que saíam de um comitê logo adiante. Acabou gravemente ferido. Através de um programa de rádio, a ANL conclamou seus partidários a se defenderem de seus agressores, nem todos integralistas:

— Lamentamos o crime bárbaro de ontem, mas não aceitamos a responsabilidade por ele. Não toleraremos mais agressões apenas por estarmos convictos de nossos ideais — disse Prestes, numa mensagem gravada.

O Imperador foi aconselhado por Bernardes a descer de Petrópolis para o Rio de Janeiro e acelerar a apresentação oficial do herdeiro. D. Pedro III mal tinha forças para erguer o corpo, mas concordou. O Gabinete de Ministros, o governo de fato, emitiu um comunicado lamentando o ocorrido e assegurando que todas as medidas para encontrar os culpados estavam sendo tomadas, mas que não era a hora de se agir por impulso e começar uma caça às bruxas.

Não adiantou. Um grupo de mais de cem integralistas, engrossados por integrantes do Partido Nazista, iniciou um tumulto em São Paulo. Nas horas seguintes, o mesmo se deu em lugares distantes como Porto Alegre e Recife. Não houve vítimas fatais: toda a fúria se concentrou nos estabelecimentos comerciais pertencentes a simpatizantes do socialismo ou do anarquismo. A polícia foi para as ruas, mas a Corte conseguiu arrefecer os ânimos pedindo algumas horas para averiguar os fatos. A liderança integralista concedeu o prazo, saindo com isso fortalecida. Começou a correr a história de que estavam aproveitando o tempo para planejar mais distúrbios, provavelmente armados.

Um giroplano da polícia levou Joana Brás ao Edifício Solemar. Bastou uma olhada rápida para que encontrasse o local de onde foram executados os disparos. Ela apanhou uma cápsula vazia que o atirador esquecera de recolher. Rolou-a entre os dedos, guardou na bolsa. Era munição 7.62, de uso militar. Foi então que ela entendeu que as coisas iam piorar muito antes de começarem a melhorar.

### Do Encontro com o Contratante

*Atividades extraordinárias da mente foram verificados em pelo menos 0,9% do grupo de testes. Os psicobiofísicos relatam, em sua maioria, casos de percepção extra-sensorial (PES) em Níveis 6, 5 e 4, considerados os mais baixos; e 3 e 2, considerados elevados e de frequência incomum. O Nível 1, considerado Clarividência, é ainda mais raro, sendo observado em apenas um espécime desde o início do projeto. Vasili Kharitonov é originário da Sibéria, sem nada que o diferencie de um homem comum. No entanto, foi capaz de descobrir a localização de sete submarinos apontando-os em um mapa. Em testes posteriores, constatou-se que ele era capaz de antecipar atentados contra sua integridade física e prever resultados em situações controladas pelo laboratório. Profundamente religioso, Kharitonov insistiu na ideia de que o Arcanjo Miguel lhe dizia o que fazer. Os psicobiofísicos do projeto estão trabalhando com a hipótese de a mente projetar um personagem que faça a ponte entre a parte da mente que permanece desperta e zonas profundas do inconsciente, onde provavelmente se dá o processo que permite a Clarividência. Este personagem provavelmente seria a representação de uma infância marcada por forte religiosidade.*

Trecho do *Protocolo Bazaev.*

O Contratante bebia chá. Apesar do calor seco que fazia naqueles dias, uma bebida quente – com exceção de café, detestava café – sempre melhorava seu humor. Foi sem nenhuma surpresa que encontrou a Confeitaria Cabral de portas abertas naquela manhã cheia de incertezas. Não muito longe da rua Gonçalves Dias, local do estabelecimento, ficava a Avenida Pedro II, onde uma multidão de integralistas e simpatizantes começava a crescer. Muitas casas comerciais resolveram não arriscar se tornar alvos de depredações e arriaram as portas. Aparentemente, a Confeitaria Cabral não era dessas. Sua reputação era construída sobre deliciosos quitutes, mas a isso poderia ser acrescentado algum grau de constância nas turbulências políticas. Desconfiava de que, mesmo com o Rio de Janeiro sob ataque dos marcianos de Wells, ele a encontraria funcionando. Essa era a razão de ter escolhido aquele lugar para o encontro. Mas admitia que os casadinhos de goiabada com queijo também tinham alguma responsabilidade nisso.

Não muito longe de sua mesa, um aparelho de televisão transmitia o programa matutino da Difusora Guarani. A imagem não era das melhores, principalmente se comparada à do cinema. Mas tinha lá suas vantagens, como não precisar se deslocar de casa para assistir seriados de aventura ou os noticiários. Ainda não se acostumara, mas diziam que aquilo era o futuro e se havia algo que ele não temia, era o futuro. Até os cérebros eletrônicos teriam um daqueles, para aposentar de vez os papéis que consumiam às bobinas. Gostando ou não, a televisão tinha sido a forma escolhida pelos seus sócios civis para veicular a prova definitiva contra a ANL. Se imagens valiam mais que palavras, vinte segundos de filmagem habilmente manipulada valeriam por toneladas de jornais. Uma vez que as pessoas vissem com seus próprios olhos, ninguém arrancaria mais aquela verdade delas.

O Contratante viu quando o homem que esperava entrou na confeitaria. Usava paletó e chapéu, o que quase atenuava seu tipo rude. Quase, porque a barba espetadiça e as suíças ainda teimavam em fazê-lo parecer um bandoleiro. Pareceu meio perdido por alguns instantes, como se não tivesse certeza de estar no lugar certo, até o Contratante fazer-lhe um sinal.

– Pensei que não viria – disse ele, quando o homem se sentou.
– E por que eu não viria?
– O Império amanheceu menos seguro hoje. Tem uma tempestade se formando.
– Não tenho medo de chuva. – A voz do homem parecia mais áspera que o normal.
– Principalmente com um nome como o seu. Por acaso teria algum parentesco com o finado Lopes Trovão?
– Não que eu saiba. Podemos ir direto aos negócios?

O Contratante apontou com o queixo as xícaras de chá e a travessa de casadinhos.

– Somos homens civilizados. Deveríamos agir como tal.

A Santa estava em pé bem ao lado de Jerônimo Trovão.

*Não beba o chá. Está cheio de veneno.*

– Não concorda? – perguntou o Contratante.

Jerônimo se ajeitou na cadeira.

– Sim.
– O senhor está bem? Acaba de revirar os olhos.
– Não, eu... Estou bem.
– Beba um pouco de chá. Isso sempre me ajuda.

*Não beba. Esse homem quer vê-lo morto.*

– Houve sobreviventes.
– O quê?
– Sobreviventes – repetiu Jerônimo. – Uma, na verdade. Bonita, cabelos ruivos. A julgar pelos saltos que deu para escapar das balas, devia trabalhar num circo.
– Você deixou alguém vivo?
– Não deixei. Ela fez isso com méritos próprios.

O Contratante deu um tapa na mesa. Ao perceber que estava atraindo a atenção indesejada, respirou fundo e se recompôs. Tirou algumas fotos do bolso. Escolheu uma.

— Por acaso seria esta?

Jerônimo examinou-a.

— Sim. Quem é ela?

O Contratante recolheu a fotografia.

— Joana Brás. Pertence ao Anel de Aviz. Agentes secretos do Imperador. Se ela estava lá, temos um problema.

— Não. Você tem um problema. Minha parte nisso acabou. Onde está o dinheiro?

Toda a amabilidade presente no rosto do Contratante evaporou, substituída por uma expressão sombria. Ele deslizou um envelope pela mesa.

— Faça o favor de não contar isso aqui.

Jerônimo abriu o envelope e espiou rapidamente o maço grosso de notas. Parecia tudo em ordem. Guardou-o no bolso interno do paletó e fez menção de se levantar.

— Espero que se lembre de manter a discrição combinada — avisou o Contratante.

— Ah, mas eu sou discreto. Se não fosse, eu já teria espalhado seu nome por aí. Não concorda, Sr. Protásio Vargas?

— Vá para o inferno.

— Pode ser que eu vá — disse Jerônimo, levantando-se e dando o encontro por encerrado. Vargas observou-o se afastar em direção ao banheiro masculino. Fez sinal para um homem numa mesa do outro lado da confeitaria.

Jerônimo atravessou a porta e a Santa foi atrás. A janela, por onde entrava um pedaço de dia, era pouco maior que a travessa de casadinhos. Um grande inconveniente: planejava sair por ali para despistar Vargas.

— Não acredito que tinha veneno naquele chá — resmungou, contrafeito.

*Pois tinha*, disse a Santa.

Ele pensou em voltar, ela o deteve.

*Um homem vai entrar, homem-sonho. Ele tem um revólver e vai usá-lo contra você.*

Um pisar macio veio lá de fora. Jerônimo se posicionou ao lado da porta, assim poderia surpreender pelas costas quem entrasse sem precisar matar ninguém. Um homem apareceu, pistola com silenciador em punho. Jerônimo se jogou contra ele. Os dois rolaram pelo ladrilho, engalfinhados como dois cachorros de rua. O homem parou por cima, foi atingido por uma cabeçada e acabou empurrado para o lado. Jerônimo tentou forçar o antebraço contra sua traqueia, mas precisou ceder ao sentir o cano da arma tocar suas costelas. Com um soco, a fez voar para os mictórios. O homem levantou-se e, rápido feito gato, alcançou sua pistola e se virou para atirar. Antes que tivesse tempo de apertar o gatilho, sentiu uma dor repentina no pescoço. A última coisa que viu foi um filete de fumaça subindo do cano da Mauser 96 de Jerônimo Trovão.

Protásio Vargas engasgou com um casadinho ao ver o sujeito que já julgara morto sair apressado do banheiro e ganhar a rua. Levantou-se atabalhoadamente e correu até a calçada, apenas para vê-lo entrar em um Supersuiza metálico e arrancar em direção à Avenida Pedro II.

Jogou o chapéu na calçada e soltou um palavrão. Precisava avisar Chateaubriand se quisesse pôr as mãos no cretino antes que ele desaparecesse.

## O Incrível Supersuiza contra os Homens-Voadores

Nômio jogou o *Magazine de Aventuras* para o lado e ligou o motor do carro assim que viu o pai sair da Confeitaria Cabral, conforme haviam planejado. Ele entrou batendo a porta.

– Sebo nas canelas, garoto.

O Supersuiza saiu cantando pneu pelos paralelepípedos da Gonçalves Dias. No retrovisor, pai e filho viram Vargas ter uma crise de raiva e entrar correndo outra vez na loja.

– Acho que escapamos – gargalhou Nômio.

Jerônimo balançou a cabeça.

– Ele não devia ter visto o carro.

– Por quê?

– Os militares têm seus recursos... Cuidado!

Duas mulheres apareceram de repente atravessando a rua. Nômio girou o volante para a esquerda. O Supersuiza fez uma curva apertada, subiu a calçada e atropelou a banca de uma quitanda. Laranjas, tomates e repolhos se espalharam pelo chão enquanto o quitandeiro erguia os punhos.

— Desculpe — disse o garoto, as bochechas vermelhas de vergonha.

— O carro não é nosso, mesmo.

O Supersuiza entrou a toda velocidade na Avenida Pedro II, ziguezagueando pelo tráfego. Os motoristas buzinavam e xingavam a cada ultrapassagem perigosa. Nômio exibia um sorriso maroto no canto da boca. Chegou a soltar as duas mãos do volante para descer os óculos de solda da testa para os olhos, o que fez o carro dar uma guinada para a direita. Jerônimo se segurou no assento.

— Preste atenção, moleque.

A cidade passava como um turbilhão do lado de fora da janela. O prédio da Central do Brasil cresceu no campo de visão, seis dirigíveis atracados em seu topo.

Jerônimo acendeu um cigarro. Pelo retrovisor, viu a figura diáfana da Santa no banco de trás. Soprou a fumaça, esperou que ela falasse.

*Olhe para trás e para o alto.*

Ele obedeceu. Pôs a cabeça para fora da janela e viu, por entre os prédios, um giroplano se aproximando depressa. Dois homens equipados com mochilas-foguete e manoplas-de-tiro, um de cada lado da pequena cabine.

— Um giroplano e dois Voadores armados. Vão saltar a qualquer momento.

— Não dá para ir mais depressa do que isso — avisou Nômio.

— Tenho uma surpresa aqui para eles. — Jerônimo esticou o corpo para o banco de trás. Havia uma espingarda N12 ali, oculta por um cobertor. Olhou de soslaio para a Santa, mas ela nada disse. Apanhou a arma, engatilhou-a e posicionou-se outra vez na janela.

O giroplano rugia a menos de quinze metros atrás do Supersuiza, projetando sobre ele a sombra de suas hélices. O tiro da N12 explodiu no vidro da cabine, pegando o piloto de surpresa. Ele perdeu por um momento o controle e precisou virar para uma rua transversal para não ir de encontro aos prédios.

— Vamos aproveitar e sair dessa avenida — gritou Jerônimo. — Estamos muito expostos aqui.

*Não haverá tempo*, disse a Santa. *Um homem-voador vai aparecer ao seu lado e estourar a cabeça do seu filho.*

Pelo retrovisor, Nômio viu duas trilhas de chamas surgirem por entre os edifícios e encurtarem a distância com velocidade absurda.

– Pai, os Voadores!

– Já vi. Pegue a próxima saída – Jerônimo verificou a quantidade de munição no porta-luvas. A próxima saída veio e se foi, sem que o garoto conseguisse espaço para entrar.

– Desculpe. – Ele disse, apreensivo.

– Esqueça. Os Voadores vão tentar emparelhar com a gente. Quando isso acontecer, quero que jogue o carro em cima dele.

– Ahn?

– Jogue o carro em cima dele quando estiver ao nosso lado.

– Como sabe que ele vai fazer isso?

– Eu sei.

O mundo fora do Supersuiza era um caos sonoro formado por vento, motores, buzinas e pelo estrondo das mochilas-foguete, já próximas a ponto de serem vistos pelos espelhos os rostos dos Voadores. Nômio viu um deles aparecer ao lado do banco do carona. A manopla-de-tiro apontou direto para seu pai. Não titubeou: jogou o carro em cima do homem, que rodopiou sobre o próprio eixo e, numa manobra arriscada, esquivou-se por cima do teto, apenas para ir de encontro a uma motocicleta que vinha em sentido contrário na outra pista. Motociclista e Voador se transformaram num monte de ferragens, combustível e sangue pela pista.

A Santa estava certa outra vez, pensou Jerônimo, vendo o filho olhá-lo de forma estranha. Ia dizer alguma coisa engraçada para aliviar a situação, mas uma saraivada de balas veio de cima e transformou o teto do Supersuiza numa peneira. No instante seguinte, o segundo Voador os ultrapassou e fez um curva ascendente até se tornar uma miniatura diante do relógio da Central do Brasil.

– Está machucado?

– N-não... – murmurou Nômio, assustado.

– Ele vai voltar – disse Jerônimo, colocando depressa mais munição na N12 e se posicionando outra vez na janela.

*Mas é claro que ele vai*, ouviu a Santa dizer, com a voz mais suave, encantadora e filha da puta do mundo.

O Voador fez outra curva e desceu de encontro ao carro. Ergueu a manopla-de-tiro e despejou sua carga contra o Supersuiza. Uma linha de balas passou faiscando perto da cabeça de Jerônimo, mas ele teve o sangue frio suficiente para manter o homem bem no centro da mira de sua espingarda. No instante seguinte, puxou o gatilho. O tiro despedaçou o ombro do Voador. Ele perdeu o controle e tentou arremeter. Sua mochila-foguete desenhou um arco flamejante no ar e o arrebentou contra um edifício.

— Pensei que aquela coisa fosse explodir — comentou Jerônimo, aparentemente decepcionado.

Saíram da Avenida Pedro II para evitar as viaturas policiais que tentavam controlar a multidão ao redor da Central do Brasil. Tomaram uma rua que seguia embaixo de um oleoduto que ia para os lados da favela da Providência. Abandonaram o Supersuiza ali, onde o giroplano não podia vê-lo, e desapareceram entre as barracas dos vendedores ambulantes.

## Primeiros Efeitos

Embora o assassino contratado pelo General Vargas tenha se mostrado mais difícil de ser varrido para baixo do tapete que o esperado, a perseguição protagonizada por ele no centro da cidade não fora um completo desastre para os planos do Exército. Na verdade, foi o oposto. Toda a destruição na Avenida Pedro II — convenientemente próxima da Central do Brasil — acabou sendo posta na conta da ANL ou da AIB, dependendo da orientação ideológica de quem contava a história. Duas vidas haviam sido sacrificadas para isso no processo, mas no xadrez e na política alguns sacrifícios eram necessários. Chateaubriand que socorresse suas viúvas.

Aos olhos do povo, comunistas eram hidras prontas para pisar sobre as famílias com seu pão, terra e liberdade, semear a anarquia, queimar os bons costumes e destruir empregos honrados. Em contrapartida, os integralistas e seus aliados podiam até ter lá sua razão, mas não hesitavam em tentar atingir seus objetivos com uma dose de força assustadora. O Exército via os dois tipos como cães que muito ladravam — o que sempre gerava um ótimo efeito — prontos para serem atiçados contra o Império fraco e necrosado. Os ingredientes já estavam na panela, como diziam lá no Sul. Quando a fervura começasse, o país se daria conta de que Dom Pedro III era só um velho esquizofrênico no trono de um anacronismo que já durara tempo demais. Mas ainda faltavam algumas rodadas até o xeque-mate. O próximo movimento devia estar se dando naquele instante na Difusora Guarani. Chateaubriand garantiu que iria ao ar antes que a censura imperial tivesse tempo de agir. Então não importaria mais se era verdadeira ou não a participação dos comunistas no massacre: um ambiente de desordem civil já teria se instaurado.

---

Os integralistas tomaram as ruas. A concentração começou aos pés da Central do Brasil. Já não estavam satisfeitos apenas em marchar, bradar palavras de ordem e ameaçar. Agora carregavam paus, pedras, facas. Armas de fogo. Explosivos. Muitos usavam lenços para esconder partes do rosto. Uma mulher com um megafone inflamava a multidão, falava de mártires da causa nacional, da necessidade de um líder forte e, acima de tudo, integralista, para tomar as rédeas do país e extirpar dele a podridão de cunho socialista. Gritos contra o Império espocavam no meio do mar de gente cada vez mais agitado. E, tal qual o mar, a multidão atravessou a Avenida Dom Pedro II como se a polícia fosse nada, paralisando o trânsito, agredindo transeuntes, depredando lojas, carros, monumentos. Ônibus foram queimados no Catete e na Urca, um bonde foi destruído em Santa Teresa. Atearam fogo à sede da ANL. Ninguém foi morto, mas o incêndio acendeu os brios dos grupos socialistas, comunistas e anarquistas que se organizavam em torno da Aliança. Neoluditas destruíram dutos de óleo e braços mecânicos num canteiro de obras na Rua do Ouvidor. Stalinistas e trotskistas apertaram as mãos diante das cinzas simbólicas (e, em pouco tempo, literais) de seu refúgio. A coluna aliancista encontrou a legião integralista no centro da cidade. A polícia estava no meio do distúrbio, mas era preciso bem mais do que isso para estabilizar a situação.

# O Império Tenta Contra-atacar

O Presidente do Conselho de Ministros, Barão Artur Bernardes, nunca estivera tão cansado. O dia havia sido longo, todos os ministros e deputados ligando ao mesmo tempo. Não estava conseguindo raciocinar direito, os pensamentos tinham se tornado um clarão branco assim que se deu conta do que as imagens que acabara de ver na televisão significavam. Olhou para Lima Carvalho, seu assistente, depois para o Imperador deitado em sua cama, a cabeça pendendo para o lado, um balão de oxigênio trepidando num suporte próximo. Bernardes sabia que a solução não viria dali. A salvação do Império e a manutenção de seu próprio status viria de outro Pedro, cujos cueiros eram trocados naquele momento por sua ama-de-leite. Mas precisava ganhar mais tempo.

– Convoque a Guarda Nacional – disse para Lima Carvalho. A cabeça parecia a ponto de explodir. Não queria apelar para aquela alternativa. Se as coisas saíssem do controle podiam descambar para a guerra civil. Aqueles paulistas republicanos bem que iam gostar, liberais com a mãe na zona que eram. Entretanto, não havia opção. Começava a se sentir como um saco de pancadas e não gostava disso.

– O Coronel Teles Filho está sem recursos para mobilizar e aparelhar um efetivo maior que duzentos homens nas próximas horas, senhor – informou Lima Carvalho.

Bernardes deu um soco na escrivaninha do Imperador. Precisava de pelo menos dois mil homens nas ruas, para engrossar a força policial.

– Isso lá é hora de chorar miséria?

– As exportações caíram consideravelmente, senhor. O dinheiro que os coronéis investiam na Guarda Nacional agora estão sendo usados para manter as contas das fazendas em dia. Estão funcionando no mínimo. Minha sugestão é que deixe Teles Filho testar o brinquedo dele nas ruas hoje, senhor. Ele investiu muito tempo e dinheiro naquilo. O nome é Cilindroide, creio. Pode funcionar.

– Mande trazer o que puder.

– Se ele tiver permissão para incapacitar permanentemente uns dez ou quinze...

– Matar, você quer dizer.

– Sim, senhor. Para que os demais vejam que o Império não está brincando e dispõe de recursos para debelar qualquer tentativa de insurreição.

Bernardes sabia que a gravidade da situação exigia bem mais que uma simples dispersão. O Terceiro Reinado marcava um acentuado declínio do poder imperial. As províncias reivindicavam – e conseguiam – autonomia cada vez maior sem que Dom Pedro ou o Gabinete conseguissem desacelerar a descentralização. A crise financeira enfraqueceu a economia, mas fortaleceu grupos que pregavam novas formas de governo. Matar baderneiros não resolveria problemas muito mais profundos que vidraças quebradas.

– Mas nos daria algumas horas.– Concluiu, pensando alto.

– Como, senhor?

– Convoque o Coronel Teles Filho. Diga para trazer a arma dele. E pode incapacitar permanentemente seus dez ou quinze.

– Claro, senhor.

Lima Carvalho saiu para fazer a ligação. Voltou pouco depois, o rosto lívido.

– Senhor, a milícia de Teles Filho não responde mais.

Bernardes saltou da cadeira:

– O que aconteceu?

## Cilindroide versus Treze

Duzentos homens do destacamento de Jacarepaguá haviam sido reunidos, com rapidez extraordinária, num casarão construído numa colina arredondada. O lugar era propriedade do Coronel Fonseca Teles Filho, o Barão da Taquara. De pé diante da milícia em formação, discursava inflamado sobre honra, dever e amor à pátria. Pouco tempo antes, estivera desfiando todas as dificuldades financeiras pelas quais o país estava passando e como isso se refletia no substancial corte nas verbas destinadas aos verdadeiros guardiões nacionais. Felizmente, cada soldado, capitão e coronel não se deixavam abater em tempos de crise. Por meios próprios, esses homens garantiram a quantia necessária para a conclusão da primeira unidade de combate mecanizada 100% brasileira, projetada, modéstia à parte, por ele mesmo.

Matias Figueiras, o sargento escolhido para pilotar a máquina, estava nervoso o suficiente para que todo o discurso do coronel soasse como uma grande verborragia sem sentido aos seus ouvidos. Não gostava de ser o centro das atenções. Ali havia pelo menos duas centenas de guardas cujos olhos pareciam fixos nele. Esse número era capaz de fazê-lo se atrapalhar com as próprias pernas, que dirá com as alavancas e botões de uma máquina de quatro metros de altura e cinco toneladas.

Os aplausos cortaram seus pensamentos. Alguns oficiais apertavam a mão do coronel. O discurso havia acabado, era a hora da demonstração. A um gesto de Teles Filho, ele volveu para a direita e marchou para o galpão que o barão mandara construir na antiga senzala. Entrou por uma portinhola lateral, suando em bicas dentro do macacão preto.

O interior do galpão era como uma grande oficina cheirando a óleo diesel e pólvora. Ferramentas, galões de combustível, partes de motores e placas de metal se espalhavam pelas paredes, bancadas de trabalho e mesmo pelo chão. Mas o que saltaria aos olhos de quem entrasse ali era o enorme cilindro equipado com metralhadoras, lança-granadas e grandes tenazes nas extremidades de dois braços mecânicos. Apoiava-se sobre duas pernas articuladas pequenas, conectadas a um eixo que permitia giros de 360°. Tecnologia brasileira, projetada nos menores detalhes pelo Coronel Teles Filho. Seu sonho era ver o Cilindroide, como acabou sendo batizado, sendo construído em larga escala e se tornando a principal arma do Império. Para Figueiras, aquela geringonça era muito mais parecida com um barril com braços e pernas do que com um blindado, e estava longe de ser perfeita. Os armamentos eram eficientes, como demonstraram as dez vacas transformadas em carne moída pelas metralhadoras e os carros sucateados pelas granadas, mas havia problemas: a) eram pesado demais, o que forçava a redução da blindagem em vários pontos; b) as pernas eram frágeis, tornando-o alvo fácil para qualquer .23; c) era lento, e jamais chegaria ao alvo sem custoso transporte aéreo ou terrestre.

Havia uma escotilha ao final de uma pequena escada na parte de

trás do Cilindroide. Figueiras se enfiou por ali. A cabine era apertada, mal tinha espaço para a poltrona. Ajeitou-se nela o melhor que pôde, colocou o capacete e ligou o motor. Lâmpadas se acenderam no painel, mostradores começaram a mover ponteiros, uma pequena ventoinha começou a soprar. Algo morno pingou em seu braço.
— Vazamento de óleo — resmungou ele. Atou o cinto de segurança. Pelo periscópio, viu a porta do galpão se abrindo.
Botou o Cilindroide para andar.
Figueiras respirou fundo. Olhares estupefatos caiam sobre ele como flechas. Teles Filho mal cabia em si de orgulho:
— Apresento-lhes o salvador da pátria.
Uma salva de palmas quase explodiu os tímpanos de Figueiras, amplificada pelo microfone externo. Apontou-o para cima. Ouviu um assovio agudo e longo. Figueiras virou o periscópio para o céu.
— Meu Deus.
Algo parecido com um foguete vinha naquela direção. Tentou gritar, mas o impacto foi quase instantâneo.
Três mil metros acima, a bordo do bombardeiro americano *Total Care*, os airbornes comemoraram ao ver por uma tela o táxi-míssil transformar o casarão de Jacarepaguá e a milícia do Coronel Teles Filho num monte de escombros.
A onda de choque arremessou o Cilindroide contra o galpão como se fosse feito de papel. O cérebro eletrônico que gerenciava os mostradores eletrônicos anunciou a falha do transistor principal. Pelo periscópio, Figueiras viu uma parede desabar sobre si. Acabou preso ao chão. Tentou mover os membros daquela porcaria de barril, em vão. Lâmpadas vermelhas se acenderam na cabine. Sem opções, armou as metralhadoras, torcendo para que os disparos de calibre .50 destruíssem os tijolos sem afetar a blindagem do Cilindroide.
Dentro da cratera que se formou no pátio do casarão do Barão da Taquara, o táxi-míssil se abriu. Fora projetado para despejar, intactas, cargas sobre território inimigo de vastas alturas. Um homem apareceu. O chapéu e o número *13* gravado na estrela em seu peito emprestavam-lhe um ar de caubói. Usava um uniforme camuflado escuro que mais parecia uma armadura, cheias de partes plásticas, metálicas, reentrâncias, protuberâncias, tubos conectados ao capacete. Havia um rifle preso por cabos a uma caixa nas costas. Ele saltou

de dentro do táxi-míssil e sacou duas pistolas brutas do cinturão. Esgueirou-se por entre as colunas de fumaças e montes de entulho, atento aos milicianos da Guarda Nacional que tivessem sobrevivido à sua chegada. Viu o blindado metálico tentando se mover sob uma placa de tijolos. Caminhou até ela devagar, engatilhando as pistolas. Metralhadoras .50 rugiram. Poeira e entulho voaram, pulverizados por projéteis luminosos que riscaram a noite. O Cilindroide se ergueu, as juntas metálicas rangendo. Dentro dele, ainda tonto, Figueiras tentava ajustar o periscópio.

– Droga – ele disse. Balas começaram a ricochetear contra sua blindagem. Puxou a alavanca para erguer a metralhadora. Quando conseguiu, Treze já não estava ali.

O periscópio percorreu depressa as ruínas. Um borrão apareceu de repente e estilhaçou as lentes. O contato visual desapareceu por completo. O Cilindroide mal entrara em ação e já estava cego e operando com metade da força. Figueiras não fazia ideia do que estava acontecendo. Puxava alavancas, girava botões e conferia mostradores na esperança de manter aquela coisa funcionando.

Sentiu o impacto de mais tiros reverberando na parte de baixo do Cilindroide. Quem quer fosse aquele sujeito, já havia percebido as pernas fracas e estava tentando destruí-las. Um tranco repentino para a esquerda, mais tiros, outra queda para a direita, e muitos, muitos palavrões. O blindado perdeu o apoio e caiu pesadamente no chão. Figueiras verificou a munição do revólver e se preparou para abandonar aquele monte de lata.

– Essa coisa não vai dar nem para o cheiro – disse o Controlador, centenas de metros acima, observando a cena pelas câmeras instaladas nos olhos de Treze. Enviou uma série de comandos para ele com uma mão, enquanto a outra mergulhava habilmente rosquinhas de polvilho numa xícara de café. – Vamos acabar logo com isso. Os brasileiros estão esperando para dar uma carona para nós até a casa do rei.

Com esforço, Figueiras conseguiu empurrar a escotilha. Já soltava o cinto quando duas granadas entraram pela passagem que havia aberto. Uma caiu em seu peito, outra abaixo do banco. A última coisa que pensou foi em como odiava aquele barril.

# Conversa no Clube

Os oficiais conversavam em voz baixa quando Protásio Vargas entrou batendo a porta. Oficiais de carne e osso dividiam uma mesa com telas de conferência onde se via os rostos austeros de generais baseados em outras províncias. Equipamento caríssimo, cedido por seus aliados magnatas da comunicação, interessados nas oportunidades da nova ordem por vir.

– Soube que distúrbios estão começando a acontecer em outras capitais, General – disparou o Coronel Góis Monteiro, dobrando um jornal. – Será que vamos conseguir controlá-los?

Vargas puxou uma cadeira.

– Boa noite para você também, Monteiro. Aliás, uma ótima noite para o Exército Brasileiro. Respondendo sua pergunta: sim, vamos controlar os distúrbios. Destruiremos um lado e estrangularemos financeiramente o outro. E se não funcionar, o *USS Rogers* não está muito longe daqui. Os fuzileiros americanos estão prontos para garantir nossa revolução. Mas não precisaremos disso. Cumpriremos nossa agenda com um mínimo de interferência externa. Para já, gostaria que os senhores aprovassem o rascunho do texto que vamos divulgar nas próximas horas.

Um jovem tenente se adiantou com um papel na mão. Vargas fez um sinal para que começasse a leitura.

– O Alto Comando do Exército Brasileiro declara que, a partir da zero hora de hoje, está abolida a Monarquia como forma de governo do Brasil. Considere-se deposto e exilado Pedro Augusto Bragança de Saxe e Coburgo, bem como *todo* e *qualquer* parente em até terceiro grau. Uma junta militar está assumindo provisoriamente o comando para assegurar a liberdade e as instituições democráticas. A partir da mesma hora estão dissolvidas a Guarda Nacional, as assembleias e o Gabinete de Ministros, e que estes sejam detidos até que se certifique de que não são ameaça à nova República. Deus salve o Brasil.

Um burburinho correu a sala. Os oficiais eram silhuetas escurecidas, cujas medalhas e platinas refletiam vez ou outra a claridade dos tubos de imagem.

– Esta é a mensagem que circulará pela mídia e pelas repartições oficiais. Tem de ser curta, sucinta. Para falar com o povo vamos ter de adotar uma retórica diferente. Temos soar como pais zelosos. Já estou redigindo um discurso apropriado, não se preocupem. Após nosso pronunciamento, o presidente dos EUA reconhecerá o novo regime. A maioria dos governos ocidentais seguirá o mesmo caminho. Será um efeito dominó. Com isso vamos esvaziar a única jogada do Império para conseguir algum apoio da população, que seria anunciar o príncipe herdeiro e apelar para o sentimentalismo da tradição.

– Aquela coisa não é humana – disse um dos militares na tela, a voz cheia de estática. – Foi produzida pelos eugenistas do Imperador. Isso é um insulto para qualquer cristão que preza a lei de Deus.

– É isso que a grande maioria dos pais de família pensará – riu Vargas. – O povo teme a Ciência. O Império está acabado.

## Pode Ouvir o Fim se Aproximando nos Ruídos de Motor

Observando a lua por cima das árvores na janela principal de sua biblioteca, o velho Miguel Ventura finalmente aceitara o fato de que o Anel de Aviz encontrara seu ocaso. Não haveria mais sentido para a organização quando Dom Pedro III morresse. Muito em breve, como constatou da última vez que o viu. Não tinha certeza de qual seria exatamente seu papel, como agente de hierarquia mais elevada, em relação ao pequeno clone que Belisário Pena conseguiu produzir. Os tempos eram bem mais complexos do que costumavam ser. Pela segunda vez naquele dia, teve a sensação de que era mesmo um homem do século XIX. A primeira foi quando limpava sua arma favorita e percebeu que era um Colt com cabo de madrepérola.

A porta se abriu. A cabeça da governanta apareceu.

– Seu Ventura? A moça está aqui.

– Peça para ela entrar, por favor.

Joana Brás nunca tinha sido bonita, em sua opinião, mas a altivez natural de seu porte a tornava o centro de gravidade de qualquer ambiente. Quando ela entrou, porém, isso parecia ter desaparecido numa mistura de cansaço e maquiagem mal removida.

– Miguel. – Ela suspirou.

— Joana. Você está péssima. Parece que veio até aqui a pé.
— Eu vim.

Miguel não duvidava de que ela fosse mesmo capaz de andar os dez quilômetros que separavam suas casas.

— Estão me seguindo. Não consegui pensar em nada. — Ela acrescentou, embaraçada.

Miguel deu uma olhada no corredor para ter certeza de que estavam livres de ouvidos curiosos. Trancou a porta, voltou-se para Joana.

— Quem está seguindo você, minha filha?
— Não sei direito, mas desconfio de que seja alguém ligado aos militares. Eu estava lá, Miguel. Testemunhei o massacre dos integralistas. Os atiradores estavam do lado de fora do prédio, e não dentro, como todo mundo está dizendo. Isso é puro teatro. Alguém está jogando os comunistas contra os integralistas para criar uma crise.

— O General Protásio Vargas — disse Miguel.
— Como sabe? — perguntou Joana. Viu-o olhar discretamente para o revólver. Com um movimento brusco, tentou pegá-lo, mas, apesar de velho, Miguel ainda era possuidor de uma agilidade espantosa. Antes que a mão dela sequer se aproximasse da mesa, ele apanhou a arma e apontou direto para seu rosto.

— Preciso que volte a raciocinar com clareza, garota. O Anel de Aviz está caminhando para um fim inglório, mas não entre em pânico. — Ele abriu uma gaveta e guardou o revólver lá.

Joana estudou seus olhos. Havia tristeza e alguma resignação ali, mas nenhum vestígio do remorso ou da vergonha dos traidores.

— Desculpe, eu... — Ela deixou os ombros caírem. — Não sei mais em quem confiar.

— Já faz alguns dias que Cícero me trouxe evidências de que militares de alta patente poderiam estar envolvidos em alguma conspiração. Uma fonte dele na embaixada americana lhe passou a cópia de um cabograma destinado a Washington. Estamos brigando com cachorro grande, Joana. Não temos como enfrentar os americanos, enfraquecidos como estamos. Talvez... — A voz lhe falhou nesse ponto, como se as palavras começassem a custar caro. — ... seja a hora de nos retirarmos para rever nossas opções.

— Não posso acreditar que estou ouvindo uma coisa dessas.

Miguel suspirou. Retirou do bolso do roupão seis anéis de prata.
— Não há mais um Anel de Aviz. Só restamos nós dois. Um velho e uma mulher confusa.
Joana sentiu as pernas amolecerem.
— E Antônio? Cícero?
— Cícero foi assassinado esta manhã. Os outros entenderam que não há sentido em morrer por uma Coroa condenada. Desertaram. Antônio acabou de sair. Foi o último a trazer o anel. Achei que você tivesse vindo fazer a mesma coisa.
— Nunca.
— Fico orgulhoso. Mas acabou, Joana.
Um turbilhão de pensamentos atravessou a cabeça dela. Coisas para dizer, coisas para perguntar.
Lá fora a noite começava a trazer o ronco de motores.
— Estão vindo — avisou Miguel.
— Não precisamos enfrentar os militares e os americanos. — Ela disse, primeiro a si mesma, depois, mais confiante, para ele. — Nossa função é proteger o Imperador e o herdeiro.
— Não.
— Como, não?
— Nem ao menos sabemos se aquela... criança... realmente é humana. Ela foi feita em laboratório. Nossa obrigação morre com o velho Imperador.
Joana mordeu o lábio inferior.
— Pelo menos me dê uma arma decente.
— Você vai morrer se for até o Paço.
— Vai me dar a arma ou não?
Ele suspirou. Apontou para um quadro entre duas estantes, que retratava um monte de cabeças com chaminés ao fundo. Havia um nicho escondido na parede atrás da tela, repleto de armas. Joana escolheu uma Tokarev, submetralhadora pouco maior que uma pistola, e escondeu-a sob a roupa. Ficaram se olhando, sem saber o que dizer, até alguém bater na porta com truculência.
— Abra essa porta, Sr. Ventura — ordenou uma voz ríspida.
— Esconda-se embaixo da escrivaninha — disse Miguel.
Joana obedeceu.
Ele destrancou a porta, sem pressa. Homens de farda entraram,

armados com fuzis. O líder identificou-se como capitão e ergueu um documento diante de seu rosto.

— Assine.

— O que é isso?

— Sua renúncia das funções públicas que exerce, oficiais ou não, e uma declaração de apoio à junta militar que está depondo o Imperador.

— Não vou assinar nada.

Joana ouviu a pancada surda e o gemido de dor. Reprimiu o impulso de sair de onde estava escondida, atirar naqueles traidores, ajudar Miguel. Mas de nada ia adiantar. Acabaria presa, ou morta, e seria o fim do Imperador e da criança. Por isso ela ficou ali, ouvindo o homem que lhe ensinou tudo ser espancado até não aguentar mais. Com tristeza, ela sentiu a vergonha no silêncio que se fez enquanto ele, sem poder suportar mais, assinava o documento.

— O Imperador voltará. — Ele grunhiu, pouco antes de ser arrastado dali. Joana entendeu isso como um último lampejo de brio, uma forma de apoiá-la. Miguel não merecia acabar assim. O Anel de Aviz também não.

## ... e é por isto que você é um assassino

Dois caminhões pesados do Exército entraram na Avenida Pedro II tomada de gente. Na parte de cima das carrocerias, cabines de tiros equipadas com metralhadoras, faróis e soldados com máscaras de gás. Os militares instavam as pessoas a cooperar com a ordem e voltarem para suas casas.

Um facho de luz passou pelo rosto de Jerônimo Trovão e seu filho. Os dois seguiram adiante, tentando não chamar atenção. O plano era chegar ao píer da Praça Mauá e alugar um barco com combustível suficiente para atravessar a baía até Magé. De lá, subiriam o Iguaçu e se esconderiam na cidade homônima quase morta, até a poeira assentar.

Jerônimo abria caminho a ombradas pela calçada. Uma mão ia no bolso grande da calça, onde segurava a Mauser. A outra levava a espingarda enrolada num cobertor e em folhas de jornal. Há horas não via ou ouvia a Santa. Não podia dizer que estava triste por isso.

A cada dia ficava mais difícil disfarçar. O garoto já desconfiava que algo não estava certo. Não queria preocupá-lo. Viver com um pai que cometia crimes para ganhar o pão já era complicado demais.

Nômio vinha logo atrás, a cabeça encolhida entre os ombros, atento a cada risada, grito ou palavrão ao seu redor. Estava faminto. Sonolento. Mas não queria dizer isso para o pai. A vida dele já era complicada demais sem ter de se preocupar com um bebê chorão.

Chegaram ao píer. As tábuas rangiam sob seus pés. O céu noturno estava forrado por uma camada densa de nuvens.

– Está escuro aqui – disse Nômio.

– Melhor assim.

O garoto deu de ombros.

Um barco pequeno apareceu. Guiava-o um velho de camiseta puída, calça comprida e chinelos. Desligou o motor próximo ao píer. Ficou em pé, a mão em concha sobre a testa.

– Isso não vai fazer você enxergar no escuro – disse Jerônimo. – É essa a belezura de barco de que falou?

– Depende. Tem o dinheiro? – o velho falava com um sotaque nordestino, malemolente, quase um cantar.

Jerônimo tirou duas notas grandes do bolso e balançou-as como um leque diante do rosto. O velho saltou para o píer e pegou o dinheiro, afoito.

– Se quiserem, posso levar vocês.

– Não – respondeu Jerônimo, passando para o barco junto com o menino. – Vamos sozinhos. Vamos deixar essa sua lata velha com a Irmã Célia, segundo o combinado.

– Certo, certo. E para onde vão?

– Não é da sua conta – disse Nômio. Sentou-se na proa, enquanto o pai, rindo da resposta malcriada, se ajeitava perto do motor.

O barco foi lentamente engolido pela noite.

═══

Estavam em silêncio há quase meia hora, o pai e o filho. Apenas ouviam as ondas se rasgando abaixo do casco. Já estavam a uma boa distância da margem, o suficiente para a cidade do Rio de Janeiro se transformar num amontoado de pontos luminosos piscando contra o negrume da noite.

Nômio sentia frio. Passou os braços em torno dos joelhos e ficou de cabeça baixa, soprando ar quente para dentro da camisa. De vez em quando, espiava o pai com o rabo do olho. Parecia-lhe uma estátua, as mãos na amurada, olhando fixamente para adiante. Sentiu uma pontada de vergonha por ter pensado coisas ruins dele. O pai ainda estava no jogo. Tinha óleo para queimar. Pensou em pedir desculpas, mas não teve coragem. O mais próximo que conseguiu chegar disso foi perguntar como era o lugar para onde estavam indo, afinal.

— Eu já disse. Vila de Iguaçu. Uma cidadezinha fantasma — respondeu Jerônimo.

Nômio insistiu:

— Isso quer dizer que está deserta?

— Praticamente. É um conjunto de construções em ruínas nas margens do rio. Antigamente era um ponto importante no caminho que o ouro percorria de Minas Gerais até o porto da capital. Mas aconteceram coisas.

— Que coisas?

— O rio ficou raso demais para barcos de porte. Depois vieram as epidemias de cólera morbo, de varíola. Não havia médicos. Quem sobreviveu foi embora. Para completar, o Barão de Mauá construiu a ferrovia passando longe. Todo mundo acabou indo morar na beira da linha férrea e abandonou a vila.

— Deus parece não gostar muito de lá.

Nômio viu o pai sorrir. Por algum motivo, isso não pareceu uma coisa boa.

— Pois é para lá que vamos. Depois, quando for seguro viajar por terra, vamos para Guararema, na província de São Paulo.

O garoto voltou a esconder o rosto por entre as pernas e não falou mais nada.

Raios riscaram o céu lá para as bandas da serra.

*Seu destino não é Guararema, homem-sonho.*

Jerônimo engoliu em seco. A Santa ocupava o mesmo lugar que ele. A sensação era estranha, mas não arriscou perguntar como isso era possível. Não esperava a presença dela tão já.

*Santo Antão em breve acordará de seu sonho. Tudo vai desaparecer. Você. Seu filho. O céu. Tudo, tudo, tudo. Para ser recriado na noite seguinte.*

– O que quer de mim agora? – Ele sussurrou. Não queria que o filho o visse conversando com uma santa invisível do espaço exterior e o tomasse, com inteira razão, por louco.

*Não deve fugir.*

– Se continuarmos aqui, meu filho e eu vamos acabar mortos.

*Se der as costas para minha mensagem, a morte os alcançará em qualquer lugar. É para lá que deve ir.* – A Santa se pôs de pé e apontou para a margem distante, o manto azul dançando ruidosamente contra o vento. Jerônimo temeu que o barulho despertasse a atenção do garoto, mas este apenas ergueu um olhar desinteressado e voltou a se encolher, sonolento. Não via nada além do pai, não ouvia nada além do barco singrando as ondas.

Jerônimo Trovão, por sua vez, tinha todos os sentidos excitados pela presença dela. O perfume divinal, a voz rouca, a pele de marfim que contrastava com a sua, cor de café com leite. Ela se virou para o mar aberto. Um pedaço da noite se desmanchou e formou, diante dos olhos de Jerônimo, a figura gigantesca de uma belonave. Sabia que ela não estava ali de fato, era outra visão, mas, assim como o Deserto, era real. Os tubos de canhão compridos; as baterias antiaéreas; os supersônicos; os dois mil fuzileiros sombrios com armamento de alta tecnologia; as estrelas; as listras vermelhas e brancas. Tudo era real. Em algum ponto não muito longe da baía havia um porta-aviões americano apenas esperando um pretexto.

Ele também viu – ou sentiu, ou imaginou, nunca saberia ao certo – todos os elos de uma cadeia de eventos que transformaria salvadores em exploradores. Exploradores em desafetos. Desafetos em inimigos. Um sorriso amistoso e vultos ostentando a suástica. Uma guerra terrível devastando todo o globo; clarões imensos vaporizando cidades brasileiras. O Deserto, por fim.

– Vou estar bem longe quando isso acontecer.

*Claro que vai. E é por isso, homem-sonho, que você é um assassino.*

Ele notou, com terror, que *você é um assassino* saiu de sua própria boca.

– O que foi? – bocejou Nômio. Seu pai conduzia o barco para a margem.

– Temos que ir a um lugar.

Nômio sabia que ele não diria nada além daquilo. O melhor era esperar. Ver com os próprios olhos. Evitar que o pai se aborrecesse. Estava cada vez mais taciturno, conversando baixinho com as paredes, obrigando-o a fingir não perceber o que estava acontecendo. Mas ele percebia. E isso doía um bocado.

Após um tempo que pareceu mais longo que de fato foi, o pai quebrou o silêncio falando sozinho outra vez. Nômio olhou para o lugar que ele observava, uma reentrância na costa a poucas dezenas de metros. O manguezal coalhado de árvores e raízes se espalhava além das marolas, um cheiro de coisa podre vindo com o vento. Pouco depois, um giroplano sobrevoou a praia, vindo da estrada no alto da encosta, manobrou acima das ondas e pairou sobre o mangue, holofotes acesos.

Jerônimo já estava de pé, tirando o cobertor e as folhas de jornal que envolviam a N12. A espingarda reluziu à luz da lua.

– Você fica aqui – disse para Nômio. Entregou-lhe a Mauser 96.

– Mas...

– Se eu não voltar em dez minutos, vá embora.

– O que está acontecendo?

Seu pai já havia saltado para a água e começava a nadar em direção ao manguezal, o braço direito erguendo a espingarda pouco acima da cabeça. Quando ele se embrenhou na vegetação, Nômio soltou a respiração e largou-se sobre a popa. Sentiu o peso da pistola em sua mão. Apontou-a para o giroplano, sentiu o dedo roçar no gatilho.

Um tiro ecoou no manguezal como uma pequena explosão.

– Pai – gritou o garoto. Sem pensar duas vezes, atirou-se ao mar.

## Não Importa Como, Acaba Esta Noite

A sala do trono ficava no segundo pavimento do Paço de São Cristóvão. Sempre que Joana Brás entrava ali, geralmente acompanhando Miguel Ventura, admirava-se com a suntuosidade do recinto, seu lustre majestoso de cristal, as colunas como de um palácio antigo. Acima de tudo, o que a impressionava eram as paredes: pintadas para causar a impressão de alto-relevo, pareciam saltar sobre ela. Mas dessa vez não tinha tempo para se impressionar.

Passar pelos guardas do lado de fora não tinha sido um problema. O Anel de Aviz dava livre acesso ao Paço, garantido pelo próprio Imperador. Joana o encontrou sentado numa poltrona acolchoada, entre as duas portas que davam para a sacada. Uma manta cobria suas pernas até a cintura. Parecia ainda mais debilitado, respirando com a ajuda de uma máscara de oxigênio complexa. Uma enfermeira estava de prontidão ao seu lado, preparada para limpar com um lenço a saliva que vez ou outra escorria de sua boca. No colo de uma ama-de-leite, o Herdeiro. Andando de um lado para outro, o Ministro-Presidente Artur Bernardes; e um oficial da Guarda Nacional, arauto de más notícias.

Joana ajoelhou-se diante de D. Pedro. Ele a fez se levantar com um vago movimento de cabeça. Tentou dizer algo, mas não havia oxigênio nos pulmões para formar as palavras. Depois de acalmá-lo, ela se virou para Bernardes.

– Ele e o bebê não estão a salvo aqui. Temos que levá-los para um lugar seguro.

– Como? O gabinete inteiro foi preso, Sua Majestade mal se aguenta de pé. O governo desapareceu de uma hora para outra.

– E a Guarda Nacional?

O ministro-presidente e o oficial da Guarda se entreolharam.

– A milícia mais próxima estava em Jacarepaguá. Todo o equipamento foi destruído. Estamos neutralizados pelo menos até as primeiras horas da manhã, quando tropas de outras municipalidades ou províncias podem chegar. – O oficial falava sem coragem de olhar para qualquer direção além das próprias botinas.

Joana sabia o que aquilo significava: estava sozinha. Não haveria ajuda por muitas horas, se é que haveria. De repente, sentiu um cansaço profundo.

Uma voz quebrou o silêncio que havia se apossado da sala. O Imperador tentava falar. A enfermeira retirou devagar a máscara de oxigênio e agachou-se perto dele.

– O Imperador quer saber onde estão seus ministros e agentes – disse ela.

Bernardes começou a gaguejar uma explicação, mas Joana o interrompeu:

– Majestade, todos os que restaram estão nesta sala agora. O Paço é o coração do Império. Os conspiradores não vão demorar a chegar aqui para apunhalá-lo.

Enquanto ela falava, o oficial foi chamado na porta por um de seus subordinados. Voltou pouco depois, o rosto contraído numa expressão grave.

— Acabo de ser informado de que veículos do Exército estão se aproximando do Paço. Meus homens querem saber o que fazer. Devo lembrar que eles têm famílias e estão em inferioridade, senhores.

O Imperador murmurou outra vez no ouvido da enfermeira.

— Sua Majestade não quer ver o lugar onde reside a memória de seus pais e avós manchado com sangue de seus súditos. Todos aqui, criados e guardas, devem se render quando os militares entrarem.

Ouviu-se um estrondo.

Um giroplano desceu de repente diante das janelas, jogando um facho de luz ofuscante para dentro da sala do trono. Um megafone trovejou:

— Aqui é o Exército da República do Brasil. O Paço de São Cristóvão está cercado. Deponham quaisquer armas que possam ter, entreguem o senhor Pedro Augusto Bragança de Saxe e Coburgo e a criança.

O bebê começou a gritar, assustado. Joana se arrastou até o Imperador e apertou sua mão ossuda.

— A passagem do trono... O príncipe... — Ele disse, a voz tão baixa que Joana mal pôde ouvir. O velho monarca entregou-lhe uma pequena chave dourada. Seu pulso estava cada vez mais fraco. Foi com tristeza que ela reconheceu que o fim dele estava próximo.

Lá fora, os militares já haviam rompido o portão e subiam o caminho até o palácio. Encontraram dezenas de empregados saindo pela porta principal, as mãos sobre as cabeças.

Joana despediu-se de D. Pedro III. Com o coração acelerado, pegou o bebê do colo da ama-de-leite. A criança chorava. Apertou contra o peito a pequena cópia do velho Imperador e caminhou até o trono.

— O que está fazendo? — perguntou Bernardes, os braços para o alto feito pedestre surpreendido por ladrão.

— Vou levar o príncipe para fora daqui. Mas preciso de ajuda. —

Ela encaixou a chave numa discreta elevação no espaldar do trono. Com um estalo, a cadeira imperial deslizou para o lado revelou uma passagem.

Um tiro de aviso acertou a parede bem acima de sua cabeça.

– Afaste-se daí – rugiu o megafone. Joana se encolheu. O guarda olhou para ela, depois para o bebê. Sacou a pistola.

– Vá. – Ele disse. Virou-se e descarregou a arma contra o giroplano. A aeronave recuou alguns metros, um farol estourado.

– Obrigada – respondeu Joana, mergulhando na passagem. Ainda teve tempo de ver a porta vindo abaixo antes do trono se fechar outra vez. Desceu por uma escada o mais rápido que pôde com apenas uma mão livre. Tentava não pensar em tiros e morte.

A descida era mais longa do que esperava.

Chegou a uma câmara escura, provavelmente contígua ao gerador que alimentava o Paço, a julgar pelo zumbido elétrico que ouvia. Havia um corredor ali. Seguiu por ele, as costas curvadas para não bater a cabeça no teto baixo. Lâmpadas pequenas se acendiam quando ela passava.

O corredor também era mais longo do que esperava.

Calculou ter andado uns quinze ou vinte minutos antes de chegar a uma parede de tijolos úmidos com uma cruz pendurada. Aparentemente, a saída era por uma escotilha pouco acima de sua cabeça. Abriu o ferrolho enferrujado com alguma dificuldade e subiu para um cômodo minúsculo. A única porta ali estava trancada por um dispositivo composto por três travas e um cilindro. O anel era a chave. Colocou-o no cilindro, girou-o. A porta se abriu.

O halo amarelado da lua começava vencer as nuvens. Tentou entender onde estava. Acabara de sair de um barraco de concreto por dentro e tábuas por fora encravado numa ribanceira, após percorrer quase dois mil metros pelo subterrâneo. Adiante, um deque se erguia sobre as rochas até o mar. Quem olhasse da amurada da estrada lá atrás veria apenas o depósito de um pescador qualquer.

Joana andou até a beirada do deque. Onde deveria haver uma lancha esperando pelo Imperador, apenas ondas lambendo as pedras. Ela desceu até a faixa estreita de areia que ia recortando a praia até um manguezal. Não sabia o que fazer, nem para onde ir, o chorinho fino do bebê perfurando seus ouvidos. Estava com medo. Não teve muito tempo para pensar nisso, porém: um giroplano HS-4 passou voando baixo em direção ao mar.

Joana correu o mais rápido que pôde. Embrenhou-se no manguezal. Os pés afundavam na lama. Segurava o bebê com uma mão, enquanto com a outra tentava destravar a Tokarev. O giroplano sobrevoou a vegetação labiríntica, fazendo-a a rastejar por um emaranhado de raízes. Luzes de lanternas passavam bem perto.

O bebê começou a berrar outra vez. Ela puxou-o para bem perto do rosto, implorando baixinho para que ele não chorasse, por favor, ou morreriam os dois. Por um milagre, ele ficou em silêncio, observando-a com grandes olhos azuis. Joana ia sorrir, mas um clarão repentino desceu sobre ela, obrigando-a a fugir. O mar apareceu por entre os ramos embolados.

Não havia para onde ir.

Resignada, parou de correr.

Pouco antes do giroplano se afastar e desaparecer atrás da estrada, viu um vulto saltar dele para a lama, e depois se erguer pesadamente. Havia uma estrela em seu peito. Estrela de xerife, chapéu de caubói. Luvas de borracha chegavam quase até os cotovelos, e serviam como isolante para o fuzil elétrico que ele apontava em sua direção.

Joana ergueu a Tokarev, mas não foi rápida o suficiente. Um raio atravessou seu peito, derrubando-a de costas na lama. O sangue se espalhou depressa. Tudo ficou frio, menos o bebê, de repente irradiando um calor de sol.

Pobre bebê.

A estrela cresceu no campo de visão dela. Lembrou-se de um personagem de um suplemento de aventuras, como era mesmo o nome dele? Usava uma camisa branca, malha vermelha, calção azul, uma máscara sobre os olhos. Misterioso e bonito.

Democrata, ela quis dizer.

O fuzil colocado diante de seu rosto não assustava tanto quanto o som crescente da eletricidade se acumulando. Detestava tomar choques.

Jerônimo Trovão acertou em cheio a estrela com sua N12. O americano cambaleou para trás, mas não caiu. Parte do tecido do uniforme desapareceu, deixando a placa de cerâmica reforçada à mostra. *Assassino*, Jerônimo disse a si mesmo. Sabia que aquele homem ia erguer a arma e explodir sua cabeça no próximo segundo se não aproveitasse a chance. Elevou um pouco a mira e atirou outra vez. Um misto de faíscas e algo parecido com sangue explodiu no pescoço do americano. Ele caiu sobre os joelhos, depois tombou para o lado.

Mais fácil do que Jerônimo esperava. Precisava sair dali antes que os ocupantes do giroplano percebessem o que estava acontecendo. Agachou-se perto da mulher. Um rio de sangue brotava de seu peito e de sua boca. Reconheceu-a. Jerônimo podia ouvir um assobio baixo quando ela tentava respirar. Mesmo agonizando, não soltava a criança que soluçava em seu braço. Ela agarrou a camisa de Jerônimo e tentou dizer alguma coisa. Só o que saiu foi um som gorgolejante.

*Pegue o Imperador, homem-sonho,* disse a Santa, o manto azul chicoteando como se estivesse vivo.

– Não posso fazer isso – disse Jerônimo.

*Ele vai morrer se deixá-lo aqui. Mais uma morte na sua longa lista. Morte que nunca vai deixar de atormentá-lo. Morte que vai trazer outras mortes. Salve-o, ele vai lhe mostrar o caminho. Não mate o menino, homem-sonho.*

Não mate o menino. A sentença amorteceu seus pensamentos. Perseguia-o há muito tempo, trouxera-o a este lugar. Não mate o menino.

Joana não respirava mais. Seus olhos estavam vítreos. Jerônimo retirou o bebê de suas mãos. O pobrezinho estava encharcado, os beicinhos roxos. Tiritava de frio.

*Homem-sonho,* gritou a Santa.

Jerônimo mal teve tempo de levantar a cabeça. O coturno de Treze veio de encontro ao seu nariz e o arremessou a três metros de distância, onde a lama já desaparecia sob a água do mar. A visão estava turva, o manguezal girava. O bebê não estava mais em seus braços. Podia ouvir seu choro bem perto, misturando-se ao tagarelar histérico da Santa avisando-o de alguma coisa. Eu sei, ele queria dizer, mas o americano já estava outra vez por cima, segurando-o pelo colarinho.

– *I'll kill you with my own hands, monkey* – disse ele, a voz parecendo sair de um rádio mal sintonizado. Estava tão perto que Jerônimo podia sentir o líquido morno que escorria do pescoço aberto pingar em sua pele. Não era sangue. Era óleo. O americano não era totalmente de carne, afinal. Pensou em cuspir na cara daquele estrangeiro, como faziam os heróis dos magazines que seu filho adorava. Mas não havia herói algum ali, e só o que ele pôde fazer foi fechar os olhos e tentar suportar os socos que começaram a arrebentar seu rosto. Um, dois, três, sete, dez deles em sequência, avassaladores como golpes de marreta.

Depois começou o lento afogar.

Mãos de aço forçaram sua cabeça para baixo. O ar deixando seu peito dolorosamente. Os pulmões se tornando como tijolos. A voz da Santa filtrada pela água.

Hora de morrer, pensou ele.

*Não ainda.*

Só o que Deuteronômio Trovão se lembraria mais tarde era de ter fechado os olhos e apertado o gatilho até seus dedos doerem e a munição acabar. E também se lembraria de alguém dizendo: *eu guiarei a sua mão.*

Foram nove tiros e muita sorte.

Treze cambaleou, desorientado, o receptor remoto destruído pelas balas. Incapaz de receber comandos de seu Controlador, desabou na lama.

Nômio procurou pelo dono da voz. Parado perto de um bebê que chorava, um homem alto o encarava. Camisa branca com uma grande estrela no peito, malha vermelha, calção azul, uma máscara sobre os olhos. Aquele era Democrata, seu herói favorito. No meio da lama, falando com ele. Seu herói favorito. Esfregou os olhos. Ele continuava ali.

*Precisa pegar seu pai e a criança antes que aqueles homens cheguem,* Democrata disse, apontando para a estrada lá longe. *Ou as coisas vão se complicar.*

Nômio pegou o bebê no colo.

— Ajude-me a levá-los para o barco.

*Não pode voltar para o barco. O helicóptero estaria sobre vocês antes que conseguissem percorrer trinta metros. Virariam peneira.*

— Então, o que eu faço?

*Acalme-se. Vou guiá-los por um caminho completamente novo.*

— Com quem está falando? — grunhiu Jerônimo. Parecia um bêbado tentando ficar de pé.

– Com o senhor Democrata.
– Que senhor Democrata?
– Ele está bem aqui, pai. Do meu lado. Vai mostrar um caminho pra gente fugir.

Jerônimo se apoiou nas raízes. Olhou ao redor, depois para o filho. Ele segurava o bebê nos braços, a pistola enfiada no cinto da calça, pouco acima da água. Não havia ninguém ao seu lado.

Quando finalmente entendeu, Jerônimo Trovão desatou a rir. Era sua forma de entrar em pânico.

## Epílogo

O General Vargas ouvia ópera.

Era como se sua música se espalhasse por todo o mundo.

Fechou os olhos para apreciar os violinos.

Depois vieram os oboés, os fagotes, as metralhadoras militares abatendo integralistas e aliancistas às dúzias.

Um coral de vozes angelicais.

Motor de um barco rio acima. O bebê finalmente havia se acalmado, enrolado no cobertor que antes cobria uma espingarda. Jerônimo Trovão e o filho estavam em silêncio há muito tempo, rumo ao esquecimento em uma cidadezinha perdida num interior qualquer. O matador e seus meninos.

Pratos, bumbos, trombones. A madrugada morria.

As primeiras manchas alaranjadas começavam a aparecer na parte baixa do céu, derramando-se sobre o porta-aviões que manobrava na baía. O almirante havia recebido congratulações de seu presidente, satisfeito com os resultados obtidos nos testes de campo. Apesar dos danos sofridos pelo protótipo Treze, felizmente resgatado a tempo, soldados controlados à distância por rádio se mostraram viáveis. Muito longe dali, porém, sentados em seus tronos de crânios e ossos num prédio obscuro da Universidade de Yale, os verdadeiros governantes dos Estados Unidos da América queriam muito mais.

Em algum lugar do tempo, do espaço ou da memória, Santo Antão despertou para enfrentar os demônios do Deserto.

# COBRA DE FOGO
Sid Castro

# Prólogo

APÓS A ERA DO VAPOR, a *Belle Époque* foi apenas um breve interregno que antecedeu a nova época dos motores a explosão, dos foguetes e da indústria pesada. As disputas econômicas e coloniais por fontes de matérias primas e mercados levaram ao acirramento dos conflitos entre as nações. Mas não houve uma Primeira ou Segunda Guerra Mundial. Aconteceu apenas A Guerra Que Acabou Com Todas as Guerras, durante dez longos anos, entre 1919-1929. Todos os grandes impérios e potências mundiais se envolveram e ela terminou de forma trágica, com a explosão de bombas atômicas (fato conhecido como o "Grande Crack de 29") e a imolação de milhões de vítimas. Uma Trégua do Terror dominou o mundo e do medo emergiu a Liga das Nações, intermediando um novo tipo de disputa ideológica e tecnológica entre as nações, a Guerra Fria. Não um mundo polarizado por apenas duas superpotências, mas várias. Para evitar o fim apocalíptico da civilização, os destinos desse novo mundo moldado pela paranoia nuclear e movido por poderosas máquinas de combustão passaram a ser decididos em complexos Jogos Mecânicos regidos pela Liga das Nações, que estabeleceu a *Pax Atomica*. Era 1940, e uma nova Grande Corrida Mundial se anunciava, dessa vez pela divisão dos recursos amazônicos.

# M'Boitatá

M'Boitatá, a "Cobra de Fogo", corria furiosamente pela noite, encarnada em metal, aço e fumaça. Seu urro poderoso podia ser ouvido além do horizonte estrelado, olhos-holofotes cortando cegantes a paisagem agreste nos limites entre a floresta e os cerrados, enquanto sua passagem fazia tremer da copa das árvores às paredes das casas de pau-a-pique das fazendas mais distantes, deixando um rastro chamuscado de fuligem oleosa e o cheiro forte de diesel.

O trem sem trilhos, um gigante aerodinâmico com cerca de seis metros de altura e quase cem de comprimento, soprava violentamente o ar que o sustentava sobre o solo, acionado por rotores sob uma saia de navegação e dez turbinas enormes dispostas nas curtas e robustas asas laterais e de popa.

O homem de binóculos na torre de vigilância da Reserva Imperial da Serra do Cachimbo não via com bons olhos aquela máquina enorme e tempestuosa deixando um rastro de destruição sobre os campos, assustando a fauna protegida. Esse tipo de intrusão, como das tropas e cientistas que recentemente vira circulando na região, o deixava bem irritado.

Acompanhou com os binóculos a passagem da locomotiva que, sem os vagões, podia se locomover fora dos trilhos, flutuando sobre os colchões de ar do seu hovercraft – absolutamente danoso ao meio ambiente! Por que cargas d'água não seguiu a malha ferroviária e a supervia longe dali, ao invés de invadir área de preservação proibida aos civis? Sim, por que uma traquitana cara e perigosa como aquela só podia ser das Forças Imperiais – aliás, o brasão do Império do Brazil estava claramente delineado sobre a pintura militar camaleônica daquela fuselagem de aço, rebites, exaustores e luzes de alerta. O nome adesivado também: M'Boitatá, a "Cobra de Fogo", orgulho tecnológico da potência tropical. Sobre ele, o dístico de uma serpente em pé, formando um "s" e com um cachimbo na boca, fumando. Máquinas como estas eram relativamente raras no mundo todo, pois apenas as grandes potências que faziam do mundo um tabuleiro de xadrez pantanoso nestes tempos da Guerra Fria podiam se dar ao luxo de bancar tamanho esbanjamento em tecnologia, energia e dinheiro. Claro que esses monstros tecnológicos eram parte do grande jogo estratégico dos países dominantes, uma alternativa à Trégua do Terror provocada pela disseminação das armas atômicas. Era um jeito de guerrear sem batalhas (pelo menos, não diretamente), uma corrida pelo poder. A *Pax Atomica* proibia as guerras convencionais. Todos os conflitos deviam ser decididos em disputas mediadas pela LN.

Mas espere! O Ecologista Imperial quase suspirou, imaginando que seus desejos mais vingativos acerca da máquina invasora fossem se realizar! Um jato de fogo riscava sibilante os céus na direção da *M'Boitatá*, qual um míssil destruidor em busca do calor das potentes turbinas da máquina. Ele tentou com dificuldade acertar o foco do binóculo naquele lampejo voador, mas somente conseguiu vislumbrá-lo quando estava prestes a atingir a locomotiva. Não, infelizmente não era um míssil. Era um homem-foguete, que sincronizava sua velocidade com a da *M'Boitatá* e preparava-se para pousar no teto. Lançou um cabo de abordagem, e os foguetes nas costas foram sendo desligados à medida que se aproximava do monstro de metal.

*Um maldito Dragão Imperial.* O ecologista conseguiu identificar pelo uniforme branco-dourado da Guarda do Imperador e o capacete com a crina negra tremulando ao vento. *Que diabos um milico da Corte vem fazer nestes sertões distantes?*

=====

Damocles Dumont viu o monstro se aproximando e sentiu um leve calafrio ao pensar que estaria morto se errasse um grau que fosse à abordagem em pleno voo. Um microcérebro eletrônico Eniac, em seu capacete, projetava no visor as marcações de velocidade e aproximação. Desde meados da Guerra Fria, as locomotivas eram o mais estranho veículo criado pelas potências nas disputas por territórios e influência política no mundo moderno. Compunham um mix tecnológico tão sofisticado quanto difícil de controlar. Sua origem eram os ecranoplanos, veículos soviéticos que usavam o efeito solo de sustentação para voar a poucos metros de altitude carregando tropas ou cargas pesadas sobre o mar. Em terra, incorporavam a tecnologia britânica dos hovercrafts, usando o mesmo princípio do efeito solo em escala maior para deslizar sobre a superfície sólida.

Em outras regiões eram adaptados para trilhos especiais de bitolas ultralargas, quando então podiam carregar composições inteiras de enormes vagões militares, razão pela qual as máquinas receberam o apelido de locomotivas.

A *M'Boitatá* não diminuiu a velocidade nem mesmo quando o homem-foguete desligou totalmente o jato, segurando firmemente nas alças de segurança da capota do veículo gigante e pousou. As travas magnéticas estalaram e um chiado de pressão escapando avisou que a escotilha circular estava se abrindo. O militar desceu pela escadinha metálica na passagem aberta, sendo recebido no interior pelos tripulantes com o típico macacão azul-cinzento dos Maquinistas Imperiais, alguns com capacete de circuitos e *goggles*. Damocles tirou o capacete de voo, respondendo à continência dos homens. E de uma jovem que mais lembrava um adolescente sardento, mas que parecia ter a displicente autoridade de um chefe, embora com insígnias de alferes e copiloto.

– Bem-vindo à *M'Boitatá*, Coronel. – A jovem transformou a continência relapsa num gracioso ajeitar de mechas sobre a orelha de seu cabelo castanho-avermelhado curto e rebelde escapando sob a boina marrom. – Sou Verônica Vultani, filha do Mestre das Máquinas.

A hierarquia militar nas Máquinas não era igual a dos outros corpos das Forças Imperiais, considerou, com condescendência divertida. Graças às suas habilidades únicas em lidar com aqueles monstros metálicos, aos Maquinistas era tolerado um trato social diferenciado. Eram mesmo mais técnicos e engenheiros mecânicos, cientistas do que soldados. Mas ele também não era um militar, no estrito rigor da palavra. Sim, era um coronel dos Dragões, mas isso não passava de fachada para um agente secreto da Inteligência de Sua Majestade Imperial. A I2, como era informalmente apelidada pela imprensa.

– Leve-me a seu líder. – Damocles disparou, com seriedade fingida.

Desconcertada pela maneira irreverente com que o militar reagira ao seu estilo *blasé*, ela o conduziu pelos corredores da locomotiva. Dividida em três andares e diversos compartimentos, mais parecia um navio do que um trem. Passaram pela sala das máquinas, laboratório, arsenal e alojamentos dos tripulantes, separados por comportas estanques. Os maquinistas na sala de comando não deram ao Dragão Imperial maior atenção, envolvidos na leitura de mostradores de pressão e radares. Em toda parte havia uma trepidação constante, que não parecia incomodar os homens e mulheres que mantinham o titã metálico em curso.

A M'Boitatá não possuía janelas panorâmicas, uma vez que o veículo gigante era conduzido principalmente por instrumentos. As vigias altas e pequenas deixavam passar vislumbres rápidos de nuvens, galhos e folhas, meras formas verdes e marrons. De costas para eles, numa poltrona mecânica elevada, um homem corpulento de cuja cabeça calva subiam baforadas telegráficas, manobrava os manches e alavancas da máquina poderosa. Usava um macacão azul desgastado que deveria estar com ele desde o fim da Grande Guerra, quando a M'Boitatá não era mais do que um projeto em sua prancheta.

– Papai? Estava esperando alguém da Corte?

O Dr. Vultani se voltou ao ouvir a filha, e desceu o nível da poltrona. As mangas sujas, o vasto bigode branco manchado de tabaco e um cachimbo fumegante compunham a pose do robusto Mestre das Máquinas, que em nada lembrava sua jovem filha, exceto pelos olhos de um verde vívido, que a fitavam com ternura. Voltou-se seco para Damocles com a mão calejada estendida.

– Trouxe o documento, Soldado?

Damocles retirou da sua algibeira um longo canudo com o brasão do Império. Vultani quebrou o lacre do selo imperial, abrindo o canudo e desenrolando um mapa, passeando os olhos sobre ele. Verônica, entre curiosa e surpresa, tentava ver por cima dos ombros altos dos dois homens. Mas seu pai tornou a enrolá-lo antes que ela visse mais do que um trecho do mapa amazônico.

– Então, a "cobra vai fumar"... – Resmungou, soltando uma baforada tal qual uma velha Maria Fumaça.

Após uma pausa breve, começou a disparar ordens.

– Epaminondas! Ruço! – Gritou para seus copilotos, que ergueram as mãos sem tirar os olhos dos painéis. – Mudem a rota para a base. João Diesel!

– Senhor! –Um mecânico sarará jovem e desengonçado pulou do canto onde estava sentado, com o macacão sujo de óleo e graxa.

– Depois que chegarmos à base, teremos somente um mês para deixar esta máquina tinindo! Quero cada peça, cada engrenagem limpa, testada, funcionando com perfeição! E quanto a seu novo motor? Acha que vai conseguir prontificá-lo a tempo?

– Pode apostar, Senhor!

– Quanto a você, Soldado... – Bem-vindo a bordo da *M'Boitatá*. Minha filha o levará até seus alojamentos.

– Mas eu... – Verônica tentou protestar.

– Um momento, Senhor. Não estou aqui como passageiro ou diplomata. Este é um veículo militar do Império e devo assumir meu posto na sala de comando.

Victor Vultani encarou o coronel da I2, a fumaça de seu cachimbo soprando como uma chaminé parecendo externar um desprezo contido.

– Estou nas forças imperiais a mais tempo do que você tem de vida, Soldado. Nunca falhei com o Imperador. Quando a *M'Boitatá* cruzar o Atlântico, o comando será seu. Até lá, minhas ordens são lei. Verô, conduza o soldado ao alojamento de hóspedes.

– Mas...

– Agora, Pimentinha!

A jovem se retirou de cara fechada da sala de comando, seguida pelo agente.

– Pimentinha... – Damocles não conteve o sorriso no corredor da nave.

– Ora, cale a boca.

*A missão vai ser mais difícil do que eu imaginava.* Damocles se lembrou de como fora acionado para esta missão, meses atrás, no Rio de Janeiro.

## No Catete

Dirigíveis cortavam os céus da Capital Imperial, como *outdoors* voadores, ostentando marcas de produtos diversos e slogans publicitários. "A Amazônia é nossa", "Átomos para o Brazil", brilhavam as frases em letras ondulantes no bojo dos zepelins que o homem-foguete ultrapassava em arcos longos. Abaixo, seu voo era acompanhado pelo olhar curioso dos passageiros da Estação Dom Pedro II, para onde convergiam as linhas da Central do Brazil. O coronel dos

Dragões Imperiais ultrapassou a Estação da Corte e pousou com elegância no foguetódromo do Aeroporto 14 Bis, antes de se dirigir à Base dos Dragões, próxima ao Paço Imperial, no Largo do Carmo. Dali, ele tinha um compromisso em roupas civis, um pouco além da Glória, no Palácio do Catete, residência do primeiro-ministro.

– Acho que queimei a língua. – O Primeiro-Ministro Getúlio Vargas, Conde de São Borja, soltou uma risadinha bonachona, aboletado na poltrona de jacarandá confortável de seu gabinete no Palácio do Catete.

Um monitor circular enorme aceso na parede mostrava imagens de um documentário produzido sobre o país pelo canal internacional da Liga das Nações.

"– Mais fácil uma cobra fumar do que o Brazil entrar no Clube Atômico." – Ele falava numa gravação feita em Versailles, há poucos anos. – "Somos uma nação pacífica". – Somente a LN controlava as transmissões via satélite. A órbita era zona exclusiva da poderosa organização mundial, que assumiu a fiscalização dos arsenais atômicos mundiais após a Grande Guerra.

– O senhor também não usou essa frase durante seu primeiro mandato? – Damocles interrompeu as reminiscências da personalidade política mais influente do país nos últimos 25 anos. Vestindo terno e gravata, o agente parecia um verdadeiro malandro carioca, enquanto rodava no dedo seu chapéu panamá. – "Que era mais fácil uma cobra fumar do que o Brazil entrar na Grande Guerra"?

Vargas o olhou de esguelha, como se para deixar evidente que isso não era um diálogo. Mas deixou passar a ousadia. Ou quase.

– Na verdade, usei essa expressão, justamente querendo evitar que entrássemos na guerra. "A Guerra Que Acabou Com Todas as Guerras" era uma disputa por mercados e colônias. Somos um império, mas não temos colônias. Bem, quase. Temos certa ascendência sobre as colônias do Império Português, nosso aliado europeu. Mas a força atômica mudou tudo. Agora os tempos são outros. E estamos entalados até o pescoço na Guerra Fria, queiramos ou não.

O agente não pôde evitar sorrir internamente com a expressão e o fato do primeiro-ministro praticamente não ter pescoço. Mas nunca diria isso, nem subestimaria sua capacidade de governar. Sua ousadia se limitou à primeira fala. Parou de rodar o chapéu panamá ao se dar conta de que havia ousado corrigir o homem mais poderoso do país. E quem sabe, um dos mais poderosos do mundo, em breve.

— A ameaça atômica paira sobre nossas cabeças, como uma espada. Lembre-se do personagem que lhe inspirou o nome, Agente. — O primeiro-ministro soltou outra risadinha.

Damocles sabia que a referência à espada e ao seu nome, de origem mitológica, trazia embutido um aviso sutil, mas enfático, de que não poderia falhar.

Nos monitores, as imagens mudaram. Sua Majestade Imperial, Dom Pedro III, desfilava com seu bigodinho à Errol Flynn e roupas de grife parisiense, flagrado com uma esfuziante atriz de Hollywood. Damocles achou que era a estrela de *E o Vento Levou...*, grande sucesso que tinha como pano de fundo a vitória sulista na Guerra de Secessão dos Estados Confederados da América.

— Não podíamos ter melhor relações-públicas no planeta do que ele. — Vargas sorriu. Como se dizia mundo afora, enquanto o imperador se divertia, o primeiro-ministro governava. — O jovem tem um trânsito excelente, tanto em Richmond quanto em Viena.

— Com certeza, senhor. — Não achou prudente abusar de outros comentários.

— Você me foi indicado como o melhor operativo de campo da I2. Lutou na guerra, tem experiência na Europa e nos CSA, atuou nas crises da Polônia e do Vietnam, dentre outras. Também é um homem-foguete e atirador exímio. Sua ficha é bastante impressionante. Pois a missão que tenho para você, meu rapaz, envolverá combate, tecnologia e intrigas políticas. A Grande Corrida Amazônica selará nosso envolvimento mais crucial até agora no palco da Guerra Fria.

## Guerra Fria

Guerra Fria. Era nela que Damocles pensava, deitado no catre do alojamento pequeno e espartano para o qual Verônica o conduzira. O título dominava todo o noticiário político e social da primeira metade do século XX, desde que a primeira bomba atômica explodiu em 1929 sobre Manhattan, nos CSA, no que ficou conhecido como o Grande Crack, causando terror em todo o mundo. Não havia consenso sobre quem lançara a bomba – se os russos, o Império Austríaco ou mesmo os ingleses, cujo império colonial passara gradativamente às mãos dos confederados durante a guerra. Mas a resposta americana não se fez esperar. Tanto Budapeste quanto Liverpool e Stalingrado arderam no inferno atômico, seguidas de Xangai e Hiroshima, a derradeira. Nuvens radioativas teceram um véu de terror sobre o mundo, que encarou o próprio fim. E então, o fogo da guerra silenciou.

O Equilíbrio do Terror propiciou aos impérios coloniais o estabelecimento de uma trégua em Versailles, congelando as fronteiras conquistadas antes das bombas atômicas. "A Guerra Que Acabou Com Todas as Guerras" conseguiu seu intento, mas ao custo de um sacrifício terrível, um Holocausto mundial. Em várias partes do mundo foram estabelecidas Cidades Livres, sob a administração da Liga das Nações, bem como Cidades Proibidas, marcos da destruição, memória permanente do futuro terrível que talvez aguardasse a humanidade.

Os conflitos não terminaram, mas agora eram disputados através de uma corrida tecnológica entre impérios e potências, deixando o planeta equilibrado sob o fio de uma lâmina.

Os Estados Confederados da América emergiram como uma das maiores potências mundiais, após anos de conflitos internos, devido ao regime de segregação racial de Richmond. Durante a Grande Guerra, refugiados de Manhattan, o centro da luta pelos direitos civis, emigraram para o Reino de França ou o Império do Brazil. Enquanto perdia para os americanos a maior parte de suas possessões e uma revolução transformava a Inglaterra em República, os CSA consolidavam sua união interna após a destruição de Nova York.

Enquanto isso, o Reich Alemão, governado pelo Kaiser Guilherme IV, disputava a influência da Europa Central com o Império Austríaco, que se reerguera do ataque nuclear, unificado sob a autoridade do Chanceler Adolf Hitler. Para os dois impérios germânicos, a principal ameaça era a comunista, representada pela União Soviética recém-consolidada e seu único aliado, a República do Povo da China. No Extremo Oriente, a Nêmesis dos chineses, o Império do Sol Nascente, estendera os tentáculos em parte da Ásia, tendo um estado-tampão, o Império Mongol, entre ambos. Na América Latina, o Império do Brazil, que tentou inutilmente manter certa neutralidade nos conflitos, construiu uma aliança estratégica com a Confederação da Gran Colômbia e o Reino do Prata.

Um mundo formado por uma colcha de retalhos de impérios, potências colonialistas, domínios e protetorados, disputando riquezas e territórios através de corridas tecnológicas. Um mundo sob o qual pendia o terrível fio da espada nuclear. Era neste mundo implacável que agora o Império tinha sua maior prova. Sobre Damocles pendia a responsabilidade de garantir a integridade da nação ou selar sua derrota.

Agoniado, o agente da I2 tentou dormir, enquanto sentia o sacolejar ininterrupto da máquina correndo pelos rincões do Império, rumo ao sul.

## Angra

O dia já ia pelo meio quando a *M'Boitatá* chegou a uma estação imperial no interior da província das Minas Gerais, preparando-se para entrar na malha ferroviária gigantesca do Império. Não a rede de trilhos normais, em que centenas de trens de passageiros e carga atravessavam o país de ponta a ponta, mas a supervia de bitola ultralarga, exclusiva para máquinas gigantes, para transporte militar pesado ou cargas perigosas. Como as do comboio quilométrico de máquinas que viam passar, quase tão poderosas quanto a *M'Boitatá*. Os vagões blindados enormes com o símbolo nuclear nas carcaças, eram acompanhados do ar por uma escolta de autogiros militares.

— Urânio enriquecido das minas do Norte. — O Dr. Vultani comentou. — Deve ir para as usinas nucleares em Angra dos Reis.

— Quantas bombas atômicas nós poderíamos fazer com todo esse urânio? — JD indagou. — Acho que seríamos mais respeitados se também tivéssemos as nossas. Somos o único império de larga extensão sem essa tecnologia.

Damocles pensou algo sobre isso, mas preferiu ficar calado.

— E se nossa máquina fosse propelida por um reator nuclear? — João Diesel continuou. — Imaginem...

– Imaginem o perigo. – O agente interrompeu. – Não, os tratados da Liga não permitem veículos nucleares. Tampouco foguetes espaciais.

– Mas não há uma proibição formal contra bombas atômicas. – A jovem lembrou. – Isso não é uma contradição?

– Poderia ser, não fosse o fato óbvio de que o terror nuclear é a base da autoridade mundial da Liga das Nações. Então, ao mesmo tempo em que condenam qualquer nação que as use, não proíbem sua fabricação! Se elas deixassem de existir, a razão de ser da Liga desapareceria. E as guerras convencionais, para não falar nas atômicas, estariam de volta. Assim é o nosso mundo.

– Um mundo sem guerras. Mas um mundo regido pelo medo. – Verônica completou.

Quando o último vagão do supertrem de carga perdeu-se no horizonte, o Mestre das Máquinas convocou todos para que entrassem na locomotiva. Era hora de continuar a viagem para o sul. Antes, porém, uma composição de enormes vagões militares, com peças novas e combustível foi engatada à M'Boitatá, após a grande máquina se conectar aos trilhos da supervia. E a locomotiva retornou à sua origem, transformando-se num enorme trem, correndo quase tão velozmente quanto antes de volta à base.

Foram dias de trabalho e treinamento intensos. A M'Boitatá ficou estacionada em seus hangares no litoral, num porto artificial próximo a Angra dos Reis, em área sob restrição militar. Damocles tinha de conviver com a rabugice do Mestre, a rebeldia de Verônica e o estilo independente de agir dos Maquinistas Imperiais, não acostumados ao treinamento militar. Uma equipe de dragões voadores treinava com eles, sob comando direto do coronel. Enquanto isso, o agente estudava os trajetos da Corrida Mundial, preocupado.

Damocles observava os operários trabalhando na fuselagem da M'Boitatá, maçaricos brilhando e guindastes operando sobre a estrutura recoberta de torres industriais. A máquina estava sendo totalmente revisada, com peças trocadas e novas tecnologias implantadas, além de uma nova pintura. O emblema tradicional da "cobra fumando" foi repaginado. Mas, principalmente, ganhou um motor novo e mais potente, com JD trabalhando dia e noite em sua instalação.

Verônica se aproximou.

— Acho que você sabe mais do que nos conta.

— Discrição é fundamental para agentes da Inteligência.

— Meu pai já participou de muitas Corridas para o Império sob supervisão da Liga. Ele se ressente de você tomar seu comando após tantos anos de serviço ao Imperador. Aliás, até eu sou mais experiente que você nesse tipo de jogo!

— A Máquina permanecerá sob comando do Mestre. Sei que é o piloto mais experiente do Império. Mas o que está em jogo agora é muito maior. Envolve geopolítica e espionagem intercontinental. É uma Corrida Mundial, mas para nós, será como uma guerra.

Pintada com a cor do deserto, com novos adesivos imperiais e o mítico *"M'Boitatá"* escrito juntamente com o desenho da cobra fumando na fuselagem, herança dos pracinhas brasileiros que lutaram na Grande Guerra, a grande máquina parecia nova em folha. A tripulação uniformizada reuniu-se no porto com o Dr. Vultani à frente, maquinistas e dragões. Ele marchou até o agente da I2 e prestou continência.

— O comando é seu, Soldado.

— Dr. Vultani, não tenho como contestar sua experiência como piloto e comandante durante tantos anos. Minha posição somente será solicitada em emergências de segurança. Peço que comande a nave como se eu não estivesse aqui, até que meus serviços se façam necessários.

Victor Vultani limitou-se à nova continência e a um girar de calcanhares, seguindo com os tripulantes para bordo da *M'Boitatá* sem soltar nada além de resmungos. Antes de entrar, voltou-se para Verônica.

— Vamos, filha. Está na hora de mostrar a essa gente da Corte o que sabemos fazer.

Suspirando, Damocles fez sinal para que os dragões também embarcassem e seguiu para a nave acompanhado de uma Verônica sorridente.

– Decididamente, eu tento, mas não sou um diplomata.
– Vamos lá, Agente Secreto. Ele está apenas brincando com você. Eu sei. É meu pai. – Divertida com o embaraço do coronel, a jovem o conduziu pelo braço. – A propósito, pretendo fazer seu coração pular.
– Como assim?

**Partida**

– Tem certeza de que não quer saltar conosco? – Verônica dirigiu um olhar espantado ao coronel, julgando impossível que alguém não apreciasse o "salto", quando uma locomotiva mergulhava no mar em grande estilo. E bota estilo nisso.
– Não, obrigado. Prefiro ver de fora. – Precavido, Damocles pegou o capacete de voo dos Dragões Imperiais e subiu para a escotilha superior.
O Mestre das Máquinas cedeu a poltrona principal à filha. Verônica vestiu o capacete de pilotagem e assumiu o lugar no assento de aço e couro. Afivelou o cinto de segurança e elevou a posição da poltrona até a altura da vigia superior, sob a qual se exibiam no painel de controle, mostradores, manches e alavancas que dominavam o monstro. Num nível mais abaixo, os copilotos tomaram suas posições, atentos às telas dos radares. Ligados, os motores começaram a girar. Uma vibração cada vez mais forte tomou conta da estrutura do veículo, num crescendo de força e energia prestes a se soltar.

===※===

Como um bólido aprisionado em grilhões de aço, a *M'Boitatá* correu pela supervia suspensa, o grande trilho de bitola ultralarga construído para suportar o tráfego das maiores e mais pesadas máquinas da Terra. A velocidade aumentava, à medida que os rotores vibravam com potência crescente. Numa curva ascendente, construída como uma montanha russa, a supervia penetrava Atlântico adentro, terminando numa enorme rampa que se interrompia nas alturas, a centenas de metros, como se fosse um megatrampolim.
Soltando as travas que a prendiam aos trilhos, a locomotiva saltou

para o vazio e estendeu as asas embutidas, mergulhando num grande arco de vários quilômetros até começar a perder altura devido ao enorme peso. As turbinas de sustentação funcionavam a toda força, mantendo o sobrevoo no mar a cerca de cinco metros de altitude, agitando as ondas abaixo. Nesse instante, o veículo funcionava como um ecranoplano, um avião pesado de voo baixo.

Impressionado, o homem-foguete voava a uma distância prudente da locomotiva, admirando a habilidade com que a garota domava aquele titã grotesco da tecnologia dos anos 40.

*Quem diria, até que a sardentinha tem jeito para a coisa.*

Estabilizada, a locomotiva iniciou sua longa travessia do Atlântico rumo à África.

Somente então Damocles retornou à *M'Boitatá*.

## Primeira Fase
## Casablanca

Ad-Dhar-al-Bayda, Cidade Livre de Casablanca, como o mundo ocidental a conhecia, surgiu como uma joia brilhante sob o céu azul na costa atlântica do Marrocos, protetorado do Reino de França. O porto fortificado, fundado pelos fenícios, da maior cidade norte-africana abriu-se à passagem da *M'Boitatá*, que deslizou com relativa fluidez das águas do mar para o canal que levava à Cidade Livre, nos limites do Saara. Os tripulantes pouco puderam ver das construções brancas em estilo colonial francês e ibérico, ou dos minaretes esguios que passavam rapidamente pelas vigias do veículo. As turbinas de contenção superficial foram aos poucos ativadas e, sem parar o movimento, a locomotiva, ostentando a bandeira verde-dourada do Império do Brazil, deixou as águas do canal e levantou poeira rumo ao grande campo de provas onde outras máquinas do mundo todo já estavam estacionadas ou ainda se aproximavam.

Berberes com uniforme do Corpo da Trégua da Liga das Nações corriam sinalizando com bandeiras coloridas, orientando a máquina trepidante em seu caminho para o setor de checagem do Aeródromo de Casablanca. Sob o sol causticante e a poeira que a máquina soprava sobre seus rostos, no alto da *M'Boitatá*, vários tripulantes já tinham subido pelas escotilhas, entre eles Damocles, Verônica e o mecânico-mor João Diesel, olhando admirados para as grandes máquinas estrangeiras espalhadas ao longo da pista central do aeródromo. A locomotiva brasileira transitou por entre os veículos gigantes, manobrando com velocidade enquanto procurava passagem para o posto da Liga.

— Segure-se, Dragão Voador! — Verônica gritou, amparando o agente, que tentava, com sérias dificuldades em manter o equilíbrio no teto blindado trepidante da *M'Boitatá*, atingir a torre de observação, onde tremulava a bandeira do império dos trópicos.

— Você parece conhecer cada movimento que essa batedeira gigante faz — O agente da I2 reconheceu, apoiando-se enfim, com alívio, no corrimão de segurança.

— Cada movimento? — JD se meteu na conversa. — Ela conhece a Cobra de Fogo quase tão bem quanto eu ou o velho Vultani! Verô tem uma simbiose com a Máquina, como se fossem uma só! Ela é uma senhora pilota... Sem falar que é uma das minhas melhores alunas de capoeira.

— Pude ver durante o salto. A pilotagem, não a capoeira... — Damocles fitou a jovem, admirado. — Desde quando você sabe a pilotar essa coisa?

— Desde os 16 anos. — Apressou-se a acrescentar, ajeitando o capacete de couro e baixando os *goggles* sobre os olhos verdes faiscantes:
— Isso já foi há muitos anos!

Damocles sorriu. Ia perguntar algo quando um solavanco inesperado fez com que todos perdessem o equilíbrio e buscassem apoio nas barras do corrimão. Urrando, uma sombra enorme os envolveu e avançou, manobrando a sua frente sem dar passagem ou reduzir a velocidade.

Pelo rádio do capacete, Damocles ouviu um palavrão cabeludo do Mestre das Máquinas.

— Vejam! É a *General Lee*! — JD apontou quando a ventania e a poeira amainaram. Aos poucos puderam enxergar o enorme leviatã cinzento sobre o qual tremulava a bandeira azul e vermelha da cruz em xis com as estrelas brancas dos Estados Confederados da América.

— Vão dar trabalho! Quem pilota a *General Lee*? — Verônica indagou.

– Não sei, mas o agente de segurança deles é meu conhecido. – Damocles observou com o binóculo o tal agente no passadiço da máquina americana. – Jesse James III.
– O neto do herói americano? – JD abriu a boca. – Já assisti um montão de filmes de *cowboy* dele!
– Ele mesmo. Nós nos conhecemos durante a crise canadense.
A *M'Boitatá* recuperou a velocidade e seguiu seu caminho, sem se importar com a *General Lee*, que ganhou distância rapidamente.

Em seguida, passaram ao largo do estacionamento da *Bismarck*, a locomotiva tricolor do II Reich com o brasão do Kaiser Guilherme pintado na carcaça. Fazia um belo contraste com a máquina ao seu lado, a *Siegfried*, imponente locomotiva negra do ex-Império Austro-Húngaro, fonte de conflitos na Europa. Nas aletas abertas, a grande máquina exibia círculos vermelhos com suásticas no centro. Parte dos tripulantes que cuidavam da manutenção do veículo ostentavam o mesmo símbolo em braçadeiras nas roupas escuras.

– O que significa aquela cruz torta, Coronel? – JD apontou para o símbolo referido.

– É uma suástica, o símbolo do Partido Ariano, que tomou o poder no Império Austríaco após a crise da bomba que destruiu Budapeste. Os germânicos vão ser adversários difíceis. Além da tecnologia avançada de ambos os impérios, os alemães têm um dos melhores pilotos da guerra, Rommel, a Raposa do Deserto. Nunca perdeu uma corrida na África do Norte. Venceu todas as disputas do Paris-Dakar pelo II Reich. Ainda bem que a Liga das Nações vetou a união da Alemanha com a Áustria.

Ao seu lado, um crescente branco pintado na carcaça vermelha marcava a presença da *Sultan Suleyman*, locomotiva cedida ao decadente Império Otomano pelo aliado germânico. Do outro lado da pista, brilhava em vermelho-vivo a *Potemkin*, com a foice e o martelo ostentados sobre as iniciais CCCP, da União Soviética, criada após a explosão de Tsaritsyn, atual Stalingrado. Em seguida, bem menos imponente, surgiu a *Robin Hood*, da República Britânica. Cortada por uma enorme cruz vermelha sob fundo branco, a locomotiva era uma pálida presença daquele que fora o maior império do mundo no século XIX, mas que perdera para a ex-colônia americana a maioria das possessões. Mais adiante, a *M'Boitatá* passou ao largo da imponente *Yamato*, do Império do Sol Nascente, guarnecida por samurais de katanas e foguetes, assim como da aliada *Genghis Khan*, do império-tampão mongol. Bem mais distante estava a tradicional inimiga dos japoneses, a República do Povo da China, com a *Shenzhou*, cujo desenho lembrava um grande dragão; os brasileiros acenaram para os tripulantes da colorida *Bolívar*, da Federação da Gran Colômbia e do veículo azul-celeste do Reino do Prata, a *San Martin*, aliados do Brazil. Passaram ainda por mais de uma dezena de veículos diferentes, oriundos de países que sonhavam subir ao primeiro escalão das potências, mas cujo poderio e tecnologia não lhes permitia mais do que participar da Grande Corrida no papel de coadjuvantes de seus aliados, geralmente com máquinas menores ou cedidas. Como a Cidade Livre se localizava em território francês, ao fim da pista destacavam-se as linhas esguias da *Charlemagne*, em suave azul com a *fleur-de-lis* ilustrada na carenagem. Diante dela, um pequeno destacamento de honra da Legião Estrangeira aguardava o veículo brasileiro, com um piloto elegante entre eles. Ele lhes fez um sinal amistoso, enquanto a *M'Boitatá* acionava lentamente as retrotravas e diminuía a potência dos rotores. O cheiro de óleo queimado impregnava o ar, assim como o barulho do hovercraft levantando poeira até que a locomotiva finalmente se imobilizasse, com um estrondo que fez tremer toda a área.

— Conhecem aquele piloto? — Damocles indagou.

— Mas é claro! É Antoine de Saint-Exupéry, o Pequeno Príncipe dos Ares! — Verônica respondeu entusiasmada. — Que piloto, ou moça romântica, não leu seus livros?

— Não se esqueçam que também são nossos rivais. As Guianas Francesa, Holandesa e Americana fazem fronteira com a nossa região amazônica.

Alguns minutos depois, escadas metálicas foram baixadas e Damocles desceu direto do teto, logo seguido de Verônica e do mecânico-mor. O Mestre das Máquinas saiu por outra escotilha com seus copilotos.

Damocles cumprimentou Saint-Exupéry e prestou continência ao oficial ao seu lado, com semelhante uniforme de dragão real.

— Prazer em revê-lo, Charles. — O coronel apertou a mão do francês alto de bigodinho.

– O prazer é todo meu, *mon ami.* – Charles de Gaulle respondeu.
– Então, o Brazil finalmente tornou-se uma nação séria... Vocês têm uma bela máquina.

O piloto francês não se furtou a beijar a mão de Verônica: – *Bienvenue* ao Reino de França, *mademoiselle.*
– *Merci, monsieur.* Poderia autografar meu exemplar do *Le Petit Prince?*
Um pigarro discreto chamou a atenção de todos, enquanto o Mestre das Máquinas se aproximava do grupo. Eram diplomatas da poderosa Liga das Nações, esperando pacientemente numa tenda com a bandeira da organização tremulando em seu topo: duas estrelas de cinco pontas, representando os cinco continentes e as cinco raças, em azul e branco, dentro de um pentagrama. Num arco acima e abaixo, lia-se: *League of Nations* e *Societé des Nations.*
– *Pardon, monsieurs* e *mademoiselle.* Haverá tempo para confraternizações sociais à noite, no Rico's Café. – O cavalheiro de cavanhaque e pincenê interrompeu o diálogo entre franceses e brasileiros. A Era do Vapor já havia passado, mas os diplomatas da Liga pareciam alheios ao fato. Muito embora controlassem as maiores tecnologias do século XX, como foguetes e satélites espaciais. – Agora precisamos protocolar seus documentos, se quiserem participar deste evento mundial.

Os brasileiros se aproximaram e o Dr. Vultani depositou sobre a mesa um calhamaço de papéis presos por uma fita com o selo do Império.
– Em nome de Sua Majestade Imperial, Dom Pedro III, requisito a inscrição da *M'Boitatá* como representante do Império do Brazil na Grande Corrida Amazônica. – O Mestre das Máquinas declarou sem preâmbulos.
– Bem-vindos a Casablanca. Próximas paradas: Timbuktu-Cairo-Jerusalém, disse o representante da Liga das Nações, que carimbou com força o documento.

# Rico's

As luzes do Rico's Café Américain Bar brilhavam com luminosidade tênue, emprestando um tom sépia ao ambiente esfumaçado com o burburinho de centenas de pessoas circulando entre mesas, o tilintar dos copos e música. Todo tipo de gente – de diplomatas a militares, refugiados, espiões e fugitivos, habitantes típicos de toda Cidade Livre – lotava o vasto salão social quando o grupo de tripulantes da M'Boitatá entrou. O som ambiente era suavizado pelo som de um piano Pleyel 1930, tocado por um negro norte-americano de porte elegante. As Time Goes By permeava o bar com um clima de romantismo.

– Que música linda. Nunca a ouvi antes. – Verônica afirmou num vestido estampado, com uma flor sobre os cabelos geralmente revoltos.

Acostumado a vê-la em macacões que a deixavam parecida com um moleque, Damocles quase não a reconheceu quando saíram do hangar da M'Boitatá. Os demais estavam usando seus melhores uniformes, inclusive JD e o Dr. Vultani, com direito a todas as medalhas e condecorações de outras corridas.

– Eu a ouvi em Paris. – Damocles afirmou, pensativo.

Verônica ia perguntar em que ocasião, quando os olhares se voltaram para outro grupo que entrava. Eram os membros da equipe alemã. Uma loura alta de olhos profundamente azuis e determinados sorriu para Damocles, antes de ser recepcionada pessoalmente por Rico. O dono do Café Américain, um exilado norte-americano duro, mas carismático, conduziu-os até sua mesa, próxima à dos brasileiros, no setor do salão reservado aos astros da Grande Corrida Mundial, e os apresentou.

– Olga Benarius, oficial de segurança do II Reich e o Maquinista Erwin Rommel. Mas suponho que todos o conheçam como Raposa do Deserto.

– Olá, Dam. Não nos vemos desde Paris. – A loura sorriu. – Como está nosso amigo?

– Estamos de olho nele. No momento, está na bancada da oposição, no Parlamento Imperial. Afinal, somos uma democracia coroada.

– É claro. Não existem muitas hoje em dia, não é mesmo? – Ela piscou o olho e se juntou à mesa dos alemães.

Verônica sentou-se ao lado de Damocles:

– Bonita, mas deve ser velha. Quantos anos ela tem?

— Não é velha. Suponho que uns trinta... É mais jovem que eu. Eu a conheci em Paris.
— Sempre Paris! — A jovem resmungou, fazendo muxoxo com o rosto entre as mãos. — Nunca estive em Paris...
A comitiva confederada chegou barulhenta, tomando várias mesas e fazendo festa. Com seu uniforme da Guerra da Secessão, Jesse James III era o centro das atenções dos *paparazzi* da imprensa internacional, agitando o chapéu de *cowboy* e um copo. Ao seu lado, um piloto mais circunspecto.
— Aquele é quem estou pensando? — JD perguntou, já respondendo. — Charles Lindbergh, o homem que circunavegou o mundo num ecranoplano sem escalas pela primeira vez?
— O próprio. Ali temos dois heróis americanos.

*As Time Goes By* desapareceu no ar, lentamente, quando Sam, o pianista, viu seus ex-compatriotas e ouviu suas risadas. Aos poucos, uma batida nova foi nascendo de suas mãos, um gingado que contagiou os presentes no bar. As risadas dos americanos foram amainando. Jazz. A música dos negros norte-americanos. Música proibida no país em que os *colored* eram cidadãos de segunda classe e jamais poderiam entrar num bar como aquele.
— Vem, vamos dançar também. — Animada, Verônica puxou Damocles.
— Espere. Isso vai dar encrenca.
— *Hey, yankee*. Não gostamos de música de crioulo. — Jesse James III se levantou, falando alto para Rico, que recepcionava a mesa dos franceses, perto dali.
— Casablanca é uma Cidade Livre, *mister*. E dentro deste bar, a música também é livre. — O proprietário respondeu, na mesma altura.
A um estalo dos dedos, *jukeboxes* automáticas foram ativadas ao longo do salão, entrando em sintonia com o piano de Sam.
Antes que o confederado pudesse abrir a boca novamente, boa parte do salão se levantou das cadeiras e começou a dançar, ao som de um proibido *rhythm and blues* norte-americano. Rico sorriu, desafiador, o cigarro entre os lábios.
O oficial confederado pousou instintivamente a mão no coldre de seu Colt à cintura. Foi detido por Lindbergh, que lhe apontou discretamente o olhar vigilante dos membros da Liga das Nações na mesa de honra, no centro do grande bar.

Jesse James III ajeitou seu chapéu de *cowboy*, tomou um gole de whisky e foi embora, seguido por todo o grupo confederado. Curiosamente, os membros da equipe austríaca também se retiraram, a um sinal do comandante. O piloto alemão, Rommel, fez um sinal discreto a Olga, e a equipe alemã também começou a se retirar.
– Quem é ele, Olga? – Damocles perguntou à moça que saía, quando passou pelo agente para se despedir. Não passou despercebido para Verônica que ela deixou um papelzinho em sua mão.
– Amon Göth, comandante dos campos de concentração austríacos.
– Os campos judaicos?
– Esse mesmo. Como sabe, sou de origem judaica. Isto não é crime na Alemanha. Ainda.
– Agora vamos dançar? – Verônica interrompeu, puxando o agente para a pista, pululando ao som de *St. Louis Blues.*

**Largada!**

Formando uma muralha de monumentos ao poder tecnológico da primeira metade do século XX, as locomotivas ocupavam uma grande extensão do deserto saariano. As tripulações já estavam a bordo, os motores já tinham sido testados e todos aguardavam com ansiedade o momento da largada. Os fiscais da Liga das Nações fizeram a última vistoria das máquinas e ordenaram a retirada das equipes de apoio da linha de partida, bem como da imprensa. A partir daquele paralelo, uma nova lei valeria em todo o trajeto da Grande Corrida Mundial. A lei da Liga das Nações.
A tensão era grande na *M'Boitatá*. O Mestre das Máquinas, Dr. Vultani, estava a postos na sala de comando, ladeado pelos copilotos, Epaminondas e Ruço. Mais atrás, atados em suas poltronas, Verônica Vultani e Damocles Dumont aguardavam que as grandes locomotivas dessem partida. Os motores já roncavam furiosos, aguardando tão somente o sinal dos fiscais da Liga.
De repente, uma salva de canhões explodiu no silêncio da alvorada saariana.
Sem perda de tempo, o Mestre das Máquinas puxou o acelerador

do veículo, que foi tomando altura sobre as areias revoltas, ganhando velocidade e deslizando Saara adentro, junto com os demais competidores. A Grande Corrida Mundial havia começado!

Foi como se uma tempestade tivesse se levantado àquela hora em todo o horizonte do deserto. As máquinas flutuantes enormes formavam um paredão de poeira quilométrico, obrigando todos a se guiarem por instrumentos, apesar do sol inclemente que tostava o chão do Magrebe.

As máquinas mais poderosas tomaram a dianteira, enquanto algumas se entrechocavam numa corrida quase cega dentro da tempestade de areia artificial. A locomotiva *Montecuhzoma*, do Império do México, chocou-se violentamente com a *Julius Caesar*, do Reino da Itália, tirando ambos da corrida logo no início. Aproveitando-se da confusão reinante, a *Bismarck* do Reich Alemão, assumiu a dianteira com habilidade, seguida de perto pela *General Lee*, dos CSA, a *Siegfried*, do Império Austríaco e a *Charlemagne*, do Reino de França. Cautelosa, a *M'Boitatá* fazia uma corrida de estudo, procurando manter uma boa posição após o pelotão dianteiro e tentando ficar longe do segundo pelotão de veículos logo atrás, onde os choques eram mais frequentes. No ar, via-se apenas os dirigíveis da Liga das Nações. Estava vetado qualquer sobrevoo nas áreas da corrida, exceto pelos fiscais da Liga. Somente umas poucas imagens aéreas selecionadas seriam exibidas pelo canal oficial.

Aos poucos as Máquinas entravam na vasta zona saariana, distanciando-se uma da outra e assim podendo correr sem maiores riscos, livres e furiosas na imensidão arenosa do Saara. Pilotada pelo experiente Raposa do Deserto, a locomotiva alemã puxava o primeiro pelotão de corredores.

— Estamos ficando para trás, papai. — Verônica suspirou aflita na *M'Boitatá*. — Logo seremos alcançados pelo segundo pelotão.

— Calma, filha. Este é um jogo de momentos e paciência. — Vultani murmurou, com os olhos pregados no painel luminoso. — Como estamos, JD?

O rádio de bordo chiou e espocou, quando João Diesel respondeu da sala das máquinas. — Ajustes terminados, Chefe. Quando mandar.

— Ainda é cedo. Quando penetrarmos no Sahel. Então, será a hora de acordar a Cobra de Fogo.

Durante horas, durante dias, as máquinas mais poderosas da superfície da Terra cruzaram as rotas das caravanas do deserto, atravessando o país dos tuaregues, oásis e vastas dunas a perder de vista. Com velocidade variando entre 400 e 500 km por hora, as locomotivas tinham poucos pontos de parada nos postos de reabastecimento mantidos pela Liga das Nações. Aos poucos, o cenário do deserto começou a mudar. Os grandes areais passaram a ser dominados por uma paisagem típica das estepes africanas, com cadeias de afloramentos rochosos e minas de sal. Era o Sahel, a fronteira, a região sul do Saara, porta de entrada para o Império Mali, protetorado do Reino de França.

– Agora, JD! – O Dr. Vultani gritou. – Ativar Cobra de Fogo!

– Próxima parada: Timbuktu! – JD respondeu da sala das máquinas. Um ronco enorme atravessou a estrutura da *M'Boitatá*, como se uma criatura mítica tivesse encarnado na locomotiva, dotando-a de uma força sobrenatural.

– O que é isso? – Damocles se agarrou nos braços da poltrona trepidante.

– É apenas a trepidação do motor especial desenvolvido pelo JD, o Cobra de Fogo, em funcionamento. – Verônica sorriu com ar sapeca.

– Sei que é o Cobra de Fogo! Só não imaginava que fosse tão assustador!

– Nós agora chegaremos ao pelotão principal... ou explodiremos.

– Ela completou, com uma risadinha sardônica.

Como um bólido envolto em poeira, a *M'Boitatá* ofuscou a lua saariana com suas luzes e jatos incandescentes. Parecia mesmo a encarnação em metal do mito amazônico, "Cobra de Fogo", correndo qual serpente ígnea em meio à noite africana.

A *M'Boitatá* deixou facilmente para trás as máquinas mais próximas, a locomotiva *El Cid*, do Reino de Espanha e a *Vasco da Gama*, do Império Português. Ficaram bem para trás a *Laranja Mecânica*, do Reino dos Países Baixos e a *Viking*, dos Reinos Escandinavos. Aos poucos foi se aproximando da imponente *Yamato*, no pelotão dianteiro. Mas os samurais do imperador Hiroíto não estavam dispostos a permitir tal afronta.

– Os japas desgraçados não nos dão passagem! – O Mestre praguejou. – O que estão fazendo?

— Cuidado! — Ruço mal teve tempo de alertar, quando a carcaça do veículo japonês cruzou a frente da *M'Boitatá* numa guinada perigosa que quase a jogou de encontro a um afloramento rochoso.

— Onde estão os fiscais da Liga? — Verônica reclamou. — Eles estão pegando pesado!

— Faz parte do jogo. Estamos no deserto profundo, fora das vistas da imprensa. — Damocles explicou. — A Liga só vai intervir se houver ajuda ostensiva de fora ou emprego de armamento pesado.

Um estrondo atingiu a locomotiva. Quem não estava seguro pelos cintos foi jogado para o alto, enquanto a *M'Boitatá* adernava para bombordo.

— Força total nas turbinas de revés. — O Mestre das Máquinas ordenou. — JD! Preciso de mais empuxo nos motores de estibordo ou vamos virar!

— Ajuda de fora? — Verônica ironizou. — O que nos atingiu, papai?

— *Genghis Khan* — Vultani respondeu. — Os mongóis nos abalroaram!

Provocando um pequeno tufão, a locomotiva do Império Mongol forçava seu flanco contra a *M'Boitatá*, raspando os cascos dos dois veículos, e obrigando a máquina brasileira a sair do caminho. O nível de sustentação da *M'Boitatá* foi posto perigosamente à prova, suas aletas estabilizadoras sendo forçadas ao limite enquanto as turbinas tentavam manter a estabilidade do voo. Acreditando ter posto o veículo brasileiro fora de combate, a *Genghis Khan* retomou seu caminho, logo atrás do aliado nipônico.

— Seus lambe-botas dos japas, vão ver agora o que é bom para tosse! — Victor Vultani berrou possesso, puxando o acelerador do motor principal. — JD! Força total no Cobra de Fogo!

João Diesel suava ao manipular o painel de controle da sala de máquinas. — Força total? Eu já estou no máximo! O velho quer nos explodir?

A *M'Boitatá* recuperou a estabilidade e sobrevoou as dunas e rochedos causando uma pequena tempestade de areia à sua passagem. As turbinas trabalhavam a toda força, com o motor principal fornecendo o empuxo necessário para dar velocidade à grande máquina. Rapidamente o veículo diminuiu sua distância da *Genghis Khan*.

— Eu não queria estar na pele daqueles mongóis... — Verônica murmurou. — Meu pai está furioso!

Damocles podia sentir a vibração que fazia chacoalhar cada parafuso da grande máquina, a potência dos rotores aumentando e a velocidade crescente com que as estrelas riscavam o céu escuro do Sahel, visto através das vigias superiores.

Ao se dar conta da chegada da locomotiva do Brazil, a *Genghis Khan* desacelerou, navegando num curso transversal, procurando bloquear o avanço da *M'Boitatá*.

– Rota errada, amigo! – Vultani bradou. – O grande Khan ia sentir vergonha de vocês...

– Setor livre, senhor. Nenhum zepelim da Liga sobrevoando nossa área – O copiloto Epaminondas confirmou após consulta à tela do radar.

– Que se dane a Liga!

O Mestre das Máquinas jogou toda força nas turbinas de solo, fazendo a máquina ganhar altura e ultrapassar pelo alto a *Genghis Khan*. A locomotiva brasileira desceu sobre o engenho rival, cortando seu caminho e forçando sua parada. A locomotiva mongol perdeu a estabilidade dos giroscópios e adernou, chocando-se com as turbinas de estibordo nas rochas. Com um grito agudo de motores falhando, o veículo tombou, engolindo areia e pedras, com as aletas quebradas.

A *M'Boitatá* tentou recuperar o tempo perdido, mas a *Yamato* já estava bastante distante. Foi quando os rádios de bordo transmitiram em francês e inglês a mensagem da Liga das Nações: estavam entrando na fase final do primeiro trecho, chegando em Timbuktu. A partir daí, todos os competidores começariam a desacelerar e tentariam manter posições até a chegada à capital do Império Mali.

As longas torres marrons da Universidade Korânica de Sankoré, em Timbuktu, surgiram no horizonte acobreado que marcava o fim da trilha.

==╚╝==

Após mais uma parada no posto da Liga, os veículos prosseguiram pela trilha das caravanas de beduínos rumo ao Cairo, no Egito. Durante todo o percurso longo e complexo, passando por territórios com topografia diversificada e sob controle de diferentes poderes coloniais, sem forçar os motores, a *M'Boitatá* tentava compensar as dificuldades anteriores e se reaproximar do pelotão principal, cuja posição mais próxima ainda era da máquina nipônica.

Dias depois, as locomotivas já estavam nas imediações do Cairo. Quando os paredões de poeira e detritos amainaram seu ímpeto, as sombras das pirâmides milenares se ergueram entre as dunas, à distância. O veículo francês tomara a dianteira do alemão, seguido pelo confederado. Sem parar, novamente com toda a força, a Corrida prosseguiria até sua meta final nesta etapa: a Cidade Livre de Jerusalém.

## Jerusalém

Como pássaros de ferro exaustos, as locomotivas sobreviventes do primeiro percurso da Grande Corrida se atiraram sobre as águas escuras do Mar Morto, já em região sob protetorado confederado, onde as aguardavam as naus da Liga das Nações. Seguindo a sinalização das lanchas condutoras da organização internacional, as máquinas mantiveram suas posições e flutuaram nas águas desprovidas de vida, diminuindo seu ritmo e desligando os motores, deixando que o leito viscoso das águas milenares esfriasse o ímpeto de força e disputa que as estimularam até então.

Os dirigíveis da Liga mantinham os curiosos à distância, enquanto os diplomatas computavam em seus grandes Eniacs a totalização dos pontos das diversas escuderias nacionais. Não havia dúvida quanto ao vencedor desta fase: a *Bismarck* retornara à primeira posição, com a *Charlemagne* em segundo. A nave brasileira ficou numa posição apenas razoável, decepcionante para quem tinha tanto a perder.

Ao longe, a sombra das Montanhas de Hebron mostrava que o caminho para a Jerusalém havia sido atingido.

No dia seguinte, nos arredores desérticos da Cidade Velha, os veículos desfilaram com parte dos tripulantes no teto, na ordem de chegada. Bandeirinhas de muitas nações eram agitadas por multidões de pessoas de todas as origens e fés, que faziam da Cidade Livre de Jerusalém um dos sítios pacíficos do planeta, sob a administração da Liga das Nações.

# Intervalo

Foram dois meses de interregno, enquanto os veículos desgastados que sobreviveram à primeira fase da disputa eram transportados de Jerusalém para outra Cidade Livre, onde começaria a etapa seguinte da Corrida Mundial. Nesse ínterim foi permitido que cargueiros aéreos enormes transportassem os veículos para seu destino, em outro continente. A *M'Boitatá* era carregada, com rotores desmontados para manutenção, na barriga de um gigantesco avião cargueiro Boiúna, vindo do Império justamente para isso. Era a "Cobra de Fogo" sendo transportada na barriga da "Cobra Grande", outro mito amazônico. Nada mais apropriado, segundo Damocles.

– É a fase mais longa da Corrida. – O agente apontava para um mapa da Eurásia projetado no telão da sala de conferências da *M'Boitatá*. Estavam presentes apenas os oficiais e mecânicos principais da locomotiva.

– Não entendo por que essa Corrida acontece em praticamente todo o mundo, se está em disputa somente a Região Amazônica, em nosso continente. – Verônica implicou.

– Por que esta corrida em particular envolve todas as superpotências e uma redefinição de fronteiras. A intenção da Liga é evitar que uma equipe, habituada a seu próprio território – no caso, nós – goze vantagem por conhecer melhor o local. Mas este é o menor dos nossos problemas. Há anos diversas superpotências vêm pleiteando a internacionalização da Amazônia junto à Liga das Nações, ou a divisão pura e simples dos territórios e recursos entre eles. Para nós, nenhuma dessas hipóteses é aceitável. Estamos diante da possibilidade de uma guerra de verdade, contra todas as superpotências e contra a Liga, naturalmente. Uma guerra impossível de vencer.

– Então, só nos resta ganhar a Corrida Mundial, Soldado. – Victor Vultani protestou, de cenho fechado. – Ou perderemos meio império!

# Segunda fase
# Eurásia

Partindo da Cidade Livre de Hong Kong, as locomotivas foram enviadas para o aeródromo de Pequim. A fase asiática da Corrida Mundial foi iniciada a partir da capital chinesa, numa longa viagem rumo ao deserto de Gobi. Após um arco extenuante através da China Interior, com pelo menos uma parada, atravessaram Manchukuo, o território japonês no continente, penetrando no Império Mongol, sem despertar muito entusiasmo dos habitantes, uma vez que a *Genghis Khan* ficara na África. Na capital Ulan Bator, cartazes e gritos protestaram contra o veículo brasileiro. Com poucas paradas, revezando posições, os corredores levaram sua disputa ao vasto território soviético. Alguns poucos veículos retardatários não suportaram a nova travessia e ficaram para trás definitivamente.

Multidões viram os veículos potentes passarem ao largo de suas cidades, atingindo as águas do lago Baikal, onde fizeram mais uma parada. Seguiram com poucos intervalos para Irkustsk e Kranovarsk, e de Novosibirsk até Jekaterinburg. Cada vez mais próxima do pelotão principal, embora poupasse o motor especial, a *M'Boitatá* esteve bem perto de alcançar a *Yamato* nas imensas estepes russas. Rumando para o sul da União Soviética, ultrapassando os campos em que ainda jaziam os destroços da Grande Guerra, os competidores atingiram Kazan e o Canato de Astrakhan, a antiga. Chegaram enfim àquela que, em outros tempos, fora chamada Tsaritsin, a grande cidade que jazia em ruínas radioativas, desde então mais conhecida como Stalingrado, a Cidade Proibida. Uma homenagem dúbia do Premier Trotsky a seu antecessor e desafeto Stalin.

Obedecendo ao comando da Liga das Nações, todas as locomotivas se detiveram afinal, a uma distância relativamente segura, mas visível, das ruínas. Um grande acampamento protegido pela Guarda Vermelha fora montado ao largo da cidade rodeada por altas muralhas de concreto e chumbo. O canal internacional da Liga das Nações transmitia as imagens para todo o mundo.

— Por que nos estacionaram diante dessa terra arrasada? — Verô indagou da claraboia de observação aberta da *M'Boitatá*.

O corpo da jovem foi percorrido por um calafrio, sem relação com o frio. Ela observava a linha desolada de escombros, fumaça e poeira ao longe, bem visíveis dali, mesmo através das muralhas da Cidade Proibida.

— Para que a Liga possa enfatizar o destino cruel que paira sobre toda humanidade, sem sua orientação. — Damocles colocou seu casaco sobre os ombros da moça.

— Tem gente vivendo ali?

— As Cidades Proibidas são território dos *stalkers*, como são chamados pelos norte-americanos.

— *Stalkers*? Quem são eles?

— Caçadores à espreita. Assassinos procurados, ex-mercenários sem trabalho com o fim das guerras. As Cidades Proibidas são um refúgio perfeito para quem não tem nada a perder.

— Como alguém pode viver nesse inferno?

— Dizem que são mutantes, com tolerância genética à contaminação radioativa. Vivem curta, mas intensamente.

Verônica imaginou como era viver no limite entre a vida e a morte. Lembrou de quão cedo perdera sua mãe, e que tudo que lhe restara na vida eram seu pai e o serviço dos Maquinistas Imperiais. Não sabia o que faria da vida sem eles. Apertou bem forte a japona dos dragões que Damocles pusera em seus ombros. Enternecida com o gesto galante, pousou a cabeça nos ombros do agente.

— Às vezes, até gosto um pouco de você, Soldado. — Ela murmurou, quase adormecendo.

## Encontro na Cidade Proibida

Verônica despertou deitada no piso da claraboia de observação, agora fechada. O casaco de Damocles continuava sobre ela, mas o agente não estava mais ali. Já era madrugada. O acampamento parecia deserto, apenas as luzes de sinalização das outras locomotivas eram vislumbradas ao longe, bem como os brilhos fugazes que se erguiam da Cidade Proibida. Talvez lanternas ou fogueiras, ou ainda emissões radioativas. Nos arredores do acampamento, viam-se fachos de luz da Guarda Vermelha, que mantinha o isolamento de Stalingrado.

*Damocles...* A jovem reconheceu o vulto de roupas escuras esgueirando-se do lado de fora da máquina. *Onde vai a esta hora?* Sem hesitar, a garota desceu para seu alojamento, vestiu um agasalho sobre o uniforme e pegou alguns objetos. Em seguida correu para fora, evitando os setores da *M'Boitatá* onde sabia que haveria alguém de sentinela. Saiu por uma escotilha que poucos conheciam e correu pelo solo pedregoso do acampamento na direção em que vira o agente da I2 desaparecer. *As muralhas!*

Usando *goggles* com infravermelhos, Verônica esquadrinhou a escuridão nos limites do acampamento até identificar a silhueta de Damocles. Sem pensar duas vezes, correu por entre os rochedos calcinados que cercavam o exterior do acampamento. Notou que o agente seguia direto para o portão de entrada de um dos túneis escuros que davam acesso às muralhas de Stalingrado. *Que está fazendo?* Temia que a qualquer momento um dos dois fosse detido pela Guarda Vermelha. Mas os arredores pareciam totalmente desertos. Uma desconfiança começou a se formar em sua cabeça, mas não queria considerar a ideia.

---

Damocles Dumont apressou o passo ao atravessar o túnel escuro que antes fizera parte de algum complexo de autoestradas nos arredores de Stalingrado. Com o traje de combate negro, rosto camuflado com riscos pretos, levava uma mochila nas costas e uma pistola automática no coldre. O caminho estava livre como esperava, mas alguma coisa o incomodava. Olhou para trás, mas nada viu. Recriminou-se por não ter trazido um par de óculos infravermelhos da locomotiva. Destravou a 9 mm no coldre e correu pelo túnel escuro, até dar de cara com a imensa muralha que cercava Stalingrado por centenas de quilômetros.

*Bem, aqui estamos. Cadê os contatos?*

---

Verônica hesitou por alguns instantes após Damocles desaparecer no túnel escuro, mas seguiu em frente. *Meu pai vai ficar uma fera.* Os *goggles* lhe davam alguma segurança ao caminhar pelo interior repleto de detritos e carcaças de carros velhos. Mesmo assim, uma inquietação surda a dominava. Recriminou-se por não ter pegado uma arma na locomotiva. Percebeu tarde demais quando uma sombra furtiva caiu sobre ela.

O *stalker* parecia ter surgido do nada, mas Damocles não tinha dúvida de que estivera observando o tempo todo. Vestia um manto pretensamente antirradioativo e sob ele, podia-se se ver um uniforme surrado e medalhas do Exército Vermelho. O rosto encapuzado permanecia nas sombras, mas dava para perceber que usava algum tipo de máscara de respiração.

– Pensei que fossem dois de vocês. – O agente disse em russo.
– E somos, brasileiro. – O *stalker* respondeu. – Eu sou Boris...
– ...E eu sou Arkadi. – disse uma voz vinda do túnel. Trazia um corpo nos ombros, que deitou ao solo. – Deixou-se seguir por uma garotinha, Dragão.
– Verônica! – Damocles correu para ajudá-la a se levantar, mas não foi bem recebido. – O que está fazendo aqui?
– Eu que lhe pergunto! – Ela respondeu, zangada, limpando a poeira das roupas. Seria radioativa? – Você é um traidor!
– Não, eu...
– Estamos perdendo tempo. Ela nos espera.

Os brasileiros foram conduzidos ao longo do paredão, até um amontoado de escombros, que ocultava um buraco no chão. Desceram por ele, os dois *stalkers* abrindo e fechando o grupo. Amuada, Verônica recusava qualquer ajuda de Damocles.

Atravessaram as paredes grossas, saindo do outro lado por uma passagem igualmente oculta entre os escombros. Cruzaram com cuidado a paisagem caótica, entre prédios arruinados e crateras profundas, ruelas sem saída e labirintos de quadras amalgamadas por uma explosão que acontecera há mais de uma década.

– Não sou traidor, Verô. – O agente sussurrou à garota, ainda retraída. – Eu juro!
– Você fala russo, conseguiu entrar em Stalingrado sem ser detido pela Guarda Vermelha, misteriosamente afastada e ainda é amigo de *stalkers*. Como quer que eu não acredite no que vejo?

— Silêncio! — Boris ordenou. — Aqui há perigo.

Os *stalkers* levaram os dois pela Stalingrado devastada. Durante o percurso, constataram que a Cidade Proibida não era tão desabitada quanto imaginaram. Vultos furtivos se ocultavam entre as sombras, esgueirando-se como demônios na escuridão dos subterrâneos. Mas a presença dos *stalkers* os mantinha afastados. Foram conduzidos até um prédio milagrosamente em pé, cujo interior parecia um bunker reforçado. No chão, numa placa de metal calcinada, lia-se em alfabeto cirílico: *Komintern*. Foram conduzidos até uma sala cúbica, limpa e reforçada com placas de chumbo nas paredes. Sentada diante de uma mesa, sob uma iluminação pálida, estava uma mulher, vestida com uniforme do Comitê Internacional Comunista. Ela acenou e os *stalkers* saíram.

— Não esperava que viesse com companhia, Dam. — A mulher falou em russo.

— A alemã. — Verônica resmungou. — Eu sabia!

— Foi algo inesperado, Olga. Mas ela é da minha inteira confiança.

— Você é mesmo um espião comunista! — A garota tornou a interromper.

— Parece que você não é da dela... — Olga sorriu.

— Resolverei isso depois. Por que o encontro na Cidade Proibida?

— Não somos vigiados aqui.

Olga Benarius colocou uma caixa metálica sobre a mesa de carvalho. Em sua tampa havia uma águia imperial austríaca encimando a suástica ariana em alto-relevo.

— Nossos agentes em Viena e Berlim, dentre os quais você sabe que me incluo, desde o período que passei no Brazil, tiveram acesso aos planos da Operação Amazônia. A *Anschluss*, a anexação da Alemanha pela Áustria já é uma realidade. Os arianos estão completamente infiltrados em Berlim. É questão de tempo até a queda do II Reich. Ou a criação de um III Reich, maior e mais poderoso, sob o controle do austríaco com bigodinho ridículo. Só não o fazem abertamente porque o Tratado de Versailles proíbe e, afinal, dois competidores são melhores do que um na Corrida Mundial. O objetivo deles é transformar o território amazônico numa grande Guiana Germânica.

— A *Anschluss* é um problema da Liga. Todas as potências querem um pedaço da Amazônia. Inclusive os teus líderes soviéticos. Só nos resta correr.

– Sim. Mas uma Germânia unida e fascista é uma ameaça direta à União Soviética. Mesmo monarquistas liberais como vocês podem ser bons aliados do socialismo.

Olga entregou a caixa para o agente, que a abriu diante de Verônica. Havia alguns documentos com o selo do Partido Ariano e bobinas de microfilme. Ela não entendia russo ou alemão, mas percebeu que havia algo de muito sério pela expressão de Damocles. Considerou que talvez o tivesse julgado mal. Sentiu alívio, mas não ia revelar isso agora. No entanto, não deixou de notar o envelope lacrado, manuscrito, que a agente dupla entregou em mãos para o brasileiro.

– Só abra em último caso.

Os irmãos *stalkers* conduziram Damocles e Verônica de volta do prédio do Komintern para os limites da Cidade Proibida. Precisavam ser rápidos, pois a madrugada já se fora e o dia não tardaria a nascer. Se fossem pegos, poderiam ser punidos pelos fiscais da Liga. Aproximavam-se da muralha, quando Boris chamou a atenção do irmão.

– Arkadi! Cuidado!

Antes que pudesse reagir, o *stalker* caiu transpassado por uma saraivada de projéteis. Boris gritou para os brasileiros correrem, enquanto vários outros *stalkers* surgiram dos escombros atirando.

– A passagem da muralha foi bloqueada! Corram por suas vidas!

Damocles puxou Verônica pela mão sem pensar duas vezes, enquanto Boris trocava tiros com os outros *stalkers*. Correram por entre os escombros até serem detidos pelo paredão.

– E agora, teus amigos comunas não vão nos ajudar? – Verônica gritou ao perceber que tinham chegado ao fim da linha. – Cadê a alemã?

– Não são meus amigos. – Damocles tirou a mochila das costas. – Olga deve ter outra passagem para voltar ao acampamento.

– Você trouxe o foguete? Não acredito!

– Não esperava fugir daqui desse modo. Mas receio que seja nossa única chance. Segure em mim. – O agente prendeu o jato nas costas, atando as alças dos braços e pernas.

– Não vai conseguir. É muito peso.

– É o que vamos descobrir.

Damocles envolveu a garota pela cintura e, destravando o controle do foguete, ativou em potência de emergência. O jato subiu num tranco, levando o casal para as alturas enquanto a muralha era atingida por tiros e explosões.

Verônica gritou e apertou os braços no pescoço do agente enquanto o jato individual os fazia ultrapassar a muralha colossal de Stalingrado. Damocles percebeu que o jato iria perder altitude, com o peso da garota prejudicando a estabilidade do voo. Mesmo assim, ultrapassaram a área vigiada pela Guarda Vermelha, aterrando com dificuldade, nos limites do acampamento, rolando pelo chão.

– Você está bem? – Ele a ajudou a se levantar.

Estavam ambos cheios de escoriações, mas Damocles teve o cuidado de ver se não tinha perdido a caixa que Olga lhe entregara na Cidade Proibida.

– Estou. Mas você vai ter muita coisa para explicar, Soldado!

– Sim. Terei. Vamos falar com seu pai.

O Dr. Vultani encarou o agente da I2 com rosto duro e olhar severo. Não foi menos condescendente com a filha, mesmo com o rosto e braços marcados por escoriações devido à incursão arriscada na Cidade Proibida. Ela evitou encarar o Mestre das Máquinas. Estavam na sala de conferências da *M'Boitatá*, e a caixa metálica com a suástica ariana jazia aberta sobre a mesa. Não havia mais ninguém na sala. Um monitor circular revelava o conteúdo dos microfilmes austríacos. Um mapa da região amazônica aparecia no visor, com legendas em alemão.

– Nada disso deveria ser revelado a vocês. Envolve segredos de Estado e o destino do Império. Nestes microfilmes há planos inimigos sobre nosso país fornecidos pelos soviéticos. Não sou traidor, Verônica.

– Qual sua relação com a loura alemã comunista? – Ela indagou, para perplexidade de seu pai.

— Ela é uma agente da Komintern, a Internacional Comunista, infiltrada no Reich Alemão. Uma agente dupla. Tem seus motivos para passar estas informações para nós.
— Que carta é aquela que Olga lhe entregou em mãos?
— Isso é confidencial.

O Dr. Vultani olhava de um para outro, sem entender.

— No momento, a revelação mais importante que eu posso lhes mostrar, — o oficial exibiu a projeção no monitor de documentos secretos em alemão, — é a existência de um pacto entre americanos, austríacos e japoneses, que eles chamam o Eixo. E, mais importante para nossa missão na Corrida Mundial, um dos documentos é bastante claro: destruam a *M'Boitatá*!

Pouco antes do nascer do dia, nos limites do acampamento, junto aos velhos túneis de Stalingrado, um oficial todo de negro e caveiras no quepe olhava para a cova sombria onde aguardava um grupo de *stalkers*. Somente um deles abandonou o conforto das trevas e se aproximou do homem.

— Você falhou, *stalker*. O brasileiro entrou e saiu da Cidade Proibida como quis.

— Não disse que ele teria a proteção da Komintern, austríaco. Nem que seria um homem-foguete pronto para voar sobre as muralhas.

— Então os comunas estão apoiando os brasileiros. Viram quem foi seu contato?

— Não. Boris e Arkadi, que já foram os melhores *stalkers* de Stalingrado, os conduziram até o prédio do antigo Komintern. Fosse quem fosse, os dois levaram a informação consigo para o túmulo.

O oficial austríaco jogou um pequeno saco para o *stalker*, que voltou para o túnel e desapareceu nas trevas com os demais, de volta à Cidade Proibida.

Amon Göth acendeu um cigarro, sem se preocupar se a luz atrairia os vermelhos. Não gostava desse serviço sujo de espiões e segredos. Lembrava com ar nostálgico do seu campo na Polônia ocupada, onde podia ver os seus judeus à luz do dia e abatê-los com seu rifle quando fosse conveniente. Como gostaria de matar um judeu, para relaxar.

Dois dias depois, as máquinas foram reposicionadas para a retomada da Corrida Mundial. Alguns dos veículos não conseguiram recuperar os motores a tempo, e ficaram para trás. Seguindo a ordem de chegada, as locomotivas foram sendo liberadas pela Liga das Nações. Stalingrado foi esquecida e o novo destino traçado: Moscou.

## Samurais vs. Dragões

– Felizmente, estamos no verão russo, ou estaríamos congelando, agora. – Vultani transmitiu a pilotagem a um dos copilotos e contemplou pela vigia lateral a passagem das estepes russas intermináveis, sopradas pela corrente siberiana. – Ainda assim, isso é igual ao nosso inverno tropical.

A noite caía rapidamente, baixando a temperatura. As luzes das locomotivas do primeiro pelotão estavam visíveis e os vastos espaços favoreciam o aumento da velocidade. Toda a tripulação da *M'Boitatá* estava a postos, inclusive os dragões, por ordem de Damocles. Subitamente, o alarme foi disparado. Uma nuvem de brilhos foscos pairava sobre a nave, com riscos de foguetes cortando a noite e katanas girando no ar num balé mortal. Os samurais voadores atacavam com a convicção de que os brasileiros não poderiam passar pela *Yamato*.

– Atenção, Dragões! Ejetar. Linha de defesa da *M'Boitatá*!

Uma cena surreal tomou conta da noite russa. Sob o comando de Damocles, os dragões do Império se ejetaram da máquina formando uma linha de proteção aérea, aguardando a carga dos samurais. Com suas lâminas curvas barraram o primeiro ataque, sabres contra katanas, em voos rasantes sobre o costado da locomotiva. Não poderiam usar armas de fogo, mas o regulamento era omisso quanto às armas brancas. Isso tornava os confrontos de soldados e máquinas dos jogos do século XX uma mistura paradoxal do obsoleto com o moderno. Com seus jatos e máscaras de guerra, os samurais voadores tentavam deter a locomotiva brasileira, cortando os tubos de indução do sistema elétrico ou interrompendo o funcionamento das turbinas com pedaços de metal. Mas não conseguiam se aproximar o suficiente da máquina em disparada. Mesmo assim, os dragões sofreram baixas em cada *raid* nipônico.

Aos poucos, a *M'Boitatá* foi suplantando a *Yamato* em força e velocidade, e os samurais foram ficando para trás. Pela primeira vez, o engenho brasileiro começava a se aproximar do pelotão dianteiro de locomotivas.

Parecia um desfile típico na Praça Vermelha de Moscou, capital da União Soviética, com a mostra de armamento nuclear e tropas em passo de ganso diante do Kremlin. Mas, não. Embora escoltados pelas tropas da Guarda Vermelha, os competidores remanescentes da etapa asiática exibiam suas máquinas. Para alívio dos dirigentes do Partido, a *Potemkin* entrou em primeiro lugar em Moscou. O colosso soviético ostentava retratos gigantescos dos camaradas Trotsky, Lênin e Marx no casco.

Foi um pequeno momento de glória, um brinde da Liga das Nações ao nacionalismo russo, até que as locomotivas partissem novamente em sua longa e dura jornada. De Moscou, cruzando as fronteiras soviéticas, entrando nos domínios germânicos, atravessando a castigada Varsóvia, a Corrida Mundial chegou a Berlim, a antiga metrópole prussiana da *Bismarck*.

Um misto de arte, decadência e crise política ressoava na pátria alemã, de Munique a Frankfurt, com cartazes de grandes filmes de ficção científica apocalípticos e astros do futebol dividindo espaço com foices e martelos, cruzes gamadas e suásticas. Ao cruzarem a fronteira do Império Austríaco, a mudança foi mais profunda. A ordem imperava em cada cidade austríaca, recortada em grandiosidade monumental, sob a insígnia onipresente do Partido Ariano.

Os competidores desfilaram pelas avenidas largas da bela Viena de Mozart e Beethoven. Mas não houve música a sua passagem, apenas a aclamação uníssona de braços levantados e cruzes retorcidas saudando o veículo do Império da Raça Ariana: a *Siegfried*. O leviatã negro entrou na capital da nova ordem com a missão de chegar a seu próximo destino à frente de todos.

# Paris!

Mais uma semana se passou até que as locomotivas desfilassem novamente em fila indiana, dessa vez pela larga Champs-Élysées. Reconstruída após o grande bombardeio que destruiu metade de Paris na Grande Guerra, ostentava numa das extremidades um novo Arco do Triunfo, bem maior do que o anterior, sob o qual as máquinas enormes puderam passar com folga. Para os parisienses, tal glória desceu com travo amargo garganta abaixo, pois foi a máquina do inimigo que cruzou na primeira posição. A *Siegfried* sagrou-se vencedora do trecho final da fase europeia. Apenas a velha e castigada Torre Eiffel se manteve impassível ante o ultraje que profanou o Reino de França. Mas nada disso importava para uma jovem de cabelos curtos e rebeldes, sentada na cúpula da *M'Boitatá*.

— Não acredito que estou em Paris! — Verônica fitava a velha torre, extasiada, ao lado de um sisudo Damocles Dumont e do amigo JD.

— Foi aqui que conheceu aquela sua alemã... Olga? — Sorriu ao reparar que o coronel parecia alheio à beleza da Cidade Luz. — Foi aqui que ouviram aquela música romântica do negro americano do Rico's pela primeira vez?

— Não. Eu conheci Olga no Brazil. — A mente dele estava noutro lugar, na caixa de microfilmes e nos segredos terríveis ali encerrados, que apenas ele, além de Olga, tivera conhecimento completo. Sim, carregava aquilo como um peso, uma espada sobre sua cabeça.

JD olhou de um para o outro, intuindo certa falta de sintonia entre eles. Abanou a cabeça e resolveu que precisava urgentemente conferir o nível do óleo na sala das máquinas.

Damocles Dumont respirou fundo. Devia cumprir sua missão. Somente então, se houvesse então, decidiria o que fazer com o peso que carregava. Olhou para a jovem de cabelos curtos arrepiados, vermelhos sob o sol poente de Paris. Lembrou que, como ela, jamais estivera numa Paris que não fosse a da Grande Guerra, ou a da Guerra Fria.

— Pimentinha... — Beijou-a antes que se zangasse. — Você está muito bonita sob a luz de Paris.

— Às vezes, até amo você, Soldado... — Murmurou, retribuindo o beijo com ardor.

No dia seguinte estariam na Normandia, cruzando o Atlântico Norte. Mas agora, ambos teriam sempre Paris para recordar.

## Terceira fase
## Era uma vez na américa

A visão dos esqueletos esquálidos de aço retorcido apontando para o céu, entre blocos de detritos calcinados e nuvens radioativas, tornava a ilha de Manhattan o centro de um reino amaldiçoado. New York foi a primeira cidade atingida por uma bomba atômica, um marco trágico na história humana. A destruição da metrópole, símbolo da luta pelos direitos civis e da rebeldia ianque, servira de pretexto para a unificação autoritária de uma nação poderosa e desigual.

As locomotivas contornaram a costa destruída da Cidade Proibida, flutuando sobre as águas frias do rio Hudson, voando continente adentro e se desviando de Washington, a ex-capital da União, transformada num grande presídio político. Durante os dias seguintes, a máquina brasileira começou a avançar sobre o pelotão principal, disputando posição com americanos, soviéticos, franceses e germânicos.

Os corredores da dianteira, o segundo pelotão e retardatários tinham uma longa travessia pela frente, no itinerário Nashville-Richmond-Memphis-Atlanta-Jacksonville.

---

As enormes *plantations* do rico sul americano foram passando pelas vigias das grandes locomotivas. A *Siegfried* e a *Bismarck* corriam quase paralelas, à frente da *General Lee* e da *Charlemagne*. A *Potemkin* soviética aproximava-se das primeiras enquanto a *M'Boitatá* exibia outra vez sua maior cartada.

João Diesel e seus mecânicos estavam a postos na sala das máquinas, aguardando ordens. Os tanques de combustível cheios alimentavam o motor principal, que vibrava cada vez mais intensamente, elevando a potência das turbinas.

— Força total, JD! — Vultani gritou pelos alto-falantes.

– Uma hora ele não vai mais aguentar – O mecânico-mor lamentou. Mesmo assim, puxou a alavanca aceleradora e a "Cobra de Fogo" criou vida, como um ser mítico que possuísse o corpo da máquina.

Aletas abertas, a M'Boitatá saltou de velocidade em poucos minutos, deixando bem para trás o segundo pelotão. Os maquinistas gritaram de entusiasmo quando ultrapassaram a *Potemkin*, que nem tentou deter a máquina brasileira. Mas o avanço crescente da M'Boitatá assustou os americanos, que reduziram sua velocidade tentando barrar o caminho.

Corriam por entre as grandes florestas de pinheiros e magnólias da Geórgia, rumo à Atlanta, maior metrópole dos CSA, após ultrapassarem Memphis e Richmond, a capital confederada. Charles Lindbergh, o lendário piloto confederado, fechava com habilidade as poucas áreas de ultrapassagem que o veículo brasileiro poderia usar, mas este continuava aproximando-se cada vez mais rápido.

– A máquina deles é muito veloz. Não poderei contê-los, depois da floresta. – Lindbergh falou na sala de comando da *General Lee*.

– Vamos resolver essa parada antes disso, então. – Jesse James III colocou o capacete de couro e *goggles*, encimados pelo indefectível chapéu de *cowboy* com a insígnia dos CSA. – *Vamonos, cowboys*.

A barriga da *General Lee* se abriu, deixando cair as motofoguetes pilotadas pelos *cowboys*, voando para interceptar a M'Boitatá.

## Cowboys vs Dragões

O alerta soou novamente no interior da locomotiva brasileira. Sem capacidade de ganhar altitude, qualquer ecranoplano ficava exposto a ataques aéreos, apesar da proibição de combates com armas de fogo, imposta pelas regras da Liga para as Corridas Mundiais.

Damocles correu para o convés superior, acompanhado de Verônica.

– Mas jatos individuais não podem com motofoguetes, elas são mais rápidas. – A jovem tentou argumentar. – Além do que, seus dragões tiveram muitas baixas na batalha contra os samurais voadores.

– Sei disso. Mas o objetivo deles é nos retardar. Não podemos permitir.

A jovem alferes observou a tropa dos dragões voadores ejetando da máquina, assumindo posições e formação de voo e ganhando altura para interceptar os *cowboys* já visíveis no céu sulista ensolarado.

Pelas câmeras externas era possível ter alguma visão do que estava acontecendo lá fora.

Enquanto os dois pelotões se aproximavam, o Mestre das Máquinas voltou a acelerar a *M'Boitatá*, para desagrado de Verônica.

— Papai, não podemos abandonar os dragões. Não conseguirão nos alcançar!

— Filha, o soldado sabe o que está fazendo. Não podemos deixar os confederados ampliarem sua dianteira.

A uma ordem do oficial confederado, as espadas da Guerra da Secessão foram desembainhados e as motofoguetes, aceleraram contra o pelotão dos dragões voadores, que protegia a retaguarda da *M'Boitatá*. Estes, por sua vez, puxaram da bainha os sabres de combate.

— Cargaaaa! — Jesse James III assumiu o comando do ataque. O sangue fervia em suas veias com o zumbido das motos voadoras e a expectativa de um combate de verdade, homem contra homem e não daquelas máquinas barulhentas e as regras da Liga.

Regras! Lamentava profundamente não poder usar o legítimo Colt 45 de seu ancestral famoso, mas as sombras onipresentes dos dirigíveis da LN não o permitiriam. Nunca se sabia a real capacidade de vigilância que a Liga exercia lá do espaço orbital. Mas nada disso iria impedi-lo de viver aquele momento de glória magnífico. Apertou um botão no manche e caixas de som na base da moto voadora se abriram e estalaram antes de começar a tocar.

*Não acredito! Ele continua a tocar Wagner durante os raids.* Observando a aproximação dos confederados ao som da *Cavalgada das Valquírias*, Damocles distribuiu mensagens cifradas a seus homens pelo rádio. A tropa se dispersou, formando um amplo círculo aéreo.

Embora as motofoguetes fossem mais rápidas, eram bem menos manobráveis. Os *cowboys* viram-se logo atacando o vazio, presos no interior de um círculo que se fechava contra eles, num movimento clássico de pinça. Os dragões contra-atacaram com rapidez e eficiência. Praguejando, Jesse James III golpeava o ar com sua espada, gritando para que o grupo se reorganizasse. Pelo menos um dos *cowboys* foi atingido fatalmente por um sabre e caiu do assento, ficando preso ao cinto de segurança, que se rompeu enquanto a moto perdeu altura até bater na copa das árvores abaixo, explodindo.

— É você, não é, Dam? Sempre os mesmos velhos truques... — O confederado provocou pelo rádio, após chavear para a frequência universal.

*E você caiu, meu velho.* Damocles não pretendia deixar que o confederado o distraísse. Ele é quem devia fazê-lo, enquanto a *M'Boitatá* se aproximava da *General Lee*.

Mas Jesse James tinha outros planos. Ao constatar que as escaramuças aéreas fugazes dos brasileiros só o faziam perder tempo, ordenou que seu grupo assumisse outra formação. As motos ganharam velocidade tentando assumir dianteira. Já prevendo essa manobra, os dragões fustigaram o avanço adversário com ataques constantes. Outro *cowboy* dos ares ficou ferido e despencou.

Contudo, graças à potência maior de suas máquinas, os confederados foram ganhando dianteira aos poucos e tentando se aproximar do veículo brasileiro. Damocles percebeu o perigo e correu atrás do que estava mais a frente. Era o próprio Jesse James.

⸻

— Senhor, alguns confederados estão chegando perto! — Ruço alertou, de olho nos instrumentos na sala de comando da *M'Boitatá*.

— O relevo dessa área é muito desigual. — Vultani respondeu. — Não consigo manter altitude e velocidade constantes.

Verônica olhou pela vigia superior e conseguiu vislumbrar pequenos pontos crescendo a estibordo da nave. Eram os *cowboys*. Os dragões ainda estavam longe.

⸻

— Rod! Carver! — O oficial confederado gritou pelo rádio. — Essa é nossa chance. Ataquem as turbinas laterais. Irei por cima.

Não havia tempo para olhar se havia algum dirigível da Liga nas imediações. No máximo, perderiam alguns pontos se fossem avistados. Para quem só a vitória interessava, não era muito. As regras contra armamento pesado eram claras, mas havia brechas para *incidentes* com objetos não explosivos. Guardadas as espadas, os cavaleiros do céu levavam barras metálicas para serem lançadas às turbinas. Treinaram aquela manobra dias a fio. Precisavam ser rápidos, antes que o veículo acelerasse na mudança de terreno ou os dragões os alcançassem.

Rod voou rente a uma das turbinas de impulsão horizontal, arremessando a peça de aço no centro, mas o objeto resvalou na lataria e caiu por terra. Carver mergulhou na outra turbina e atirou a barra, que acertou no alvo, mas foi ricocheteada pelo jato causando pouco dano. Amaldiçoando a inabilidade dos dois, Jesse James sobrevoou o teto da locomotiva e atirou sua própria barra sem maior sucesso. Percebeu que adiante o relevo ia ficar aberto novamente, com o término da floresta. Precisava fazer algo radical enquanto podia. Fazendo sinal aos dois, travou a aceleração da motofoguete e a jogou contra a claraboia de observação, o ponto mais vulnerável do veículo. No último instante, saltou sobre o teto, segurando-se num cabo e evitando por pouco cair na floresta, enquanto a moto destroçava a claraboia e explodia o tanque de combustível. O impacto abalou a estabilidade da grande máquina.

Pela terceira vez desde o início da Corrida Mundial, o alarme soou dentro da *M'Boitatá*.

– JD, corte a força do Cobra! Temos de manter a estabilidade dos demais motores! – A voz do Dr. Vultani ressoou nos microfones. A *M'Boitatá* trepidava e adernava, sem estabilidade. Quem não estava atado aos cintos de segurança foi atirado no piso metálico da nave.

– O nível de desgaste do Cobra de Fogo está me preocupando. – JD reclamou.

Jesse James III tinha algo de louco, mas não era suicida. Quando a locomotiva brasileira se viu obrigada a reduzir a velocidade, segurou-se firme no teto, enquanto observava Rod e Carver pousarem suas motos sobre a máquina, com técnica desastrosa. Mal saltaram e ambas as motos caíram sobre a floresta de pinheiros.

– Peguem seus Colts, *hombres*! Vamos tomar essa carroça! – James gritou aos comandados. Equilibrando-se entre as barras de segurança, os três correram para a claraboia arrombada, que deixara um buraco na proa largo o bastante para lhes dar passagem.

Dentro da locomotiva a confusão era grande, com os maquinistas tentando recuperar o controle do veículo enorme, sem ter ideia de que o inimigo estava bem próximo.

Enquanto a batalha aérea prosseguia, Damocles conseguiu finalmente chegar até a *M'Boitatá*, e o que viu o deixou alarmado. A locomotiva estava em baixa velocidade e bem para trás da *General Lee*. Do rombo na claraboia, saia fumaça e ainda dava para ver os restos da motofoguete explodida. Ele chegou a ver os *cowboys* invadindo a nave com a lente telescópica do capacete. Não podia chamar seus dragões, nem voltar para comandá-los. Pousou na locomotiva, cortando a força dos jatos. Destravando sua pistola, atravessou a claraboia aberta. Mais uma fase da Corrida Mundial seria perdida.

---

Verônica não conseguia acreditar no que estava vendo. A sala de comando fora invadida por três *cowboys* americanos armados com o símbolo da *General Lee* nos ombros. Seu chefe era nada menos que a lenda viva da Grande Guerra, Jesse James III.

– Como diabos entraram aqui?! – O Mestre gritou indignado, diante das armas apontadas para a tripulação.

– Todos quietos! Volte aos controles e diminua a velocidade, velho. – Jesse James ordenou em inglês. – Alguém aqui fala minha língua?

Verônica levantou a mão, hesitante.

– Não podem fazer isso. Tomar uma nave com armas de fogo é uma infração as regras da Liga.

– Só se a Liga souber... – O oficial americano ajeitou o fone de ouvido do capuz de voo. – Nesse momento, o que importa é que a *General Lee* está na cola dos europeus. Vocês perderam!

O rosto vermelho do Dr. Vultani não fazia segredo de sua ira, mesmo sob mira das armas. Até o cachimbo lhe caíra da boca. Mesmo assim, voltou aos controles de pilotagem, olhando os americanos nos olhos.

Verônica tentou manter-se impassível, mesmo ao perceber o vulto de Damocles à espreita na porta da sala de comando. Vultani também o viu e, após o assentimento mudo do agente, puxou o manche para baixo, fazendo cair de repente o nível da máquina voadora e o equilíbrio dos *cowboys*, que atiraram a esmo. Damocles alvejou Jesse e Rod. Livre do cinto de segurança, num meio pulo, Verônica aplicou um rabo de arraia em Carver. Os maquinistas acorreram para dominar os confederados.

— Pai! — A jovem gritou aterrorizada ao ver o Dr. Vultani caído na poltrona, uma grande mancha de sangue no peito. Os copilotos colocaram a nave no automático e ajudaram a estender o Mestre no piso.

— Pimentinha... Assuma... meu lugar... — O Mestre das Máquinas logrou murmurar antes de desfalecer.

Damocles amparou Verônica, em lágrimas, enquanto o Mestre era levado para a enfermaria.

— Vencemos!... — Jesse James III gemeu, sangrando de um tiro no ombro, ao ouvir as notícias no rádio de seu capacete de couro, enquanto era levado pelos maquinistas. Rod estava morto.

Os dragões conseguiram voltar à *M'Boitatá* e se apresentaram ao Coronel Damocles. Haviam perdido dois homens e derrubado quatro motos. Os *cowboys* abandonaram a luta ao saber que a locomotiva brasileira fora subjugada por Jesse James. Os dragões também advertiram que os soviéticos estavam se aproximando, assim como todo o segundo pelotão.

Limpando as lágrimas, Verônica assumiu a poltrona de piloto do pai.

— Verô, talvez você não esteja em condições de... — O agente sussurrou ao ouvido da jovem.

— Você ouviu meu pai, Soldado. — Ela cerrou os maxilares, os olhos verdes embaçados pelas lágrimas. — Eu assumo daqui.

— JD, aqui é a alferes Verônica. Como está nossa situação? Podemos continuar voando?

— Verô! Os mecânicos estão lacrando a abertura. A estrutura da *M'Boitatá* não foi comprometida. — O mecânico-mor respondeu pelo comunicador. — Podemos voar rápido, mas vai balançar um pouco... e com o Cobra de Fogo desativado, ou vai pifar de vez.

Aos poucos, o engenho brasileiro recuperou altura e velocidade. Apesar de soltar alguma fumaça pelo teto, foi deixando para trás os retardatários. À frente, já era possível ver as primeiras construções de Atlanta, a grande metrópole dos CSA.

Nos arredores da grande cidade, uma multidão delirante de brancos americanos saudava com bandeirinhas e fogos a chegada triunfal da *General Lee*.

# Intervalo

A festa da corrida norte-americana, ganha pela *General Lee*, só não foi completa por causa do protesto formal do Império do Brazil contra as ações de Jesse James III e seus homens. O comitê confederado da Corrida Mundial alegou que não tinha conhecimento das ações do oficial, que teria agido por conta própria. Jesse James III e Carver foram entregues pela Liga às autoridades locais, mas logo foram libertados e ovacionados como heróis nas ruas de Atlanta.

A equipe confederada foi desclassificada, encerrando ali sua participação na Corrida Mundial, apesar de ter sido confirmada como Campeã da Terceira Fase. Como compensação, os brasileiros conseguiram que o intervalo para a próxima fase fosse prorrogado, até que a *M'Boitatá* fosse reparada.

Enquanto isso, Verônica Vultani chorava a morte de seu pai, Victor Vultani, o Mestre das Máquinas do Brazil.

# Quarta fase
**Amazônia!**

Dois meses e meio depois, a Liga das Nações liberou a partida das máquinas para a quarta e última fase da Corrida Mundial. Do porto americano de Jacksonville, onde se localizava o famoso centro cinematográfico de Hollywood, as locomotivas saltaram para o voo marítimo, atravessando o mar das Antilhas, numa rota que só seria concluída na Amazônia. Semanas após a morte do Dr. Victor Vultani, Verônica assumira com habilidade e destreza o posto de piloto-mor da *M'Boitatá*, auxiliada pelos copilotos Ruço e Epaminondas. Damocles acompanhava toda a viagem da sala de comando e observava as ações da garota, que agora se mantinha impassível em seu posto, como se não houvesse perdido o pai há poucos meses.

Ele sabia que o tempo da *M'Boitatá* estava se esgotando. Não teve dúvidas de que a locomotiva seria atacada novamente antes de chegarem ao Brasil. O coronel viu sua expectativa confirmada, quando a máquina austríaca avançou sobre eles.

JD queria preservar o motor Cobra de Fogo para o esforço final em território amazônico, mas se não o acionasse agora, jamais chegariam. Uma vez ativado, a *M'Boitatá* arrancou furiosamente, escapando por pouco de seus algozes de aço. Damocles temia não entregar a caixa com os microfilmes para a I2, o que talvez representasse a única esperança do país. E JD temia que o motor não funcionasse tempo suficiente para garantir que a nave chegasse à Amazônia.

Como uma Pororoca artificial, as locomotivas invadiram o rio Amazonas poderosas, fumarentas e insaciáveis. Investiram furiosas, numa luta sem tréguas. A trilha determinada pela Liga das Nações começava em Belém. Não haveria paradas e todo o trajeto seria dentro da Amazônia Imperial, a área em litígio. Era a última grande fronteira colonial em disputa no século XX. A *M'Boitatá* queimava um cartucho atrás do outro na defesa do Império. Seu motor especial estava no limite e todos sabiam disso.

O ambiente favorecia o *M'Boitatá*, veículo adaptado à floresta amazônica e com uma tripulação treinada para cada sentir cada relevo, saltar cada igarapé, sobrevoar baixios e aclives. Verônica aprendera a pilotar com o pai neste ambiente. Victor Vultani a ensinara a sentir a máquina, reagir à sua força e a domar seu corpo de ferro, seu sangue de diesel e eletricidade.

— Você tem o espírito da Máquina em seu coração, Pimentinha.
— Ele costumava afirmar, quando os dois sobrevoavam as florestas chuvosas, que agora cumpria a ela proteger.

Os combates não declarados atingiram seu auge no trajeto entre Tucuruí e a Serra dos Carajás, com as duas naves germânicas atacando a *M'Boitatá*, tentando forçá-la a pousar ou mesmo cair. Mas Verônica não cedeu. Sua habilidade em voar sobre as florestas colocava a máquina brasileira na dianteira pela primeira vez desde o início da Corrida. No entanto, o motor estava ainda mais desgastado, em seu limite.

Mesmo a sempre amigável *Charlemagne* tentou detê-la. *Au revoir, Petit Prince.* Verô sorriu pela primeira vez em meses, girando graciosamente a locomotiva sob seu eixo e lançando os franceses sobre a copa das árvores. Presa entre troncos gigantescos, a *Charlemagne* perdeu as aletas.

Parecia que a Amazônia brasileira estava a salvo.

Até que o motor começou a falhar e finalmente parou, pouco antes de chegarem à base militar da Serra do Cachimbo, para desespero da tripulação.

O caminho estava aberto para a *Siegfried* e a *Bismarck*. Nada impediria a criação das maiores Guianas das Américas. Damocles sabia o que aconteceria nessa parte tomada ao Brazil. Estava nos planos dos microfilmes austríacos.

Foi quando a mão do destino – ou do Komintern interveio. Aparentemente sem controle, a *Bismarck* deslizou em câmara lenta na direção da *Siegfried*. Os austríacos gritavam ordens pelo rádio, num alemão frenético. Inútil. A grande nave tricolor chocou-se com a locomotiva negra com atrito metálico brutal. As duas locomotivas perderam altitude.

Com suas presas monstruosas, a floresta engoliu as Máquinas.

═══

– Mas... o que aconteceu? – Verônica indagou, entre maravilhada e assustada. Não que fizesse muita diferença agora, uma vez que a *M'Boitatá* também se esgotara.

– Olga. – Damocles não sabia como a Liga reagiria, mas não a deixaria sozinha após seu sacrifício. – Ela sabotou a *Bismarck*.

O agente pegou o jato, mas não chamou os dragões. A situação já estava suficientemente complicada para envolver mais alguém.

– Essa mulher é importante para você. – Aos vinte anos, a jovem amadurecera bastante nos últimos meses.

– Não da maneira como você pensa. – Ele a beijou antes de partir.
– Sempre teremos Paris. – Falou ao decolar em direção ao trecho da floresta onde a *Bismarck* caíra.

═══

A agente soviética se desculpara com o amigo Rommel ao obrigá-lo, sob mira de sua Luger, a jogar a *Bismarck* sobre a *Siegfried*. O Raposa do Deserto era um patriota alemão e não lhe agradava o domínio austríaco. Haveria outras corridas.

Hora de abandonar a *Bismarck*. Se não conseguisse escapar, a carta que deixara com o agente brasileiro seguiria seu destino. Rommel impediria que alguém detivesse sua fuga.

No entanto, alguém a esperava junto à escotilha da máquina alemã. Amon Göth empunhava seu rifle engatilhado, o mesmo empregado para matar tantos judeus em seu campo. Ficaria ainda mais feliz se soubesse quem era Olga. Atirou, antes que a agente pudesse reagir.

O oficial austríaco não conteve o riso, ao ver o pelotão dos retardatários voando sobre eles. A *Robin Hood*, da combalida República Britânica seria a vencedora, seguida pela *Laranja Mecânica* do Reino dos Países Baixos. Os ingleses teriam uma nova Guiana e os holandeses ampliariam enormemente a sua. Poucas foram as máquinas que lograram chegar intactas ao fim da Corrida.

Amon Göth balançava a arma na mão. Não ousaria regressar à Áustria. O homem do bigodinho de comediante não perdoaria sua falha. Observou seus homens e os alemães abandonando os escombros de suas máquinas inúteis, enquanto pensava se haveria mais alguém para atirar. Talvez índios. Fã dos *westerns* confederados, sempre cogitara se abater índios seria tão bom quanto alvejar judeus.

Uma sombra passou sobre ele. Viu o homem-foguete pousando junto à escotilha da *Bismarck* e olhando o corpo caído da mulher.

O oficial da SS gritou para o brasileiro:

— Era ela na Cidade Proibida? Uma agente dupla?

— Seu nome era Olga. Agente do Komintern. — Damocles se levantou, atento à aproximação do austríaco.

— Ah! E o que lhe revelou de interessante?

— Talvez o maior segredo do mundo. Projeto Manhattan, o plano que decretou o fim de New York, centro rebelde da Confederação, e Budapeste, nicho de revoltas no Império Austríaco. Ambas foram destruídas em comum acordo entre confederados e austríacos. O estopim que desencadeou o horror nuclear e a criação da Liga das Nações.

Amon Göth riu, erguendo o rifle.

— Suponho que tenha provas. Mas isso faz de você tão somente... um homem morto.

— Não antes de você.

Amon Göth não foi tão rápido quanto o agente da I2.

═╬═

Um ar pesado se abateu sobre os tripulantes da *M'Boitatá*, sentados cabisbaixos junto à máquina inerte, enquanto Damocles descia dos céus. O agente tinha tomado sua decisão e revelaria a Verônica o quão perigoso seria ficar junto dele a partir de então.

Damocles começou lhe contando sobre a carta que Olga lhe dera em Stalingrado.

– Era uma despedida para seu marido, caso não voltasse.
– Marido?
– Sim, Olga era casada com um comunista brasileiro.

Verônica se sentiu ridícula. A alemã se sacrificara para revelar um crime histórico. Tudo parecia inútil agora.

– Os ingleses, quem diria, ganharam. Vamos perder nossa Amazônia...
– Ainda não.
– Temos alguma esperança?
– Esperança, não. Apenas um ato de desespero.

=====

Há mais de uma década o mundo não via o cogumelo atômico eclodindo na superfície. Muito embora parte da energia do impacto tenha sido absorvida pelos túneis subterrâneos na base da Serra do Cachimbo, o espetáculo terrível da bomba atômica explodindo sobre a floresta era inimaginável.

A detonação se dera em pleno dia, ante os olhares atônitos dos competidores e dos representantes da Liga das Nações. Bem como o olhar estarrecido de um ecologista imperial em sua reserva, um pouco mais longe.

*A cobra fumou!*

O ministro Vargas brincou nas telas redondas de TV, pouco tempo depois da explosão nuclear que esterilizou um bom trecho da floresta. O Império do Brazil ingressava oficialmente no Clube Atômico, único país a fazê-lo fora d'A Guerra Que Acabou Com Todas as Guerras. Os meses conquistados pela *M'Boitatá* ao competir na Corrida Mundial possibilitaram a fabricação do primeiro lote de bombas de fissão. O Império não permitiria que a Amazônia fosse internacionalizada. O recado fora dado. Vargas se tornara o homem mais perigoso do mundo.

A Liga das Nações contemplou os ingleses com sua antiga Guiana, ganha de volta aos confederados, mas não ousou tocar no Império do Brazil, nem nos territórios amazônicos de sua aliada, a Confederação da Gran Colombia.

# Epílogo

Damocles Dumont não entregou a caixa com os documentos e microfilmes para a I2. Alegou que a mesma se perdera durante a Corrida. Desconfiava do destino que seria dado aos microfilmes, nas mãos de Vargas. Eles deviam ser divulgados mundo afora, mas sabia que o Conde de São Borja não o faria. Usaria os segredos para manobrar confederados e austríacos, senão a própria Liga das Nações.

Lá estavam as provas dos campos de extermínio para judeus, negros, ciganos, homossexuais, comunistas e outros; das atrocidades eugênicas do Partido Ariano e do *Apartheid* americano. E da intenção de transformar a Amazônia numa grande zona de extermínio, mal já praticado em trechos do sul dos Estados Confederados e na África colonial.

Também havia provas do olhar complacente da Liga das Nações. Seus satélites espiões eram como olhos mágicos a todos vigiando, mas jamais intervindo para modificar o *status quo* da sociedade global.

Estava mais do que na hora de mudar essa realidade. Devia isso a Olga.

Enviara os documentos para o parlamentar comunista, junto com a carta de despedida da esposa. Ele os levaria a público.

Verônica o abraçou, pronta a assumir a seu lado os riscos da decisão dele. E todos os perigos que o futuro lhes reservava.

Sua única esperança era que a Liga das Nações e os governantes do mundo ficassem muito ocupados com o escândalo de proporções mundiais.

Tinham, enfim, sobre eles sua própria espada de Damocles.

# SÓ A MORTE TE RESGATA
Jorge Candeias

## Albatroz branco, palavras de espanto

O PEQUENO ALBATROZ DÁ uma volta sobre o aeródromo improvisado numa zona plana de deserto. Não é aquele deserto majestoso, os grandes ergs semeados de dunas gigantescas que se estendem mais para sul. Ali, o terreno é acidentado e rochoso, com penhascos e vales profundos por onde, nos raros momentos em que chove, correm rios de água lamacenta e os arbustos raquíticos e secos que lhes desenham as margens rebentam numa vida frenética. Ali só existe areia em depressões no terreno, ou acumulada em dunas pequenas encostadas em vertentes abruptas, para aí empurrada pelos ventos dominantes. De resto, o deserto é rocha nua coberta por uma sementeira de pedras e penedos de todos os tamanhos arrancados às vertentes e arrastados pelas torrentes.

O aeródromo, claro, não é igual ao resto. Fora instalado numa das poucas áreas planas naquela região escalavrada, um vale largo rodeado de colinas pouco elevadas e aberto para sul. Consta de uma zona de estacionamento, um conjunto de tendas, um poço de água turva e salobra e uma pista. O piso desta, em tempos coberto por pedras que o labor suado do corpo de engenheiros removeu, é uma mistura de rocha nua com covas em que a areia se acumula e onde tem de ser reposta com regularidade. Quando o é, ou quando o vento sopra com alguma força, fica lisa, formando com a rocha uma extensão razoavelmente uniforme com setecentos metros de comprimento e largura suficiente para a aterragem de quatro albatrozes lado a lado. Mas naquele momento está intensamente marcada com outras aterragens e descolagens.

Os camaradas já regressaram todos; os que irão regressar, pelo menos. Jeferson é o último. Examina atentamente o terreno, planeando a aterragem, delineando o trajeto na cabeça antes de o pôr em prática, e para isso procura algo que possa causar-lhe problemas; um buraco escavado pelas rodas de outros albatrozes, uma pedra solta ou sulcos cruzados que talvez provoquem um ressalto, uma espécie qualquer de obstáculo que eventualmente o leve a perder o controlo do aparelho. Este está a ficar velho, com demasiadas marcas de desgaste, demasiados buracos de bala nas quatro asas fixas e demasiados riscos na blindagem dos motores. As molas já não têm a elasticidade que tiveram em tempos, carcomidas que estão por demasiado uso, demasiada poeira, demasiada areia. Os motores têm vindo a perder potência. É provável que em breve amanheça o último dia da velha *Garça do Sul*, o dia que o velho aparelho não terminará. Jeferson não quer que seja aquele. Até porque tem sido um dia bom. Longo, duro, violento, sim. Mas bom. A missão correra bem.

Jeferson concentra-se no voo. Mais tarde, na tenda que serve de bar e de lugar de troca de histórias e bazófias, logo pensará na missão. Agora há que pôr aquele passaroco em terra e em segurança. Alinha o albatroz com a pista, mais marcada pelos rastos dos outros aparelhos e pela sementeira de pedras atiradas para as margens aquando da limpeza da área de aterragem do que propriamente pelas balizas vermelhas espaçadas a intervalos regulares de ambos os lados desses rastos. O vento é lateral, não muito forte, mas tem a força suficiente para levantar aqui e ali nuvenzinhas de poeira. Jeferson compensa com a facilidade da longa prática. É um bom piloto, todos o reconhecem. Para ele, voar é tão natural como abrir as calças e aliviar-se. Até a fraca visibilidade já não passa de um fato mais da vida. A aproximação não tem incidentes. A aterragem é dura, mas não passa disso, e na verdade duras são todas elas e já o eram quando o aparelho era novinho em folha, recém-saído da fábrica, ainda anônimo, e tinha as molas em bom estado e perfeitamente lubrificadas. Os albatrozes militares dos Aliados não foram propriamente concebidos com o conforto em mente. São máquinas de matar e destruir, não máquinas de lazer. Há um ditado na Força que afirma peremptoriamente que um albatroz não é um coche. E não é mesmo.

Jeferson dá meia volta no fim da pista, arruma o aparelho na zona de estacionamento ao lado dos outros que já lá se encontram, desliga vários interruptores no painel de instrumentos e salta do albatroz, ainda as duas grandes hélices estão a dar lentamente as últimas voltas que antecedem a imobilização. Um mecânico, com a tez muito vermelha do alemão sujeito a longas horas ao sol do deserto, presta-lhe continência, suando copiosamente e ensopando a camisa de manga curta debaixo dos braços, no peito, e provavelmente também nas costas e em zonas mais íntimas escondidas por baixo dos calções do uniforme. Jeferson responde com um aceno descuidado e entrega ao mecânico a papelada do albatroz.

Fá-lo com um meio sorriso amargo. Vem-lhe à memória, como tantas vezes acontece, uma história que se passara com um camarada, Alberto Hernandez, um espanhol. Depois duma tarde particularmente feliz em que abatera cinco albatrozes dos lusitanos e danificara seriamente mais uns quantos, um tiro fortuito atingira-lhe a pasta onde o regulamento estipula que a documentação do aparelho tem de estar guardada, furando-a, chamuscando os papéis e não lhe atingindo a perna por escassos centímetros. Em vez de ser condecorado por bravura e excelência em combate, como mereceria, recebera uma reprimenda oficial por "violação do código de proteção dos registros". Os Aliados eram assim com a papelada, coisa com que alguns desses mesmos Aliados não conseguiam conformar-se.

Outros acabavam por conformar-se à força. O Hernandez fora um deles. Morrera na base, de gangrena. O seu albatroz fora de novo atingido em combate, dessa vez com menos sorte. A bala trespassara-lhe uma coxa, mas ele conseguira mesmo assim regressar. A papelada, contudo, e contrariamente ao que acontecera aquando da reprimenda, chegara intacta. Duas semanas depois ia o pobre espanhol a enterrar com pompa, solenidade, honras militares e todos os documentos em perfeita ordem. Tinham-no finalmente condecorado. *E* promovido a tenente. Postumamente.

Provavelmente por ter logrado cometer a proeza de morrer com os documentos em perfeita ordem.

Jeferson vira as costas ao albatroz e à equipa de mecânicos. Estes formigam em volta do aparelho, ocupados com as verificações técnicas, os remendos que houver a fazer e o reabastecimento, de combustível e munição, para o deixarem pronto a decolar tão depressa quanto possível. Não é preocupação sua. Os mecânicos fazem o que têm a fazer, ele faz o que lhe cabe e assim é que deve ser. Cada qual no seu lugar, sem misturas, sem mixórdias, sem confusão, uns em cima, lá no céu entre as nuvens e as águias (embora ali no deserto poucas se deixem ver, destas e daquelas), outros embaixo, no meio da poeira e da porcaria peganhenta dos lubrificantes.

Dirige-se à tenda que faz as vezes de casa de banhos. Molha uma toalha numa bacia meio cheia de água que já terá estado mais limpa, passa-a pela cara e pelo pescoço, apertando-a para fazer com que um fiozinho dessa água lhe escorra pelas costas abaixo, levando consigo alguma da poeira e do suor e trazendo um certo alívio do calor. Sabe-lhe pela vida, aquela espécie de banho rudimentar. Melhor do que aquilo, só um copinho de vinho fresco, arrefecido ao ar livre durante a noite e enterrado de dia para conservar a frescura. Cerveja seria melhor, claro, mas beber diuréticos no deserto é receita certa para o desastre.

E é em busca do vinho que vai em seguida. Devia fazer o relatório de voo, em duplicado, no papel regulamentar, seguindo à risca a minuta, e entregá-lo ao capitão da esquadrilha, mas raios o partam se se vai enterrar agora em papéis. Papéis são coisas, ele é gente; papéis são dotados de infinitas reservas de paciência, ele não; papéis são incapazes de sentir sede ou calor; ele sente. Os papéis que esperem.

Jeferson entra na tenda que serve de refeitório quando é tempo de comer e de bar quando se trata de beber. As vozes que de lá saem ouvem-se em toda a base. Está à cunha, com os pilotos que acabam de regressar e os que vieram ouvi-los contar as peripécias do dia. Acolhem-no calorosamente, numa panóplia de sotaques que distorcem cada um à sua maneira aquela espécie de *patois* francês que serve de língua franca entre os Aliados. As caras vão do moreno dos mediterrânicos ao escarlate dos nórdicos, cujo cabelo cor de palha só torna o vermelho da pele mais vivo, e também de um ou outro novato ainda sem tempo de se aclimatar à violência do sol do deserto. Todos brancos, evidentemente. A Aliança das Potências não é nenhuma Confederação Lusitana. Ali não há misturas com as raças inferiores. Cada qual no seu lugar, como convém e deve ser.

Jeferson aperta mãos, dá e recebe palmadas nas costas, encaixa dichotes sem fazer comentários. Hoje está em foco e sabe-o. Abatera dois dos albatrozes dos pretos e ainda conseguira danificar severamente um dos motores da enorme passarola de batalha dos lusitanos, o que provavelmente contribuíra de forma decisiva para que toda a flotilha inimiga voltasse para trás. Ainda não o sabe, mas no esquadrão só Lech Kramski, um prussiano que no seu país é considerado uma espécie de super-homem voador, conseguira resultado semelhante.

É na mesa deste que se senta, tirando o boné. A mesa está calma em comparação com a revoada que enche o resto da tenda. Kramski é homem de poucas palavras, nenhuma exuberância e monumental arrogância. Ele próprio o admite, aliás, acrescentando que, para ele, há três tipos de homens: os das raças inferiores, os brancos vulgares, e os *ubermensch*, espécimes particularmente dotados que se erguem acima do vulgo e estão destinados à liderança. Ele próprio, claro, pertence a este grupo de elite; nem poderia ser de outro modo. De vez em quando, porém, digna-se a incluir também nele alguns dos outros pilotos, geralmente após façanha particularmente vultuosa e até que o contemplado caia em desgraça fazendo qualquer coisa que o irrite. Jeferson é dos poucos mediterrânicos a ter sido considerado merecedor de tal honra, e o único sul-americano.

O que não deixa de ser natural, tendo em conta a escassez de sul-americanos na força aérea aliada.

Kramski acolhe-o com um aceno seco. Jeferson senta-se com um suspiro, estende as pernas por baixo da mesa e fica à espera, em silêncio e com um ligeiríssimo sorriso a torcer-lhe as comissuras dos lábios por baixo do bigode. Não tem de esperar muito; um ordenança, um homenzinho careca com metade da farda coberta por um enorme avental que mostra vagos indícios de ter sido um dia branco e divisas do corpo de logística nos ombros, aparece, solícito, para lhe perguntar o que deseja. Jeferson resmunga que quer um copo de branco. Bem geladinho, hã? A ordenança desaparece por entre a ruidosa vozearia com um "com certeza, meu major" só entreouvido e Jeferson volta a recostar-se na cadeira, cruzando os braços ao peito.

Do outro lado da mesa redonda, outros dois homens conversam

em voz baixa. Heinrich Muller, o mais baixo, é um bávaro de cabelo muito negro, olhos de um azul aquoso e muito católico; Henri Villemont, o mais alto, é francês embora afirme ser em primeiro lugar borgonhês, e tem o cabelo louro e a tez clara que o estereótipo teria atribuído ao alemão. Ambos são pilotos de primeira, e não podiam deixar de o ser para estarem ali sentados na mesa de Kramski. Os dois são, também, amigos tão íntimos (*demasiado* íntimos, segundo algumas más-línguas) que se tornaram conhecidos na base simplesmente como "os Henriques".

É um deles, o moreno, que agora interrompe a conversa e dirige um sorriso a Jeferson.

– Então, Matias – diz, pronunciando "Matiás" e ciciando o t – deitaste muitos manos abaixo, hoje?

Farto está ele de saber quantos foram. A contabilidade é sempre feita ainda no ar, na cabeça de cada piloto, e confirmada entre eles assim que as rodas dos primeiros albatrozes tocam o solo da base. Farto está ele de saber, principalmente, que Jeferson detesta que tratem os lusitanos como seus "manos", principalmente porque as suas raízes são, de fato, portuguesas. O avô, Arnaldo Matias, abandonara uma aldeia empoleirada no alto duma serra qualquer de Portugal e instalara-se no sul do Brasil com duas ou três vacas, meia dúzia de escravos e a mulher, Afonsina. Poucos anos mais tarde, o rei traidor dera alforria à pretalhada toda e o velho Arnaldo participara em todas as revoltas brancas que tinham sacudido o Brasil desde então, discretamente a princípio e depois de forma cada vez mais aberta até acabar por ser morto por um preto qualquer na defesa de Montevidéu, deixando Afonsina a braços com dúzia e meia de vacas, quatro filhos e o quinto na barriga, quase a saltar cá para fora. O pai de Jeferson fora o segundo desses filhos, depois da Tia Amélia, e acabara por seguir os passos do pai após casar-se com uma filha duma família de colonos portugueses chegada de Angola um ano antes, tendo mesmo ocupado um cargo oficial durante a curta existência da República Platina. Após uns anos de férias na prisão, fora libertado sob promessa de se manter submisso e acatador das leis do reino, e sob apertada vigilância. O que não impediu que Jeferson e o irmão mais novo, Alexandre, se tivessem transformado na terceira geração de Matias rebeldes, de Matias dedicados à defesa da pureza do sangue. Mas esse sangue é, de fato, português e Jeferson não tem como escondê-lo. Não tem como esconder que os homens que combate são realmente seus irmãos étnicos.

Ou sê-lo-iam, se a Confederação Lusitana não estivesse já tão conspurcada por toda a espécie de pretos, vermelhos, amarelos e castanhos, um repelente rosário de cores que faz com que Portugal já nem sequer seja visto como país europeu pelos outros europeus. Jeferson já está habituado àquela provocação. Continua a odiá-la, e com todas as forças, mas já se habituou. Já consegue responder-lhe com calma aparente, e é isso que faz, alargando um pouco mais o sorrisinho e respondendo:

– Mandei dois pretos comer pedra, sim. E tu? Abateste algum?

O outro encolhe os ombros.

– Nem sei bem. Acertei uma porção de tiros num albatroz dos deles, mas acho que foi aqui o Henri quem acabou por derrubá-lo. Sabes aqueles albatrozes novos que eles têm, com aquela bossa na carlinga logo atrás do piloto e as asas de trás mais curtas e com três raios em vez de dois? Foi um desses. Raio de coisa dura de roer que inventaram agora. Os teus maninhos são uns tipos cheios de recursos.

Jeferson aproveita a chegada do vinho para não responder. Leva-o à boca enquanto ouve Kramski intervir na conversa. O prussiano fala em alemão, dirigindo ao bávaro uma série de frases ladradas, nas quais a palavra *schwarz* e variantes fazem aparições frequentes, intercaladas por coisas como *defätismus*, *schneid*, *uberlegen*. São palavras que Jeferson tem ouvido com alguma frequência, e cujo significado já aprendeu, mesmo não sabendo alemão. Preto, derrotismo, coragem, superior. Kramski tem ocasiões em que abandona o seu habitual laconismo e se lança em tiradas daquele gênero, quer os que o rodeiam queiram ouvi-las, quer não queiram. A Jeferson o que importa naquele momento é que o vinho "bem geladinho" que pedira não passa dum líquido aguado e só um pouco menos quente do que o ar ambiente. Faz uma careta, olhando à volta. Heinrich ouve o raspanete de cabeça baixa e sem abrir a boca. O outro Henrique, contudo, intervém em francês, murmurando qualquer coisa sobre não ter sido essa a intenção, pedindo desculpa em nome do amigo. Jeferson não dá a mínima, desliga, não quer saber. Bebe mais um trago de vinho e suspira, como se ele estivesse mesmo geladinho, acenando com a cabeça a um camarada que o saúda de outra mesa. Mas sem sorrir.

Está a ficar nervoso sem motivo aparente. Devia sentir-se eufórico, contente por estar vivo, feliz porque ultrapassou mais uma missão sem um arranhão, compensando com perícia a inferioridade tecnológica de que tem aguda consciência. Mas sente-se melancólico. Acaba com o vinho antes que ele aqueça por completo e acena com o copo vazio, pedindo outro. Alguém conta uma cena de perseguição aérea com grandes gestos, algumas gargalhadas e muitos *tatatás* de tiros simulados. Está a recapitular o que fez durante a missão. Todos os pilotos o fazem, duma forma ou doutra. Outro alguém interrompe com perguntas. Jeferson examina aquelas caras, uma a uma, e vêm-lhe à memória os que não regressaram, não só naquele dia, mas ao longo do último mês. De alguns já mal se lembra, rostos perdidos entre os fumos acres da guerra, rostos que se vão rapidamente transformando em meras silhuetas e depois em coisa nenhuma. De outros lembra-se bem, talvez até bem demais.

Chega o vinho. Kramski continua a arengar, ainda em alemão, mas com os outros agora a limitar-se a acenos de concordância vai perdendo gás. Jeferson farta-se da conversa do prussiano. Levanta-se, de copo na mão. Ergue-o e fica ali, imóvel e silencioso, enquanto à sua volta o burburinho se vai silenciando. Todos sabem o que se seguirá. É algo que se segue a quase todas as missões. Há sempre alguém que se levanta, de copo na mão, e propõe um brinde aos camaradas que não regressaram nem regressarão. Hoje é Jeferson que o faz, em voz baixa:

— Ao Pinelli. Ao Schultz. Ao Hughes. Ao Montand. Ao Salonnen. Falta algum?

— O Hornicek. — diz alguém.

— O Vernet — diz outra voz.

Jeferson espera um pouco mais por outros acréscimos, mas estes não aparecem.

— Ao Hornicek e ao Vernet. Aos nossos sete camaradas. Aos que conseguiram pousar também, com votos de que acabem por voltar para junto de nós. A eles.

— A eles — responde a tenda em peso e depois o silêncio só é interrompido pelos ruídos que fazem algumas dezenas de homens a beber, por copos a serem pousados, vazios, nas mesas, por suspiros, por arrotos, e pelo lento reatar das conversas. Jeferson não se volta a sentar. Olha Kramski e os Henriques e não lhe apetece continuar ali com eles. Mesmo nada. Faz-lhes uma continência informal, sorri, e declara que tem de ir verter águas e que depois vai fazer o relatório de voo. Os outros respondem-lhe com continências iguais à dele e não fazem comentários. Também não retomam a discussão. Jeferson vira-lhes as costas, esquecendo-se do boné sobre a mesa, atravessa a massa de pilotos já meio alcoolizados e sai da tenda para o ar livre.

Este atinge-o com a força de uma tonelada de tijolos. A tenda é aberta, o ar lá dentro é tão quente como cá fora. Mas a tenda é coberta por uma tela grossa que faz sombra e evita que o sol esmague as pessoas que lá se encontram sob a sua bota pesada. Cá fora a desproteção é total, e Jeferson sente que o cabelo escuro lhe queima o couro cabeludo enquanto se dirige aos limites do acampamento, se desabotoa, deita a picha de fora e abre a torneira. É entre o desconforto do prelúdio de insolação e o alívio da bexiga a esvaziar que repara num ponto branco no céu, rodeado por outros pontinhos, mais escuros e mais pequenos.

O albatroz-correio com a sua escolta.

A grande aeronave, mais um misto de passarola e albatroz do que albatroz propriamente dito, é muito mais do que simplesmente um veículo de transporte de correspondência. É, na verdade, *principalmente* outras coisas. Trata-se de um veículo de carga, elemento fundamental na logística aliada, e transporta nos seus grandes porões rações, alguns alimentos frescos entre os quais se destaca a fruta vinda dos pomares da Palestina e da Turquia, combustível, lubrificantes e peças de substituição para os albatrozes, tudo o que for preciso. E água, água potável a rodos. Mas na linguagem da força é conhecido apenas como albatroz-correio. De tudo aquilo que transporta, nada é mais importante para aqueles homens do que o correio. Este é, se não se contar com as ordens que costumam chegar em veículos mais rápidos, o único contato com o mundo exterior de que dispõem.

Jeferson faz contas de cabeça. O albatroz-correio é lento, mas o vento está favorável. Calcula que tem cerca de um quarto de hora. Acaba de se aliviar, compõe-se e corre de volta à tenda-refeitório, levantando nuvenzinhas de poeira sempre que os pés contatam com o solo. Quando surge à vista dos camaradas põe-se a esbracejar, chamando-lhes a atenção. Alguns olham-no, erguendo sobrancelhas. Jeferson aponta para o céu enquanto grita "correio!" Entendem-no de imediato; há sempre alguém a fazer aquilo quando um daqueles albatrozes faz escala na base. Daquela vez coube-lhe a si.

Naquele dia está a caber-lhe a si cumprir muitas das tradições da força.

Da tenda começam a jorrar homens que olham para o céu, ofuscados pela súbita explosão de luz nas retinas e depois apontam quando os olhos se lhes ajustam e detectam o grupo de aeronaves no céu, passando palavra a quem ainda não se apercebeu do que se está a passar. Jeferson não se lhes vai juntar. Continua a correr, dirigindo-se agora para a tenda que lhe serve de caserna. Aí chegado, senta-se no catre, limpa o suor da testa com as costas da mão peluda, pega na pasta, abre-a, tira lá de dentro duas folhas de papel, uma pena, um tinteiro e uma minuta, e põe-se a improvisar o relatório de voo em cima da pasta assente nos joelhos.

Quando começa a ouvir o barulho dos motores do albatroz-correio está a descrever os últimos ataques que fez contra a passarola lusitana antes de toda a esquadrilha ser obrigada a retirar por já só restar nos depósitos combustível suficiente para a viagem de regresso à base. Os lusitanos tinham por essa altura já dado meia volta, e ele e alguns dos camaradas perseguiam-nos, procurando causar o máximo possível de danos antes de serem também eles forçados a voltar para trás. Jeferson tivera a satisfação de ver um fumo negro de mau agouro a sair de um dos motores da grande passarola depois do seu último ataque, mas não pudera ficar para assistir ao que resultaria desse fumo. Está a copiar apressadamente para o duplicado o modo como sobrevoara o balão principal da passarola, já a caminho da base, perseguido por um dos albatrozes lusitanos, quando ouve a inconfundível e retumbante aceleração de rotações que precede as aterragens dos albatrozes de grande porte. Termina a cópia pouco depois, corre a dobrar ambas as folhas em duas e a enfiá-las no arquivador que o regulamento destina a esse fim, e volta a sair para o calor sufocante.

Os camaradas já se aglomeram na área de estacionamento, à espera da grande aeronave que se vai aproximando, sacolejando lentamente pela pista fora. O moral, como sempre acontece em tais circunstâncias, está elevado, e ouvem-se risos e palavras excitadas, mesmo entre o pessoal inferior que irá proceder à descarga e distribuição do que o albatroz-correio trouxer desta vez. Jeferson junta-se aos outros e aguarda, numa impaciência mal contida. Talvez receba notícias das cidades em que estivera estacionado durante a instrução, de Paris, onde deixara a Mimette, ou de Toulouse onde imagina que a Pauline o aguarda entre suspiros de saudade. Talvez receba uma carta de algum antigo camarada, colocado só Deus sabe onde.

A descarga demora muito tempo. Da barriga bojuda do albatroz-correio saem sacas, saem barris, saem fardos, saem homens cansados e suados com tudo aquilo às costas. Sai por fim um saco de correio mas, depois de feita a distribuição, ali mesmo ao ar livre, Jeferson continua de mãos vazias. Os camaradas vão abrindo a correspondência que lhes coube, entre risos e exclamações, mas ninguém arreda pé porque foram informados de que há mais uma saca lá dentro, enfiada bem fundo nas entranhas do aparelho. Jeferson espera com os outros à torreira do sol, suando, sentindo a garganta secar mais a cada minuto, apetecendo-lhe um banho, uma bebida realmente fresca, estar num lugar mais temperado, mais civilizado, sem pretos armados em gente para pôr no lugar.

E espera.

Por fim, quando já parece impossível ainda haver espaço lá dentro para mais coisas, quando haveria perdão por suspeitar que se os carregadores continuassem a entrar e a sair começariam a ter de tirar do albatroz peças do próprio aparelho, surge a última saca de correspondência. Jeferson é um dos primeiros a ser contemplado, mas quando deita um relance ao remetente fica muito imóvel, de carta na mão, no meio de toda aquela confusão. Depois dá meia volta e afasta-se dos outros. Atravessa as tendas e sai para o deserto, ziguezagueando por entre pedregulhos. Para quando o ruído da base começa a soar-lhe aos ouvidos como uma reverberação longínqua e o mundo fica dominado por aqueles sonzinhos sumidos do deserto. O vento a sacudir ramos secos de espinheiros e a fazer com que grãos de areia raspem na rocha. Um lagarto numa correria entre duas sombras. Um inseto que zumbe, *zuuut*. Junta a esses sons mais alguns. A respiração alterada, e depois um suspiro. O som estaladiço do papel a ser girado nas suas mãos, com pausas para absorver bem o fato daquela carta lhe ter chegado às mãos vinda de onde viera. Depois, o rasgão da carta a ser aberta e mais estalejar de papel quando a folha grossa é aberta. E depois, nada. Nem sequer o entrar e sair do ar nos pulmões. Para o mundo de sons do deserto, é como se Jeferson tivesse desaparecido de repente. Sem um *puf*.

**Passarola alada, queda abençoada**

A esquadrilha oscila no céu azul enquanto, por baixo, uma paisagem de dunas pequenas e grandes rochedos vai ficando para trás cortada, a oeste, por um grande desfiladeiro. Em frente, a grande passarola dos lusitanos começa a ganhar forma, rodeada de pontinhos quase invisíveis que são a sua escolta de albatrozes. As ordens são para proteger o avanço de uma companhia mista de artilharia e infantaria, que procura ganhar terreno, capturando para o lado aliado um pequeno oásis estratégico no meio de nenhures. Jeferson já perdera a conta ao número de vezes que aquele oásis mudara de mãos durante a guerra. E com ele, todo o território envolvente, que inclui, além de areia e pedras, pelo menos dois borbulhantes lagos de betume. As tropas terrestres já ficaram para trás; Jeferson sabe que se se torcesse todo na carlinga para dar uma espreitadela para trás e para a esquerda conseguiria ainda vê-las, ou pelo menos a poeira que levantam, mas não vale a pena perder tempo com tal coisa. As tropas terrestres têm a sua própria batalha a travar; a ele e aos camaradas o que interessa é o que anda pelo céu. E o que anda pelo céu está na sua frente e quanto mais se aproxima mais se vai apercebendo de que é diferente de tudo o que vira até aí.

A aeronave lusitana é uma passarola; isso, pelo menos, é claro. O gigantesco balão que a cobre não deixa lugar a dúvidas. Mas Jeferson nunca vira uma passarola brilhar com aquele tipo de resplandecência metálica, e tampouco vira alguma tão *imensa*. A seu lado, os albatrozes inimigos não passam de mosquitos, uma nuvem de pontinhos que rodeia o gigantesco volume da aeronave principal. Que raio é aquilo? Que diabo de superengenhoca inventaram agora os pretos?

Enquanto avança olha em volta. Conta os camaradas num reflexo, apesar de saber perfeitamente quantos são; compara esse número com o de pontinhos que vê em frente. Descontando a passarola lusitana, contando só com os albatrozes de um lado e do outro, os aliados têm uma superioridade numérica de quase dois para um. Mas quem disse que se pode descontar a passarola?

Jeferson baixa os olhos para o painel de mostradores. Verifica automaticamente as várias pressões dos óleos, o nível do combustível, se o relógio está a tiquetaquear normalmente. Escuta o ronronar dos motores em busca de alguma nota dissonante. Dá pancadinhas nos mostradores. Depois, a mão desce-lhe para a carta. Não sabe porquê, mas decidira trazê-la, enfiada na pasta dos documentos. Um bocado de intimidade misturada com o rigor impessoal da burocracia. Pega nela, começa a tirá-la da pasta mas depois muda de ideias e volta a metê-la lá dentro, tudo com uma mão só. Suspira fundo.

Olha para o lado. Um camarada, num albatroz novinho em folha, sorri-lhe e faz-lhe um gesto de otimismo. Jeferson responde-lhe com um gesto igual e acena com a cabeça. Mas não sorri. Volta a olhar em frente. Os albatrozes lusitanos deixaram de voar aos círculos em volta da passarola e estão a agrupar-se a alguma distância da grande aeronave. É o comportamento habitual que antecede o avanço dos veículos mais rápidos, para dar combate. Mas pouco depois começam a fugir ao padrão pois, ao contrário do que é hábito, não avançam em linha reta e em formação dispersa contra a esquadrilha aliada. Pelo contrário: assim que os aparelhos lusitanos se organizam descem em formação cerrada, derivando para leste e deixando a passarola desprotegida mesmo na frente dos aliados.

Estranha tática, esta a de deixar uma passarola desprotegida perante uma esquadrilha inteira de albatrozes. Qual é a ideia?

Jeferson procura com os olhos os camaradas mais experientes. Nenhum se encontra por perto, mas vê vários albatrozes a picar como os do inimigo para lhes irem dar luta. Outros mantêm o rumo. Jeferson passa por uns segundos de indecisão, mas depois resolve picar também. É melhor deixar para pilotos menos experientes o veículo mais lento, aquele em que é mais fácil acertar, e usar os mais capazes para dar caça aos aparelhos menores e mais velozes. Ele, por exemplo. Jeferson põe o albatroz a pique, aumentando a velocidade. O chão amarelo torrado sobe ao seu encontro numa vertigem. Estabiliza o voo, descreve uma curva e volta a surgir na frente dos albatrozes lusitanos. Dispara uma rajada quando uma das aeronaves inimigas atravessa o seu campo de mira, mas falha. Ouve outros disparos, uma cacofonia de rajadas cruzadas, mas as duas esquadrilhas passam uma pela outra como duas peneiras feitas de fumo, sem que nenhum aparelho seja atingido, pelo menos na aparência. Jeferson obriga o seu albatroz a subir velozmente, ao mesmo tempo que descreve uma curva apertada. A gigantesca passarola lusitana surge-lhe momentaneamente no campo de mira, uma imagem de placidez e calma ainda a alguma distância, e depois vê os albatrozes aliados que a ela se dirigem. Pensa que estão demasiado juntos, numa formação demasiado compacta, mas não tem maneira de lhes transmitir essa ideia. Deixa sair o ar que estivera a prender durante a curva quando volta a estabilizar o voo. Na sua frente, os albatrozes lusitanos estão ainda a descrever as curvas que os preparariam para a segunda arremetida. Os aparelhos inimigos são muito rápidos, muito mais rápidos do que os aliados em voo reto. Mas essa velocidade superior tem como contraponto uma manobrabilidade mais fraca. Jeferson examina-os com olhos de lobo, com a atenção presa a qualquer detalhe de técnica aeronáutica que possa denunciar uma menor destreza e experiência no manejo dos aparelhos. Escolhe uma presa e investe contra ela à velocidade máxima. À sua volta, os outros pilotos aliados estão a fazer o mesmo, tentando cair sobre os inimigos antes de completarem as curvas, obrigando-os a interrompê-las, forçando-os a se afastarem em linha reta para longe, ou então a darem início a manobras evasivas.

O piloto do albatroz que Jeferson escolhera não parece dar pela sua presença e continua calmamente a descrever sua curva. Jeferson ajusta o rumo da *Garça do Sul* para interceptar o do inimigo. Quando lhe aparece na mira, dispara, um conjunto de três rajadas curtas. Vê pelo menos duas nuvenzinhas pretas a aparecer numa das asas do outro aparelho, e logo de seguida vê-o a sacolejar bruscamente, afastando-se do rumo que vinha a seguir até aí e começando a virar para o outro lado. Jeferson acompanha-o. Vê o boné do piloto lusitano por um instante, a espreitá-lo, e depois tem de dar tudo para conseguir acompanhar a rápida sucessão de ziguezagues que o outro se põe a fazer. Não consegue fixá-lo na mira durante tempo suficiente para disparar. Começa a sentir alguma frustração, mas reprime-a. Voar bem exige calma. Muita calma.

De súbito, o céu como que é sacudido por uma imensa detonação. Jeferson olha freneticamente em volta, tentando perceber o que acontecera, com urgência particular porque a intensidade do estrondo o leva a supor que acontecera muito perto. Nada vê. Mas *tem* de saber o que fora aquilo. Abandona a perseguição ao albatroz inimigo e descreve um arco apertado para a esquerda.

O que vê quando estabiliza o albatroz começa por não fazer sentido, é como um quebra-cabeça desfeito e com peças espalhadas por todo o volume de céu que se estende na sua frente. A primeira dessas peças é a passarola lusitana, aparentemente imóvel e imperturbável no local onde se encontrava antes de sair do seu campo de visão, pouco antes. A alguma distância, na frente da passarola, uma nuvem de fumo branco expande-se rapidamente, rarefazendo-se com igual rapidez e erguendo-se na atmosfera. Em baixo, uma segunda nuvem, esta com a forma de um disco grosso e composta por pontinhos negros, uma *enorme* quantidade de pontinhos negros, expande-se ainda mais depressa em trajetórias parabólicas que irão fazer esses pontinhos espalhar-se por uma vasta área de deserto quando caírem lá em baixo. Mas entre os pontinhos e o deserto estão os albatrozes aliados que se dirigiam contra a passarola e agora se espalham em todas as direções, puxando por cada migalha de velocidade que são capazes de encontrar, tentando escapar àquela autêntica chuva de projéteis. Quando compreende o que está a acontecer, quando compreende que também ele está ao alcance de alguns dos projéteis mais elevados, Jeferson faz subir o aparelho o mais depressa que é capaz, derivando ao mesmo tempo para a direita. Antes de deixar de ver nuvens, passarola e albatrozes tem ainda tempo para assistir pelo canto do olho à destruição de dois aparelhos e à morte quase certa dos respectivos pilotos. Sabe perfeitamente que não serão os únicos, e é sem surpresa que ouve mais explosões antes ainda de se julgar suficientemente longe para poder guinar o albatroz e avaliar a situação. Esta dificilmente podia ser pior. Conta cinco grandes colunas de fumaça a se elevar do chão, dos locais onde outros tantos albatrozes se despenharam. Outras colunas de fumaça riscam o céu, terminando em albatrozes severamente danificados que procuram a duras penas se manter no ar ou que caem desgovernados. Pelo menos metade da esquadrilha está dizimada. Os aparelhos que tinham descido em perseguição dos albatrozes inimigos parecem moscas atordoadas na periferia da carnificina, enquanto os antigos perseguidos descrevem longas curvas para passarem ao ataque. Nenhum destes últimos parece ter sido sequer danificado.

Jeferson compreende com total clareza que a batalha está perdida. Que agora a luta é para salvar o que for salvável. A pele de quem ainda não a tiver queimada. Dois ou três aparelhos, talvez. Vê um dos albatrozes aliados que fumegam ganhar altura, vê os disparos que partem da passarola lusitana, vê o aparelho ser atingido uma, duas vezes e perder potência mas continuar a subir enquanto curva lentamente e depois estabiliza. Parece estar a voar só com um motor, mas consegue aproximar-se da passarola o suficiente para esta deixar de conseguir disparar contra ele. Jeferson apercebe-se de que o objetivo não era só esse quando vê o aparelho aliado dar uma volta sobre si próprio e começar a descer em voo picado. *Contra* o grande balão da passarola. Sorri. Àquela distância o albatroz pouco mais é do que um ponto no céu e não consegue distinguir-lhe o número e as outras marcas da fuselagem, não consegue identificar o camarada que assim se sacrifica, mas tira-lhe mentalmente o chapéu. Sejas quem fores, rapaz, és um valente.

Continua a aproximar-se da passarola. À sua volta, outros camaradas fazem o mesmo, mas nenhum está ainda suficientemente próximo para disparar quando o albatroz danificado colide com o enorme balão da aeronave lusitana. A princípio parece que nada acontece. É como se um monstro tivesse engolido um mosquito, sem um bafo, sem um arroto, sem dar mostras sequer de dar por isso. Por fim, Jeferson chega suficientemente perto para poder disparar, parece-lhe, e é o que faz, uma rajada curta e exploratória, mas que se perde sem qualquer efeito. A passarola é tão grande que lhe distorce a perspectiva, levando-o a julgá-la mais próxima do que realmente está. Passa-lhe pela cabeça a ideia de desistir, de que aquilo é fútil, de que nada conseguirá causar verdadeiros danos àquela coisa imensa. Pensa em dar meia volta e ir-se embora, em fuga ou em retirada estratégica. Mas essas ideias esfumam-se-lhe quando vê as fendas.

São duas, depois três, depois mais, rasgões que se ramificam e irradiam do ponto onde o albatroz se afundara na passarola. Fendas que se alargam ao mesmo tempo que a gigantesca aeronave começa a perder altitude e da boca de Jeferson sai um berro involuntário de triunfo. Volta a disparar, sem querer saber se os tiros acertam em alguma coisa, sem se importar que continuem a se perder, passando inofensivos por baixo do grande aparelho sem lhe causarem a menor mossa.

Mas o júbilo é de pouca dura. De repente apercebe-se de que uma parte da passarola se destaca dela, e depois outra, e outra, e outra, e de súbito é como se a aeronave inimiga não passasse de um compacto enxame de insetos e estes se estivessem a individualizar. Pequenas aeronaves de um formato que Jeferson nunca vira deixam-se cair a pique do corpo principal da passarola, estendem asas articuladas e o voo picado passa a controlado ao mesmo tempo que pequenos balões afilados se insuflam por cima delas, fornecendo-lhes alguma sustentação adicional. É como um desabrochar de minúsculas passarolas, impelidas por uma única hélice, pequena mas muito rápida, na cauda. Alguns dos aparelhos não chegam a desabrochar por completo, uma asa que não fica perfeitamente desdobrada, um balão que não insufla, uma hélice que não se põe em movimento, e vão-se juntar aos albatrozes abatidos, semeados em chamas pelo deserto. Mas os que ficam funcionais e prontos a dar combate são mais do que suficientes para transformar uma situação altamente problemática em completa impossibilidade.

Jeferson já viu tudo o que precisava de ver. Faz mergulhar o albatroz e descreve com ele uma curva larga, ziguezagueia em voo rasante, rumo a leste, por entre as colunas de fumo que se erguem dos destroços em chamas. Depois o solo desaparece de baixo do aparelho e ele mergulha no desfiladeiro.

A velocidade máxima do albatroz parece-lhe insuficiente, mas retira da aeronave tudo o que ela tem para dar. O desfiladeiro dirige-se para sueste, com algumas curvas e contracurvas complicadas, mas também trechos mais ou menos retos. Aproveita as primeiras para rápidas olhadelas para trás, tentando ver se é perseguido. Não detecta nenhum aparelho com nenhuma dessas olhadelas, mas é só após a quinta que começa a achar que a sua fuga talvez tenha passado despercebida no meio da confusão. Os trechos retos são usados para pensar no que fará em seguida. Num deles examina os mostradores. O depósito de combustível está meio vazio, mas ainda chega para uma viagem razoável. Chega e sobra para regressar à base, pelo menos; por aí está pouco limitado.

Mas, se se dirigir para a base, o que encontrará? As tendas em pé e os aliados sobreviventes a reagrupar, por entre o frenesim de mecânicos que tentam recuperar o que for possível? Ou mais uma instalação em ruínas e enxameada de pretos?

Quando retira a carta da pasta de documentos e a espreme por baixo do cinto de segurança para a enfiar no bolso da camisa apercebe-se de que tomara uma decisão. Após alguma hesitação, pega na pasta dos documentos e arremessa-a ao vento. Adeus burocracia. Teria de mudar de roupa para mudar de identidade, de arranjar maneira de esconder bem a carta e, claro, de se desfazer do albatroz. Só esperava ter combustível suficiente para chegar ao Mar Vermelho. Aí, podia aproximar-se de algum lugarejo piscatório e aterrar numa praia.

Ou no mar.

## Entre o deserto e o mar, o que é preciso é continuar

O homem que chega ao porto de Alexandria num dia chuvoso, sujo e escanzelado, com uma longa barba negra semeada de pó e de pelos grisalhos e vestido com um *thawb* esfarrapado de cor indeterminada, apresenta-se num árabe rudimentar cheio de palavras francesas como Alfredo Serra, peregrino lusitano à Terra Santa, raptado por bandidos judeus na estrada entre Jerusalém e Belém e abandonado quase sem nada no deserto de Negev. Conta uma história pouco coerente sobre caravanas e camelos, beduínos simpáticos mas miseráveis e pescadores de coral e pede que alguém lhe arranje maneira de regressar à pátria. Conta essa história a todos os que encontra. Aos europeus fala de como a fé em Jesus o sustentou na travessia do deserto e de como o Senhor lhe apareceu e disse que um dia iria regressar à pátria, levando consigo um segredo que não pode contar mas que é de capital importância para o futuro do mundo. Aos árabes diz que o deserto o iluminou e que foi *allah, al-rahim*, que o fez sobreviver àquela provação e que um dia, *inch-allah*, fará a peregrinação a Meca mas que até lá tem de regressar ao país natal por motivos que não pode revelar. Por vezes engana-se e numa ocasião tem de se calar à pressa quando se apercebe de que está a falar do Alá islâmico a um grupo de coptas que o olham de viés. À polícia francesa que controla o porto e o detém para interrogatório repete a versão europeia da história, acrescentando que nada sabe de guerra e os policiais concordam que, de fato, sua fraca figura não pode ser a de um guerreiro. A toda a gente jura que faz tudo, que trabalha em qualquer coisa, desde que um navio o leve dali, com destino a qualquer ponto da Confederação Lusitana, embora, olhando-o, poucos acreditem que seja capaz de mexer uma palha com um mínimo de eficácia. Recebe de volta ombros encolhidos, cabeças a abanar em negativa e os olhares condoídos ou escarninhos de quem o julga louco. As respostas, contudo, são sempre iguais. A guerra não chegou a Alexandria, ainda, mas os navios lusitanos já não aportam aí. São várias as pessoas que apontam para um grande vapor ferrugento que se vai desfazendo num cais, explicando-lhe que aquele fora o último a cometer tal imprudência e que ali está, apresado, que é como quem diz morto. A tripulação, dizem, depois de sobreviver alguns meses com as provisões que o navio transportava, partira com paradeiro ignorado, garantindo alguns que acabara a engrossar a população de mendigos da cidade.

O homem deambula sem destino pelo grande porto durante duas semanas, sempre com aquela conversa, alimentando-se do que pesca com uma cana e um bocado de linha que arranja ninguém sabe como e conseguindo mesmo vender algum peixe. Com o escasso dinheiro que logra obter dessas vendas arranja roupa europeia em segunda mão, puída mas sem buracos, e maneira de cortar a barba, mas não deixa de dormir onde calha. Um dia surge no porto a cheirar quase como um homem civilizado, ainda com o cabelo molhado do banho tomado no Mediterrâneo e vestido à europeia. Um veleiro com bandeira siciliana acostara no dia anterior. O homem vira-o aproximar-se, assistira à manobra com o interesse espicaçado como sempre fazia quando os olhos lhe caíam sobre um navio novo, esperara até conseguir ver a bandeira e, quando a vira, sorrira. Na guerra que opõe os aliados aos lusitanos, a República Siciliana é neutra. Abre os portos a ambas as facções, e navios seus tão depressa visitam Lisboa e Casablanca como Marselha ou Hamburgo, para grande benefício da economia da ilha.

A qual também não sofre nenhum prejuízo com o fato de Palermo ser um ninho de espiões de todas as proveniências. Bem pelo contrário.

O homem apresenta-se junto à escada de portaló, ostentando o seu melhor sorriso, e aguarda. Ao fim de algum tempo, um marinheiro espreita da amurada e grita-lhe qualquer coisa num siciliano atropelado que não compreende. Responde em francês que deseja falar com o capitão, se não for muito incômodo. O marinheiro cospe. É claro que a figura do homem não o convence. Lavado ou não, com roupa europeia ou não, continua a parecer um mendigo. E é possível que o marujo nem saiba francês. Mas o homem insiste:

— *Scusati signore* — volta a gritar, agora no melhor italiano que consegue arrancar à memória — *je vous en prie, il capo, il capo. E molto importante.* — E acena com uma folha de papel meio rasgada e cheia de manchas. O marinheiro olha-o com mais atenção. Talvez por causa da folha, talvez por ter reparado numa certa altivez de porte, talvez pelas palavras numa língua que, mesmo não sendo a sua, compreende, o certo é que volta a resmungar qualquer coisa e desaparece. Minutos depois, um outro homem assoma-se da amurada. Indica com um gesto o portaló e grita lá para baixo.

— *Saliti.*

E o homem, após curta hesitação, sobe.

O capitão ouve uma história bem diferente de todos os outros, contada num francês sem mácula. Que o homem se chama João Abelardo, viajante. Que andou em viagem pelo Egito e foi surpreendido pelo elevadíssimo preço de quase tudo, resultado, sem dúvida, da guerra. Que ficara sem dinheiro no Cairo, onde tivera de vender tudo para conseguir a duras penas chegar a Alexandria, a fim de tentar embarcar para fora da zona controlada pelos Aliados onde, por ser lusitano, não tem acesso a fundos. Que, não obstante, estes são vastos. Que recompensará principescamente o capitão que o tire daquela cidade deprimente. E sorri, um sorriso desarmante e encantador, apesar da dicotomia da tez, cauterizada pelo sol na testa, maçãs do rosto e nariz, ainda pálida onde a barba tapara o pior dos raios solares até poucos dias antes.

O capitão não se deixa convencer. Pode ser que aquela história seja verdadeira, mas também pode ser que não o seja. Olha o homem de alto a baixo e pensa pedir-lhe um documento que prove que é quem afirma ser, mas a verdade é que isso também não resolveria nada. Se o tivesse, podia facilmente ser falso; se não o tivesse, sem dúvida arranjaria uma história qualquer que explicasse a sua inexistência. É muito fácil "perder documentos" em tempo de guerra. Resolve pressioná-lo.

– O *Cosa Nostra* não vai para Palermo. Primeiro rumamos a Sidon e só depois zarpamos para casa via Chipre, Heraklion, Patras e Bari. É uma longa viagem, o *Cosa Nostra* não é propriamente um navio rápido, e não temos provisões para uma boca extra durante tanto tempo. Vai ter de desembarcar. Lamento.

– Capitão, creio que não está a compreender. Eu posso pagar muito bem assim que chegarmos a um porto que não esteja em guerra com a Confederação. Muito bem mesmo. Bem sei que neste momento não tenho propriamente a aparência adequada a uma pessoa de posses, mas juro-lhe pela campa da minha mãezinha, que Deus tenha, que sou quem digo ser.

O capitão continua desconfiado. Não se convence, propriamente. Mas é siciliano, e todos os sicilianos têm um ponto fraco: *la mamma*. Por isso, hesita mas acaba por ceder com um encolher de ombros.

– *Va bene*. Venha daí.

E dá uma série de ordens aos outros tripulantes para arranjarem lugar para o homem dormir, e também para lhe arranjarem que fazer, pois não está disposto a alimentar uma boca ociosa durante uma viagem tão longa. Que o leva, mas como tripulante, não como passageiro. Só para o caso da tal promessa de recompensa não passar de palavras, com certeza compreende. Não que esteja a abrir mão dela, certo?

E o homem vai acenando que sim, que com certeza, que sem dúvida. Dois dias mais tarde, zarpa de Alexandria. De quem fora, resta-lhe apenas uma carta.

**Para que serve ser, quando se pode parecer?**

Quando desembarca em Palermo, o homem que já se chamou Jeferson, depois Alfredo e agora responde por João, aparece bem vestido. Meses de refeições regulares tinham-lhe devolvido ao corpo alguma carne, embora o trabalho tivesse evitado a acumulação de gordura, substituindo-a por músculo, e um novo bigodinho bem tratado dá-lhe um ar adequadamente aristocrático. Trabalho que, diga-se de passagem, nem fora muito. O capitão, na dúvida, decidira logo à partida não abusar dele, resolvera tratá-lo com uma certa deferência não fosse dar-se o caso da história ser verdadeira, o homem ofender-se por alguma desfeita à sua dignidade e usar essa ofensa para se recusar a cumprir o prometido. Isso fora o que pensara à partida de Alexandria. Agora...

Agora, João desembarca com toda a calma do mundo, como se dele fosse dono. O capitão desdobra-se em sorrisos, plenamente conquistado por aquele lusitano simpático e camarada, apesar da enorme diferença social que, não tem qualquer dúvida, existe entre os dois.

— Então está combinado, capitão — diz João, ajustando o laço que lhe decora o colarinho, ambos comprados com o dinheiro do comandante durante a escala em Patras. — Assim que me forneçam documentos provisórios na embaixada vou imediatamente levantar a recompensa que lhe prometi. Não posso deixar de sublinhar que isso deve demorar um par de semanas, não mais, e farei tudo o que for possível para agilizar o processo.

— Oh, por quem é, meu amigo — contrapõe o capitão. — Escusa de dar mais explicações. Não só tenho plena confiança em si, como foi uma honra conhecê-lo e trazê-lo para a Europa.

João alarga o sorriso e estende a mão para o capitão.

— A honra foi minha, meu caro. Toda minha. Voltaremos a encontrar-nos em breve. Dê os meus melhores cumprimentos à sua senhora, e lamento mais uma vez ter de recusar o seu convite para jantar, mas não posso deixar-me desconcentrar do processo de recuperação da minha identidade. Sabe como é, papéis e mais papéis, e tem de estar tudo rigorosamente certo para não haver problemas e delongas. Ah, e muito obrigado por este fundo de maneio que me forneceu. Acrescentá-lo-ei à recompensa, meu amigo. Pode ficar descansado.

O outro faz os ruídos de comiseração adequados à recusa do convite, solta os oh-deixe-lá-isso apropriados à conversa sobre o fundo de maneio, e depois apertam-se mãos e João desce a escada do portaló em passo vivo e confiante. Dir-se-ia um vulgar homem de negócios a desembarcar numa cidade que já antes visitara, não fosse a escassez da bagagem, apenas uma pequena mala de viagem, e o fato de recusar ajuda para o seu transporte, preferindo em vez disso interrogar os carregadores sobre a localização da embaixada lusitana. Quando um dos homens se propõe levá-lo até lá, recusa, dizendo que prefere explorar sozinho a cidade e que antes de ir à embaixada tem de arranjar alojamento. Só quer saber mais ou menos onde fica, para procurar hotel na mesma zona.

O cair da noite, porém, vai encontrá-lo no restaurante do melhor hotel de Palermo, vestido com um terno suntuoso acabado de comprar, à frente de um copo de vinho do Porto de uma colheita excelente e de um jornal lisboeta de há uma semana e a observar com toda a atenção, mas também com toda a discrição, os outros hóspedes. Alguns lusitanos são imediatamente identificáveis pela tez escura; só na Confederação há pretos suficientemente ricos para se alojarem num sítio daqueles. Também fáceis de detectar são os aliados de convicções mais arraigadas, uma vez que fazem os possíveis e os impossíveis por fingir que os pretos não estão lá. João sorri para dentro, mas só para dentro. O Jefferson dentro de si compreende-os perfeitamente; o João que o recobre, contudo, é um fiel cidadão lusitano e tem de parecer que encara a companhia dos pretos como perfeitamente natural e vê na atitude dos aliados algo de vagamente repugnante, embora a boa educação o impeça de tornar essa repugnância demasiado clara.

Mas por mais fascinante que possa ser a situação social que ali se lhe apresenta, não é isso que o interessa. Interessam-lhe aspectos físicos, sim, mas de outro tipo. Não lhe interessam nem pretos, nem mulheres, nem velhos, nem crianças. Não lhe interessam homens que ali estejam com família ou amizades demasiado chegadas. Põe de parte também um homem de meia-idade que o olha com olhos aguados e pestanejantes e pondo a boca em botão quando o vê a olhar para si. Não está assim tão desesperado, por enquanto. E por fim elimina louros e ruivos, homens demasiado baixos e altos em demasia, e os gordos. Restam-lhe três hipóteses.

Um deles janta sozinho e isolado, mergulhado no estudo intenso de umas folhas quaisquer, das quais vai tirando apontamentos a lápis num caderninho. É mais gordo do que João, mas não muito, e tem a cara coberta por umas suíças bastante convenientes. Outro está quase a ser alto e gordo demais, e perscruta a sala com interesse enquanto um cachimbo pende calmamente de uma boca afundada numa espessa barba negra, embora sem entabular conversa com ninguém. O terceiro perde os olhos pela janela mesmo na outra ponta da sala e João não consegue vê-lo bem.

Antes mesmo de começar o jantar, elimina o da janela. É um excêntrico, ou talvez um louco, se é que há alguma diferença entre uma coisa e a outra. Seja como for, é um daqueles homens que chamam demasiada atenção para si, o que a João não convém absolutamente nada. Não vai pôr-se a soltar gargalhadas ruidosas sem motivo aparente, nem a dar efusivos passou-bens às damas e cavalheiros que ocupam as mesas vizinhas como se fossem amigos de longa data.

À sobremesa, elimina também o das suíças. Este recolhera apressadamente toda a papelada quando uma mulherzinha minúscula se viera sentar à sua mesa, entabulando uma incessante conversa numa língua de que João não consegue entender palavra. Algo eslavo, talvez. Sérvio, ou possivelmente búlgaro.

Resta o barbudo do cachimbo. João vigia-o discretamente durante o resto da noite e, quando o homem dá por finda a refeição e passa à sala de jogos, mete o jornal debaixo do braço e segue-o de perto. Compra um charuto e senta-se num cadeirão, ostensivamente a ler o jornal. O outro deambula por algum tempo de mesa em mesa e acaba por instalar-se numa onde se joga um jogo qualquer de cartas que João, do ponto onde se encontra, não consegue identificar. Talvez uma versão de pôquer. Ou de vinte-e-um. Nem interessa.

O que interessa é ver se aposta e quanto, se ganha e se perde, se aposta em dinheiro vivo ou usa promissórias, se se mostra convivial ou reservado.

Recolhe satisfeito ao quarto antes do outro terminar o jogo. O homem parece caído do céu.

No dia seguinte vai mesmo à embaixada lusitana. Não se barbeia e leva a pior roupa com que pode sair do hotel sem fazer erguer sobrancelhas. Ao entrar pelo gabinete que lhe indicam no átrio, estaca, de boca aberta. Quem se encontra do outro lado da secretária tem uma pele de um preto retinto, o que obviamente não lhe agrada nada mas é algo que já contava que pudesse acontecer. O que o deixa estupefato é que se trata de uma *mulher*. Uma preta, escura como carvão, com um penteado elaborado e impecável ao estilo europeu, trajando um vestido simples mas decente, dirigindo-lhe um sorriso como quem pergunta "o que o traz por cá?" De fato, é isso mesmo que ela pergunta depois de lhe indicar uma cadeira, onde João se deixa cair por reflexo, e de lhe dar os bons dias.

– O que o traz por cá, cavalheiro?

João gagueja, pede desculpa pelo embaraço, explica que não esperava encontrar uma mulher num lugar como aquele, ao que ela acena, compreensiva, com o sorriso apenas um pouquinho mais frio. Depois recompõe-se e repete a fábula que contara ao capitão do *Cosa Nostra*. Pede, por favor, a máxima urgência na recuperação dos documentos e se fosse possível passar-lhe documentos provisórios para poder ir a um banco e movimentar a sua conta seria o ideal. É que, sabe, está a viver de dinheiro emprestado pela simpatia do capitão do navio que o trouxe para Palermo, e isso é uma situação deveras desconfortável para um homem como ele.

– Com certeza, faremos todo o possível para ajudar um compatriota em apuros – responde a preta. – Dê-me só uns elementos para podermos dar início ao processo, sim? O senhor, pelo sotaque, é americano, certo?

– Sim, senhora. Da... Do Brasil do Sul – responde João. Quase lhe sai um "da República Platina" muito pouco conveniente naquela situação. Sente o colarinho apertado ao pescoço. Sente calor. Deparar com uma mulher ali perturbara-o mais do que seria desejável.

– Registro de identidade de Porto Alegre?

— De Nossa Senhora do Desterro. A minha família é da província de Santa Catarina. — O que até era verdade.
— Nomes dos pais?
Tem uma ligeira hesitação. Disfarça-a com um espirro. Sorri à funcionária.
— Desculpe. O ar do mar constipou-me. Os meus pais são o Comendador Joaquim Abelardo e a esposa, Hermínia. É gente bastante conhecida por lá.
— Com certeza, com certeza — diz a preta. — Vou precisar também da data e local de nascimento, se não se importa. E de todas as informações adicionais que nos puder fornecer para termos a certeza de que é quem diz ser. Peço imensa desculpa pela desconfiança, mas em tempo de guerra não se pode ser demasiado cauteloso. Certamente compreenderá. É a segurança do nosso belo país que está em causa.

E João, que já se preparava para envergar a máscara de aristocrata ofendido pela desconfiança da plebeia, vê-se de repente desarmado. Abre a boca, volta a fechá-la. A mulher olha-o, expectante. João respira fundo. Seja o que Deus quiser. De qualquer maneira, não pensa permanecer muito mais tempo na pele de João Abelardo. E repete uma longa história, em parte real, baseada na sua verdadeira família, em parte pura invenção, num tom que espera que seja convincente. Para lhe dar peso, mostra à mulher a carta. Por sorte, quando despida do envelope, esta não tem nomes, só graus de parentesco. E o envelope deve estar ainda enterrado num trecho de areia fina que só é lambido pelas ondas mais altas do Mar Vermelho.

Sai da embaixada com tempo, papéis provisórios e mais algum dinheiro emprestado no bolso. O tempo é o da viagem do correio diplomático de Palermo ao Desterro a pedir segundas vias dos documentos de um tal João Abelardo, filho do comendador Joaquim Abelardo, muito conhecido na zona, e da resposta dizendo que tais pessoas não existem e, segundo os registros, nunca existiram. Os papéis provisórios afirmam, quase textualmente, que ele *talvez* seja quem diz ser, e por esse motivo de pouco servem. O dinheiro foi emprestado porque João fez notar isso mesmo à mulher, afirmando que nenhum banco estaria disposto a ceder-lhe os fundos de que necessita em troca de uma tão vaga certificação de identidade. Certamente a embaixada não quer que um patrício, e ainda por cima alguém com o seu renome e riqueza, se veja obrigado a dormir nas ruas de Palermo. Como ficaria vista a Confederação Lusitana junto das autoridades da República Siciliana se tal coisa acontecesse? A carta, pelos vistos, de nada servira. Mas, feitas as contas, a manhã acaba por ser muito proveitosa.

Quando regressa ao hotel, informa-se como quem não quer a coisa, na recepção, sobre o homem do cachimbo. Tem sorte: o recepcionista de serviço é um homem rechonchudo, careca e efeminado, que tem óbvio deleite em mexericar sobre os clientes do hotel, por entre efusivas declarações a garantir a reserva e privacidade desses mesmos clientes. João fica assim a saber que também o do cachimbo é lusitano e assina André de Seixas. O dinheiro, segreda-lhe o recepcionista num tom conspiratório, parece que é fresco, apesar de abundante, todo ele ganho ao jogo um par de anos antes e eficientemente gerido (e aumentado) desde então. Que consta que está proibido de entrar em alguns hotéis e cassinos, acusado de trapaça. Que nos documentos que apresenta não há "de" nenhum, apenas um singelo André Seixas, e um local de nascimento de que nunca ninguém ouviu falar, Rebordões ou algo parecido, algures na província da Galícia Meridional. O mais certo, cochicha o recepcionista com um piscar de olhos, é o lugar não passar duma aldeola qualquer; o homem fala português cá com um sotaque, a trocar os vês todos por bês!...

— Sim — ufana-se o gorducho, com um ar petulante que é acompanhado por igual petulância na prosódia — que eu sou palermino de nascimento e de toda a vida, mas orgulho-me de ser fluente nas línguas das potências. Até consigo identificar a proveniência dos seus cidadãos. Um citadino é um citadino, um camponês é um camponês. E aquele, tenho certeza absoluta, é um camponês. Já o cavalheiro, senhor Abelardo, é claramente pessoa de posses e educação.

João sorri, inclina a cabeça e dirige a língua afiada do recepcionista para outros hóspedes, mostrando o mesmo interesse neles que mostrara no tal Seixas. Fica a saber muitos boatos sobre boa parte das pessoas hospedadas no hotel, e fornece em troca ao homem alguns boatos sobre si, todos falsos do princípio ao fim. Depois vai-se embora, cada vez mais satisfeito. Sim, servirá. Servirá perfeitamente.

Da parte da tarde, depois de tomar um banho e mudar de roupa, dirige-se ao porto, aos escritórios das companhias de navegação. Aí, procura saber qual o navio que mais depressa o poderá levar a território lusitano e deixa apalavrada, em nome de André de Seixas, uma passagem num vapor que zarpa de Palermo dentro de três dias com destino ao norte da Europa e escala em Lisboa. A viagem, curta, deve durar menos de uma semana, o que lhe convém perfeitamente.

Regressa ao hotel perto da hora de jantar e, ao passar pela recepção, tem uma ideia. Janta com toda a calma e totalmente descontraído, depois dirige-se à sala de jogos, por onde deambula durante um quarto de hora de mesa em mesa, guardando quase sempre o silêncio, como quem está a tentar decidir se algum daqueles jogos lhe desperta o interesse ou não. O Seixas, que quando ele chegara ao restaurante estava já na sobremesa, lá se encontra, absorvido no seu jogo de cartas, observando com intensidade os companheiros de mesa e alheio a tudo o resto. Ao fim de um quarto de hora, João solta um suspiro de aborrecimento e de não-me-apetece-coisa-alguma e sai da sala. Dá um salto ao quarto, recolhe o chapéu e o sobretudo e desce. Na recepção está um homem que João nunca vira, muito alto, magro, e com um minúsculo bigodinho quadrado entre um nariz adunco e uma boca sem lábios. Dirige-se-lhe com um sorriso simpático no rosto.

— Boa noite. Estou à espera de uma carta urgente da embaixada lusitana. Não terá chegado esta tarde, não? João Abelardo. Quarto vinte e nove.

O recepcionista deita um relance a qualquer coisa debaixo do balcão e abana a cabeça com um ar pesaroso.

— Temo que não haja nenhum correio para o quarto vinte e nove, cavalheiro. Lamento imenso.

— Que aborrecimento! – diz João, fazendo estalar a língua. Tamborila com os dedos no balcão, finge pensar durante alguns segundos. Depois encolhe os ombros. – Enfim... nada a fazer. – E depois, como se se lembrasse de repente: – Ah, o meu amigo e compatriota André de Seixas, quando soube que eu ia passar pela recepção, pediu-me para verificar também se não haveria correio para ele. Está a jogar às cartas – acrescenta com um ar vagamente reprovador e ligeiramente irônico – e diz que dá azar abandonar o jogo a meio. – Encolhe os ombros e abana a cabeça. – Manias de jogador.

O funcionário afeta um ar de interesse desinteressado e vai acenando com a cabeça enquanto ele fala. Quando se cala, pergunta:

– E o cavalheiro não saberá, por acaso, qual o número do quarto dele?

– Oh! Não, não, desculpe. Ele esqueceu-se de me dizer.

– Não há qualquer problema – garante o magricela, esticando lábios inexistentes num sorriso sem dentes. – André de Seixas... André de Seixas... – murmura, enquanto procura num livro de registros. – Cá está. Trinta e nove. – E depois de repetir a espreitadela de pouco antes: – Também não, cavalheiro. O seu amigo também não tem correio.

– Muito obrigado de qualquer forma – diz João, pondo o chapéu. E sai para a noite fresca mas seca do outono siciliano, deixando o recepcionista, confuso, a coçar a cabeça.

Regressa menos de uma hora mais tarde, depois de um breve passeio por uma *piazza* que se alarga não muito longe do hotel e onde os palerminos desfrutam da noite em pequenos grupos por entre uma revoada de conversas. A Palermo noturna, bem o sabe, pode ser uma cidade bastante perigosa, mas geralmente não ali, na zona nobre, onde o sossego das classes elevadas é eficazmente protegido por uma das forças policiais mais implacáveis do mundo.

Quando reentra no hotel faz questão de ser visto pelo recepcionista e sobe ao seu quarto. Espera um par de horas e volta a sair, vestido com o roupão fornecido pelo hotel, pondo-se a deambular pelos corredores. Uma criada pergunta-lhe se precisa de alguma coisa, e diz-lhe que não, obrigado, é só uma insônia, já passa, basta um pouco de exercício. Sobe escadas, desce escadas, percorre corredores até ao fim, volta para trás, e quando regressa ao seu quarto já sabe precisamente onde fica o trinta e nove.

Os dois dias seguintes são passados num ócio aparente, mas quem o observasse com atenção e estivesse atento a esse tipo de detalhes repararia em algumas compras invulgares, num interesse pouco usual pelo funcionamento de certo tipo de fechaduras, numa barba incipiente, mas já negra, que lhe desponta das bochechas. À noite costuma sair, pondo-se a vaguear por Palermo, aparentemente sem destino, um turista algo excêntrico a conhecer a cidade aproveitando o fato do tempo se manter bom. Mas embora haja quem o observe com atenção não é esse o tipo de coisas que esperava ver, e é bem sabido que as pessoas tendem a cegar quando o que lhes aparece à frente dos olhos não é bem aquilo com que contavam deparar.

Chega tarde ao jantar do terceiro dia. Pouco depois de se sentar à mesa e fazer o pedido, o Seixas levanta-se e dirige-se, como de costume, para a sala de jogos. João come com toda a calma e depois sobe ao seu quarto, não sem antes enfiar discretamente no bolso interior do casaco o guardanapo de pano grosso em que fingira limpar os lábios. Faz a pequena mala com aquilo que trouxera do *Cosa Nostra*, acrescenta-lhe a maior parte das compras feitas em Palermo e sai do quarto. Dirige-se ao trinta e nove com o máximo cuidado para não ser visto, para à porta, toca discretamente, esperando que de dentro ninguém responda. De dentro ninguém responde. Tira do bolso uma gazua e depressa se vê lá dentro e com a porta fechada atrás de si. Ou por outra, não vê, pois o quarto tem as cortinas corridas e está escuro como breu. João aguarda que os olhos se lhe ajustem à quase ausência de luz. Não demora muito a começar a distinguir vultos, e passado algum tempo já tem uma ideia razoável sobre a localização da janela e dos obstáculos que o quarto apresenta até lá. Pousa o saco ao lado da porta e avança com todo o cuidado para não topar em nada. Tem um sucesso parcial, mas pelo menos as topadas que dá não são muito ruidosas e acaba por chegar à janela sem maiores incidentes. Abre as cortinas.

O luar não chega propriamente a inundar o quarto; a lua não é mais que um quarto crescente e não se encontra mesmo em frente da janela. Mas a luz é suficiente para se orientar. A disposição do quarto é diferente da do seu, mas não muito, e os móveis são basicamente os mesmos. Sabe onde há gavetas e onde elas não existem; conhece os lugares onde poderão estar guardadas coisas de valor ou documentos. Percorre esses lugares. Numa gaveta, encontra dois envelopes fechados e iguais. Apalpa um deles. Pela forma e flexibilidade, o que se encontra lá dentro só pode ser um maço de notas. Noutra descobre uma pilha de papéis que, quando se serve do máximo de luz que consegue arranjar para os examinar, descobre serem documentos de identificação. Vários. Em nome de André de Seixas, sim, alguns, mas também em vários outros nomes.

Vê a vidinha a andar para trás. O homem não é o que aparenta ser. Mas João já foi longe demais para recuar agora e por isso continua a abrir gavetas. Nada mais encontra de útil ou de comprometedor. Para um momento a refletir. Podia passar uma busca mais detalhada ao quarto, mas decide que não vale a pena. Se mais houver para descobrir, estará decerto muito bem escondido.

Pega no dinheiro e enfia-o no saco. Hesita, indeciso sobre o que fazer aos documentos. Tem de se despachar. Enfia-os também no saco. Depois volta a tirá-los. Irrita-se consigo próprio; não pode ficar naquela indecisão muito mais tempo. Vai de novo até onde há mais luz, e da pilha retira documentos em nome de André de Seixas, após o que volta a guardar os outros onde os encontrara. Pega no saco e no puxador da porta. Não. Volta a pousar o saco. Desfaz a cama, tira as gavetas e despeja-as no chão, desarruma o roupeiro, atirando também para o chão metade do seu conteúdo, e por cima de tudo espalha os documentos falsos. Sim. Volta a pegar no saco, encosta o ouvido à porta, pega no puxador e entreabre-a ligeiramente, apenas o suficiente para espreitar. Ninguém. Sai, fecha a porta com cuidado atrás de si e percorre apressado os corredores do hotel, de regresso ao seu quarto. Só volta a respirar quando nele entra, fecha a porta e se deixa cair numa cadeira. Pérolas de suor brilham-lhe na testa. Vai ao lavatório e passa água pela cara, após o que se seca e volta a pentear-se. Muda de roupa, abre os envelopes do dinheiro e sim, é mesmo dinheiro. Notas sicilianas, lusitanas, francesas, italianas, espanholas e suíças, muito bem arrumadas em maços bem atados. Volta a meter no saco todas menos as sicilianas, que enfia no bolso do casaco onde já estava a carta. Vai até à janela. Esta dá para uma rua pouco movimentada mas não propriamente deserta. Abre-a. Tenta pensar numa alternativa, mas nenhuma lhe ocorre. Ficar ali é demasiado perigoso; sair com o saco àquelas horas da noite demasiado suspeito. Portanto decide-se. Atira o saco pela janela, fecha-a e encaminha-se apressadamente para fora do quarto, pegando de passagem no chapéu e pondo-o na cabeça.

Passa pela receção num passo calmo, sorrindo ao recepcionista. Este já se habituara aos seus passeios noturnos e sorri-lhe de volta, sem fazer comentários nem perguntas. Na rua, estuga o passo, dá a volta ao hotel e vê o saco, no meio da rua, abandonado. Suspira de alívio, pega-lhe e some-se nas trevas.

Teve uma sorte dos diabos, e bem o sabe. E também sabe que ainda não acabou. Passa a noite num lupanar que identificara de véspera, para o caso de ter de sair à pressa do hotel. Não chega a saber o nome da mulher com quem a passa, e ao fim de um par de horas infrutíferas a tentar despertar o pedaço de carne inerte que tem entre as pernas, diz-lhe para desistir e para dormir. Ele não dorme. A mesma ansiedade que lhe dera cabo da virilidade, mantém-no acordado.

Só sossega no dia seguinte, quando zarpa de Palermo. Chama-se agora André de Seixas e fuma cachimbo.

## A volta do mar é a seco, pelo ar

As gigantescas passarolas de passageiros que unem as diversas partes da Confederação Lusitana ainda são basicamente as mesmas que André usara para vir para a Europa alguns anos antes. Uma tecnologia antiga, mas ainda eficiente, e uma rota ainda mais antiga, mas igualmente eficiente, só foram alteradas pela guerra na medida em que cada passarola de passageiros é agora acompanhada por uma esquadrilha de albatrozes e por uma segunda passarola, menor, de concepção mais moderna e militar, que serve de base e central de reabastecimento para os albatrozes, fato que lhe emprestou a lógica alcunha de portalbatrozes. A ameaça pouco se faz sentir quando o voo se desenrola sobre mar alto ou no interior profundo dos diversos territórios da Confederação, mas torna-se relevante sempre que os grandes balões começam a ser vistos perto das colônias das potências aliadas. Daí a proteção.

A passarola de passageiros continua ainda a mostrar a mesma estrutura básica das primeiras passarolas e ainda é feita principalmente de bambu, se bem que as complicadas aletas propulsoras há muito tenham dado lugar a grandes hélices e o trabalho manual cedido a vez a malcheirosos motores de combustão interna. Contudo, o trabalho principal, nas viagens de longo curso, não é manual nem mecânico, mas eólico. A rota genérica é a mesma que os navegadores portugueses inventaram quatrocentos anos antes, e a Grande Carreira parte de Lisboa, escala no Funchal e na Praia, atravessa o Atlântico para as Províncias Americanas, escala em Salvador e no Rio de Janeiro, volta a atravessar o Atlântico, escala em Luanda e Joanópolis, a bela e moderna capital da Rosália, e termina na Ilha de Moçambique. A viagem de regresso é bastante mais curta, pois atravessa o interior de África, quase sempre por cima de território inimigo, e só volta a sobrevoar terras lusitanas perto do Golfo da Guiné, escalando São Tomé e Porto Novo (cidade esta que tecnicamente não pertence à Confederação, o que não a impediu de se ter tornado um importante centro de escala), subindo depois uma vez mais até à Praia e por fim dando a volta do norte por Ponta Delgada e daí até Lisboa. Em todos estes milhares de quilômetros pouco combustível se gasta, a menos que haja tempestades a ultrapassar, condições atmosféricas invulgares ou ventos demasiado fracos para manter uma velocidade aceitável. Ou então durante as manobras de aproximação aos pontos de escala, que exigem uma precisão de rota superior à que é necessária entre eles. É precisamente por esse motivo que são tão poucos, aliás, ficando o serviço aéreo entre esses pontos centrais e as várias periferias da Confederação a cargo de aeronaves de menores dimensões.

Em Lisboa, André não está com subterfúgios e compra bilhete para Nossa Senhora do Desterro, o que implica seguir a Grande Carreira até ao Rio de Janeiro e depois fazer transbordo para outro aparelho que o leve para sul. Durante a viagem adota a atitude reservada do homem a quem usurpara a identidade. Ocultos por trás das suas espessas barbas negras e do cachimbo quase sempre apagado, seus olhos observam o que o rodeia com atenção mas sem mais intervenção do que a estritamente indispensável. A grande passarola transporta largas dezenas de passageiros, mas a viagem é longa e só um completo recluso lograria evitar contatar com os companheiros de viagem. E André não só não tem feitio para se recolher assim tão completamente como sabe muito bem que quanto maior o mistério nos comportamentos maior a curiosidade sobre as identidades. Assim, força-se a agir como seria de esperar de um cidadão lusitano em viagem pela Confederação, mostrando uma reserva que não ultrapasse a que pode ser explicada pela timidez e fazendo os impossíveis para não lidar de forma diferente com os brancos e com os que não o são.

Conversa pouco, mas conversa, sem passar muito das trocas de palavras de circunstância sobre o tempo ou as instalações, e esforçando-se ao máximo para evitar falar da guerra ou da situação política em geral. Passa muito tempo na biblioteca da passarola, a ler, ou então na longa varanda, a passear, ou sentado, a observar a paisagem. De preferência sozinho. A paisagem é monótona ao longo da maior parte da viagem, mar, mar e mais mar, embora se vislumbre de vez em quando uma costa distante, um navio, um bando de aves marinhas e as configurações das nuvens sejam um espetáculo sempre mutável e com frequência espetacular.

Sua maior dificuldade é a mesma que sempre sentira antes de abandonar a Confederação: a convivência. Os passageiros da grande passarola são quase todos gente com raízes nas províncias americanas ou africanas. Brancos, há poucos; são quase todos pretos, mulatos, um punhado de índios, outro de indianos, outro ainda de chineses, e umas pitadas mais de gente de proveniência indeterminada. Gente a viajar sozinha, como ele, não só homens mas também algumas mulheres, e casais, sem filhos e com eles, famílias inteiras. Casais que em alguns casos são *mistos*. Um perfeito retrato da imunda mixórdia que é a Confederação Lusitana. E falam, falam, falam, assaltando-lhe o racismo inato com as suas conversas, os seus sotaques, os seus *cheiros*. André, o homem que, no fundo, por mais vezes que troque de nome, nunca deixará de ser Jeferson, só com enorme dificuldade aguenta aquilo e é-lhe quase impossível aguentá-lo mostrando-se agradável, urbano, tolerante para com a diferença de aspecto, atitudes e ideias. Mas consegue. Só ele e Deus sabem com que dificuldade, mas consegue.

Quase sempre.

Quando não pode mais recolhe-se, isola-se, pretextando uma dor de cabeça, uma necessidade fisiológica, um compromisso qualquer. Esses momentos de solidão são como um pulmão a encher-se de ar antes de voltar a mergulhar nas complexas e variegadas profundezas da sociedade lusitana.

Mas por vezes não logra arranjar pretexto para um desses momentos e, quanto mais avançada vai estando a viagem, mais se lhe vai esgotando a imaginação para pretextos novos, ao mesmo tempo que os antigos se vão gastando. É assim que um certo dia, já a passarola voa há algum tempo à vista de terras brasileiras, tem uma conversa que quase deita tudo a perder. Saturado de ouvir tantas opiniões insuportavelmente lusistas sobre a política internacional e a guerra, abandona por instantes a sua habitual reserva para entabular uma discussão com um preto angolano, professor numa universidade de pretos qualquer, que se transformara, a contragosto seu, numa companhia regular por também ele gostar de passear pela varanda. Após mais uma opinião particularmente capaz de lhe pôr os cabelos em pé, vira-se para ele e diz:

— Eu basicamente concordo consigo Dr. Neto, mas deixe-me fazer aqui um pouco de advogado do diabo, a bem da conversa. Os Aliados garantem que não foram eles que começaram a guerra e, aqui para nós, não deixam de ter uma certa razão. O primeiro ato bélico da guerra foi o bombardeio de Abu Dabi por uma força de passarolas lusitanas. Claro que houve todas as provocações anteriores, mas temos de reconhecer que foi só depois desse bombardeio que houve as declarações de guerra e tudo o mais.

— Oh, com certeza — responde o outro. — Eu diria mesmo mais: esta guerra só existe porque a Confederação tem vital necessidade de obter reservas próprias de petróleo. Não existe petróleo em nenhum dos territórios lusitanos, só se encontra tal substância na Arábia e nos Estados Confederados da América. Ou, se existe, ainda ninguém o descobriu, e olhe que se tem procurado com afinco. E nós não podemos ficar privados dessa matéria-prima, caso contrário acabaremos por perder a corrida tecnológica e os racistas tomam conta do mundo. Lá se vão todas as conquistas da civilização lusitana. Daí a guerra. Estou plenamente de acordo. Mas, como muito bem diz, houve as provocações. As recusas de entrada em certos portos, a humilhação permanente de todos os lusitanos não-brancos no estrangeiro. O meu amigo talvez não a sinta, visto que é branco, mas acredite quando lhe digo que é bem real. Vivi dois anos em Amsterdã e só eu sei o que por lá passei.

— Acredito plenamente — concorda André, e de fato acredita — mas, aqui para nós, também não estamos completamente inocentes no campo das provocações. Nos países aliados, como talvez saiba, diz-se que as revoltas indígenas no Peru e na Colômbia tiveram dedo lusitano, e o mesmo se diz de tudo quanto é sublevação de... de povos africanos – e aqui quase se descai dizendo "tribos" – nas periferias dos nossos territórios e não só, dos fula senegaleses aos xhosa no sul, bem como de regiões indianas sob domínio inglês, de povos javaneses, que sei eu? Acho difícil que todas estas acusações sejam falsas. Algumas serão, por certo. Mas todas?

– Oh, sabe, muitas vezes acusam-se potências estrangeiras quando os povos dominados procuram alcançar a liberdade. A igualdade que a Confederação concede a todos os seus cidadãos até pode inspirar esses povos, mas daí até haver intervenção direta vai alguma distância. Sabe que ainda existe tráfico de escravos em algumas colônias africanas? Um horror. Tive acesso a certas informações sobre o que os belgas andam a fazer no Congo que são de arrepiar um morto.

– Repare, eu não sei o que se passa no Congo e, como lhe disse, concordo consigo. Mas como sabe também tem havido revoltas indígenas na Confederação. Olhe, a dos zulus em 86, por exemplo. Os Aliados usam-nas como prova de que a Confederação Lusitana não passa dum império colonial com outro nome, e de que também no nosso país a liberdade dos povos é oprimida. Não posso deixar de pensar que talvez haja nessa acusação um grão de verdade.

O outro deita-lhe um olhar estranho e depois pergunta.

– O meu amigo é do Brasil do Sul, não é?
– Sou, sim. Por que pergunta?
– Da República Platina?

André sente-se percorrido por um arrepio. Consegue soltar uma gargalhadinha que até a ele soa forçada.

– Ah, não. Isso foi uma aventura de alguns brancos ainda presos a velhas atitudes. Não sou platino, sou sulista. Tal como a grande maioria da minha gente. Leais cidadãos da Confederação.

– Sem dúvida que sim. Mas, bem vê – retruca o outro, com um sorriso astuto na cara preta – estas coisas são sempre complexas e frequentemente contraditórias. Só para lhe dar um exemplo: os brancos foram tendo muitos privilégios ao longo da história, mas o do racismo não foi um deles.

E com aquela afirmação críptica tira-lhe o chapéu e despede-se, deixando André em silêncio e apreensivo, pensando que talvez tivesse ido longe demais.

## Só a morte te resgata, quer te parta, quer não parta

O pequeno albatroz dá uma volta sobre a extensão quase plana que serve ocasionalmente de pista, entre o rio e o renque de árvores que delimita a estrada. Tantos anos sem ver aquela paisagem familiar, tantos anos sem ver aquela casa caiada de branco e tantas vezes ampliada, tantos anos sem sentir aqueles cheiros familiares trazidos pelo vento. Lágrimas de nostalgia e tempo perdido ameaçam subir-lhe aos olhos, mas o homem que naquele local sempre se chamou Jeferson combate-as, controlando-se, chamando a si todo o treino recebido em paragens longínquas. Mais tarde será tempo de sentimento. Mais tarde. Agora há que pôr aquele aparelho no chão o melhor possível. Pois só conseguirá pousá-lo o melhor possível.

Não resta muito combustível, mas resta mais do que o suficiente. Temera que não chegasse, temera ter de fazer uma aterragem de emergência a meio caminho, mas a tecnologia lusitana, como sempre, é mais avançada do que a aliada, e parece que grande atenção foi dada à otimização da combustão, mesmo em motores destinados a aparelhos civis como aquele. Não, o problema não é esse.

O problema é que o aparelho é de um tipo que nunca antes encontrara, muito menos pilotara. Há mostradores que não sabe para que servem, há botões e êmbolos que são outros tantos mistérios. E não pudera propriamente solicitar que alguém lhe fornecesse a informação que faltava.

Ao aterrar no Desterro, numa passarola muito menor do que a da Grande Carreira mas que mesmo assim se agigantava acima da sua cabeça e projetava uma longa sombra sobre o campo de aterragem, seu olhar fora imediatamente atraído por duas coisas. Uma era uma maquineta automóvel de um tipo que nunca vira mas que aparentemente também era dotada de um motor de combustão interna e ostentava um distintivo que conhece demasiado bem: o da polícia de segurança interna do país confederado do Brasil do Sul. A outra era na verdade várias, uma longa fila delas: albatrozes. Albatrozes às dezenas, organizadamente alinhados a um canto do aeródromo, como que a chamar por ele. O fim da viagem fora um sufoco de desconfiança. Depois da conversa com o angolano redobrara de atenção a todos os movimentos que fazia e às palavras que lhe saíam da boca. Estava demasiado perto do seu destino para deitar agora tudo a perder com um momento de irreflexão. E quando vira a máquina automóvel ali parada suspeitara imediatamente, ainda que talvez duma forma pouco racional, que lá estava para si. Para prender o traidor, para o atirar para um buraco de onde nunca mais seria capaz de sair. Apesar disso, lograra despedir-se dos outros passageiros com a calma e descontração que dele se esperariam se tudo estivesse perfeitamente em ordem. Mas quando saíra da passarola nem chegara a entrar no edifício do aeródromo e dirigira-se a passo rápido, mas confiante, para os albatrozes.

Fora avaliando os aparelhos enquanto caminhava. Alguns eram demasiado estranhos aos seus olhos, com bizarras configurações de asas e aletas, de motores e estabilizadores, e a esses pôs logo de lado. Mas outros havia que julgara poder pilotar. E fora o que fizera. Enfiara-se num como se fosse seu dono, fizera uma ligação direta para a ignição, saíra, fizera rodar a hélice algumas vezes sem que ninguém o incomodasse, o motor finalmente pegara e pusera-se a ronronar como um grande gato alado, e só quando estava já a levantar voo vira um homem vestido de azul a esbracejar enquanto corria em frente da fila de albatrozes estacionados. Tarde demais, meu caro, pensara, tarde demais.

E agora ali está, a fazer a última aproximação à pista improvisada. Repara de relance numa cara branca a espreitar por uma janela da casa, mas não tem tempo para tentar pensar em quem possa ser. O chão está ali, aproxima-se depressa, talvez depressa demais, e tem de reduzir a velocidade, compensar o vento ligeiro que o tenta empurrar para o rio e concluir a descida. O contato com o chão é duro, mas não mais duro do que seria a aterragem com um albatroz militar aliado. Além de mais sofisticado, aquele albatroz é civil e, portanto, quem o concebeu teve uma atenção ao conforto que não existe nos militares. Jeferson suspeita que, com aquele tipo de aeronave, uma aterragem numa boa pista feita por um piloto experiente seria suave como seda. Mas ali a pista é má, e ele está a manejar aquele aparelho pela primeira vez na vida. Por isso fá-lo saltar uma, duas vezes, depois uma terceira e, quando o albatroz por fim para de tentar voltar ao seu elemento aéreo, Jeferson tem a testa salpicada de gotículas de suor, pois na sua frente há uma fileira de árvores e os primeiros pilares dum embarcadouro de madeira que se aproximam a grande velocidade, e por momentos sente o coração aos saltos no peito porque lhe parece que nunca conseguirá imobilizar o aparelho a tempo de evitar o embate. Mas a verdade é que consegue, não sabe bem como. Depois de respirar fundo algumas vezes, vira o nariz do aparelho para a casa, estaciona-o, desliga o motor, começa automaticamente a fazer as verificações técnicas mas cai em si e abana a cabeça, sorrindo de si para si por o treino o levar a fazer aquelas coisas mesmo quando são totalmente desnecessárias, levanta-se do banco do piloto, pega no saco e salta do albatroz.

E tropeça e quase cai, com a surpresa e o sobressalto do que vê. Depois fica muito imóvel.

Porque de entre as árvores avança uma fileira de homens, cada um deles armado com uma espingarda apontada à sua testa. De trás das espingardas, certamente todas engatilhadas e prontas a transformá-lo em coador, espreitam caras de todas as cores, comandadas por um preto muito alto com divisas de capitão do Exército Confederado. É este que avança, lhe faz uma continência rígida e lhe exige que deixe cair o saco no chão, ponha as mãos onde se deixem ver e se identifique.

Jeferson obedece logo à primeira parte e à segunda, mas antes de cumprir com a terceira fica calado por um momento. Depois:

— André de Seixas — afirma. — Tenho os documentos no saco. Que disparate é este?

O capitão faz um gesto a um subalterno. Este salta em frente, pondo a espingarda a tiracolo, e agarra no saco, levando-lho. Depois volta a ocupar a posição original, alguns passos mais atrás. O capitão abre o saco, enfia uma mão lá dentro e quando a tira traz nos dedos um maço de notas. Examina o dinheiro, de um

lado, do outro, solta um assobio e olha para Jeferson de cenho franzido.
— Não é isso — diz este muito depressa quando se apercebe de que o outro julga que está a tentar suborná-lo. — Na bolsa da frente.

O capitão olha-o por mais algum tempo com um olhar penetrante. Depois volta a enfiar o dinheiro no saco, abre a bolsa que lhe fora indicada e dela tira uns papéis, que lê, revira, volta a ler e examina em contraluz. Depois mete-os ao bolso.

— Quer-me parecer que estes papéis são falsos — afirma. — Que o nome que aqui está não é o seu. Agora a verdade: como se chama mesmo?

— André de Seixas — insiste Jeferson. E depois, após uma hesitação:
— E posso prová-lo. Aqui, no bolso do casaco. — Começa a baixar uma mão, mas o outro ordena, ríspido:
— Alto! Não, senhor. Eu trato disso. — E avança, estende a mão, olhando-o sempre nos olhos, e tira-lhe um papel manchado e amarrotado do bolso do casaco. Recua um passo e abre o papel.

O papel é a carta que Jeferson recebera lá longe, no deserto da Arábia, há já demasiados meses, e o preto alto lê-a. Depois volta a lê-la, olha-o durante um longo momento nos olhos, volta a aproximar-se e afirma em voz baixa:

— Ora isto que aqui tenho já é um papel que, ao contrário dos outros, cheira a verdadeiro. Não é assim, senhor Matias?

Jeferson sente-se de súbito sacudido pela mesma emoção que o submergira naquele primeiro dia. Não confia na voz para falar. Faz um pequeno aceno de confirmação com a cabeça. Não adianta tentar mentir. A mentira deixara de ser possível. O preto olha-o durante mais um longo momento. Depois toma visivelmente uma decisão.

— Vou ficar à sua espera — diz-lhe, quase em surdina. — Durante alguns dias. — Depois grita aos seus homens: — À vontade. Não é quem procurávamos. — Volta a virar-se para Jeferson no meio de uma revoada de carabinas a serem desengatilhadas e estende-lhe a carta, mas não os documentos. — Dr. André de Seixas, queira desculpar o equívoco.

Jeferson aceita a carta, leva a mão ao chapéu e baixa a cabeça, agradecido. Pega no saco que o capitão lhe deixara cair aos pés e olha-o nos olhos por um momento. Olhos castanhos num rosto preto, que lhe devolvem o olhar com uma sopa de sentimentos que não identifica. Provavelmente ainda bem. Talvez um dos ingredientes seja repugnância. Ou, pior, pena. Baixa os olhos e nada diz. Mas algo dentro de si borbulha quando atravessa a fila de soldados e se dirige para a casa, em frente de cuja porta se juntara entretanto um grupo de pessoas. Algumas reconhece, outras não. Reconhece uma das irmãs, abraçada a um homem que lhe é estranho, alguns empregados... A mãe, tão enrugada, tão encanecida, tão encurvada, tão... velha, sim, velha. E triste. Passei demasiado tempo longe, pensa. Aproxima-se, abanando a cabeça, articulando com a boca a palavra "não", em gestos exagerados, esperando que o compreendam. Não quer pôr o capitão em cheque junto dos seus homens, apesar de ser preto, apesar de ser de tantas formas um inimigo, e por isso quando chega junto do grupo aperta mãos aos homens e tira o chapéu às senhoras, como se não passasse de um conhecido que tivesse vindo de visita. Só quando entra em casa e a porta atrás de si se fecha cede aos abraços, aos beijos, sim, mesmo às lágrimas. A mãe só fala da carta, a carta, recebeste a carta?, e ele confirma primeiro com a cabeça e depois repete em voz alta.

– Sim, recebi. E aqui estou. – E, depois duma pausa, quase a medo:
– O pai?

A reação dos outros diz-lhe tudo. A forma como baixam as cabeças, a irmã que leva a mão à boca, a mãe que se lhe agarra com toda a força que lhe resta no corpo frágil, sacudida por soluços silenciosos. E o seu mundo desfaz-se como um castelo de areia num terremoto.

Quando a erupção de sentimento enfim se atenua, longos minutos mais tarde, está sentado à mesa da sala e ouve a família contar aos arrancos, com vozes estranguladas e sumidas, a história da longa doença do pai, do seu lento definhar sufocado por dores, dos últimos dias em que só perguntava incoerentemente pelos filhos, o Alexandre já veio da escola?, que anda o Jeferson a fazer na rua a estas horas? Entregam-lhe uma carta que o pai lhe escrevera e que não tem coragem para abrir, traçam-lhe o calendário, dia tal aconteceu isto, dia tantos teve esta crise, há mês e meio morreu, e ele vai unindo essas datas com as da sua vida, nesse dia ainda a carta não me tinha chegado às mãos, nesse andava a comer mexilhões crus enquanto me arrastava ao longo das costas do Mar Vermelho na direção do Egito, nesse estava no *Cosa Nostra*, ansioso pelo fim daquela espécie de cruzeiro pelo Mediterrâneo oriental. Mas, a pouco e pouco, vai-se alheando da história do pai, dói demais ouvir tudo aquilo. Põe-se a pensar em tudo o que fizera para chegar até ali, nos crimes que cometera, nas leis que violara, nos camaradas de armas que abandonara à sua sorte, lá longe nas areias da Arábia, naqueles homens, compatriotas, porém inimigos, que o esperam lá fora. E pergunta a si próprio para quê. Para quê tudo aquilo se não chegara a tempo? Para quê tantos riscos corridos se afinal não pudera despedir-se do pai, dizer-lhe tudo o que desejara dizer-lhe, ouvir os seus últimos conselhos, talvez as últimas recriminações? Para quê?

E depois, enquanto a mãe e o resto da família continuam a falar, enquanto vai dando respostas mecânicas e secas demais às perguntas que lhe fazem também a ele, na vã tentativa de preencher com informação os longos anos de ausência, pensa no futuro e no que ele lhe poderá reservar. No que é possível e no que é impossível. Nas probabilidades e nas certezas.

Regressar à guerra, depois de ter desertado, não pode. E, com toda a franqueza, não quer. Não o faria, mesmo se fosse capaz de se escapar ao capitão preto que o aguarda lá fora e que a esta hora já terá certamente acrescentado às sentinelas que teria anteriormente atentas à estrada e ao rio alguém que guarde o albatroz. O capitão preto que sabe quem ele é, que o teria já posto a ferros se não se tivesse condoído de um homem que certamente despreza, que teria partido em triunfo com o traidor para o Desterro se não tivesse cedido a um ataque de humanidade. Julga, apenas *julga*, que continua a não existir pena de morte na Confederação, mas de décadas na prisão não se livra com certeza.

Olha a mãe, a irmã, o resto da família. Passa os olhos pelo resto da sala. Tudo na mesma e, no entanto, tudo diferente, como que coberto por uma camada de tempo que não é possível recuperar. O mesmo tempo que lhe levara o pai, a juventude, se calhar até os ideais. Bem sabe que para muita gente é um monstro. Bem sabe que já matou e que voltaria a matar se a ocasião o exigisse. É certo que ali o veem só como o filho ou o irmão que há muito partira, mas o mesmo tempo que lhe levara tudo também lhes levara a eles esse filho e irmão. Eles talvez não o saibam ainda, mas Jeferson já não é a pessoa que se fora embora. Essa pessoa partira livre; ele, embora esteja em casa com a família, está já preso e condenado. Compreende de súbito que até mesmo por si próprio.

Passa taciturno o resto da tarde e o serão. Os outros atribuem esse humor sombrio ao desgosto e, depois de insistirem durante um par de horas em saber histórias que ele só conta a custo, acabam por deixá-lo em paz. Quando chega o momento de recolher à cama, a mãe leva-o para o seu antigo quarto, o quarto que partilhara com o irmão em pequeno. Também este está igual mas completamente diferente. A mãe abraça-o uma última vez, dá-lhe um beijo na testa, deseja-lhe boa noite com um sorriso triste e os olhos vermelhíssimos e vai-se embora, fechando a porta atrás de si. Jeferson senta-se na cama mole. Abre a carta do pai. Tenta lê-la, decifrar aquela letra destruída, tirar sentido daquelas frases incoerentes. Não consegue. Tarde demais, pai, decidiste fazer isto tarde demais.

Um homem não chora. Um monstro também não.

Ah não?

Quando a casa sossega, sai do quarto, às escuras, deixando a carta do pai aberta sobre a cama. Desce ao primeiro andar da casa, procurando não fazer barulho. No corredor que leva ao vestíbulo está desde o princípio dos tempos uma pequena mesinha com gavetas. Uma dessas gavetas sempre conteve uma pistola, a outra munições. Abre-as. Descobre que a inércia, que tudo imobiliza, teve aí uma pequena vitória sobre o tempo, que tudo muda. Pega na pistola, carrega-a, mete-a no bolso. Vai até à sala e espreita pela janela. Ali estão os soldados, ou pelo menos a fogueira do seu acampamento. Estará aí a maioria, mas há certamente mais espalhados pelo escuro.

Não importa.

Sai de casa em silêncio. A lua, que brilha quase cheia no céu limpo, ilumina-lhe bem o caminho e gera sombras bem definidas. Jeferson contorna a casa, percorre rapidamente o carreiro que leva à vacaria, dirigindo-se a um antigo lugar especial dos tempos de criança, esperando que o tempo não o tenha destruído também a ele, esperando encontrá-lo ainda lá, aguardando aquele reencontro com a paciência da paisagem. Desaparece nas sombras por trás do celeiro. A noite silencia-se e imobiliza-se por momentos, na expectativa. Depois, soa um tiro. Ouve-se o barulho de um corpo a cair. E mugidos de vacas, sobressaltadas.[1]

---

[1] *Isto, como tudo o resto, é para o meu pai.* Jorge Candeias, Abril de 2011.

# ORGANIZADOR & AUTORES

## SR. GERSON LODI-RIBEIRO

Autor carioca de FC e história alternativa. Publicou *Alienígenas Mitológicos* e *A Ética da Traição* na edição brasileira da Asimov's. Autor do romance *Xochiquetzal - uma princesa asteca entre os incas* (2009), e participou das coletâneas *Outras Histórias...* (1997), *O Vampiro de Nova Holanda* (1998), *Outros Brasis* (2006), *Imaginários v. 1* (2009) e *Taikodom: Crônicas* (2009). Como editor, organizou as antologias *Phantastica Brasiliana* (2000), *Como Era Gostosa a Minha Alienígena!* (2002) e *Vaporpunk* (2010). Trabalha desde 2004 como consultor da Hoplon Infotainment, sendo um dos criadores do universo ficcional do jogo *online* Taikodom.

## SR. CARLOS ORSI

Natural de Jundiaí (SP), é jornalista especializado em cobertura de temas científicos e escritor. Já publicou os volumes de contos *Medo, Mistério e Morte* (1996) e *Tempos de Fúria* (2005), e os romances *Nômade* (2010) e *Guerra Justa* (2010). Seus trabalhos de ficção aparecem em antologias como a *Imaginários v. 1* (2009) e *Vaporpunk* (2010), revistas e fanzines no Brasil e no exterior.

## SR. TIBOR MORICZ

Filho de húngaros, é um paulistano nascido em 1959. Publicitário e escritor, publicou *Síndrome de Cérbero* (2007), *Fome* (2008) e *O Peregrino – em busca das crianças perdidas* (2011). É um dos organizadores dos dois primeiros volumes da coleção *Imaginários* e capitão do bem sucedido *blog* internacional de entrevistas ficcionais From Bar to Bar. Premiado em concursos literários, tem contos publicados em revistas virtuais e em papel.

Doutor e mestre em Artes Visuais pela Escola de Belas Artes – EBA, UFRJ (2007 e 2002). É professor Adjunto Nível 1 da Escola de Comunicação – ECO/UFRJ. Autor do romance *A Mão que Cria* (2006) e editor da antologia de contos *Intempol* (2000). É co-autor do livro *Imaginário Brasileiro e Zonas Periféricas* (2005), com a professora doutora Rosza Vel Zoladz, publicado em *Vaporpunk* (2010) e tem artigos em revistas como *Arte e Ensaios* e *Nossa História*.

SR. OCTAVIO ARAGÃO

Nascido em São Paulo, SP, em 1977, é formado em Publicidade e Propaganda pela Universidade Metodista de São Paulo. Divulgador do gênero fantástico através do site *Space Opera* e dono da maior Comunidade de Ficção Científica do Orkut. Organizou a coletânea *Space Opera* (2011) e publicou seus contos nas coletâneas *Paradigmas 3*, *Solarium* e *FC do B*, além da revista *Scarium* e dos sites *Contos Fantásticos* e *Terroristas da Conspiração*. Terceiro colocado pelo júri popular no Prêmio *Bráulio Tavares 2008* com o conto *O Homem Bicorpóreo*.

SR. HUGO VERA

Sempre gostou de literatura, fantasia e ficção científica em especial, mas formou-se em engenharia de produção e filosofia, fez pós-graduação em economia e trabalhou como analista de investimentos e assessor econômico-financeiro antes de reencontrar sua vocação na escrita, no jornalismo e na ficção. Hoje escreve sobre a realidade na revista CartaCapital e sobre a imaginação em outras partes. Publicou a primeira antologia *Eclipse ao pôr do sol e outros contos fantásticos* (2010) e o romance *Crônicas de Atlântida – O tabuleiro dos deuses* (2011), além de colaborar com os meios a seu alcance para o desenvolvimento da ficção especulativa no Brasil.

SR. ANTONIO LUIZ M. C. COSTA

**SR. CIRILO S. LEMOS**

Nasceu em Nova Iguaçu, Baixada Fluminense, em 1982, nove anos antes do antológico *Ten*, do Pearl Jam. Foi ajudante de marceneiro, de pedreiro, de sorveteiro, de marmorista, de astronauta. Fritou hambúrgueres, vendeu flores, criou peixes briguentos, estudou História. Desde então se dedica a escrever, dar aulas e preparar os filhos para a inevitável rebelião das máquinas. Gosta de sonhos horríveis, realidades previsíveis e fotos de família. Publicou em *Imaginários v. 3* (2010) e *Cursed City* (2011).

Ex-publicitário, ex-chargista, ex-quadrinista, ex-repórter, ex-jornalista e atual editor gráfico e escritor, é natural de Catanduva (SP). Fora os roteiros das lendárias revistas de terror e fantástico nacional Calafrio e Mestres do Terror, onde treinou a escrita e alguns desenhos, e outras editoras do Rio e São Paulo, publicou alguns contos nos livros *Território V* e *Contos Imediatos* (ambos em 2009), *Portal 2001* e *Portal Fahrenheit* (em 2010).

**SR. SID CASTRO**

**SR. JORGE CANDEIAS**

É português algarvio e tem desenvolvido nos últimos anos intensa atividade nos meios ligados à FC e ao fantástico dos dois lados do Atlântico (embora mais do lado de lá do que de cá, por óbvias razões logísticas). De momento ganha a vida como tradutor, e já tem no currículo um par de traduções de que se orgulha – entre elas a tradução da série *Guerra dos Tronos*. Também tem no currículo um pequeno livro, *Sally*, (2002) e contos espalhados por publicações portuguesas, brasileiras, inglesas e argentinas, em papel e em *bits*.

Este livro foi impresso em linotipia na gráfica PSY em julho de 2011, com consentimento das autoridades competentes de Brasil e Portugal.